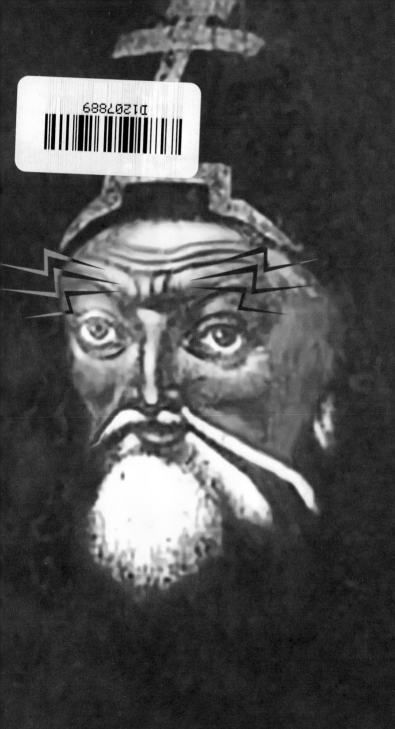

ВИКТОР ПЕЛЕВИН

ЭКСМО
Москва
2009

УДК 82-3
ББК 84(2Рос-Рус)6-4
   П 24

Пелевин В. О.

П 24   Т / Виктор Пелевин. — М. : Эксмо, 2009. — 384 с.

ISBN 978-5-699-37515-8

«Т» — новый роман писателя, в эпоху которого служили народу Брежнев, Горбачев, Путин.

УДК 82-3
ББК 84(2Рос-Рус)6-4

ISBN 978-5-699-37515-8

ЧАСТЬ 1

ЖЕЛЕЗНАЯ БОРОДА

I

Когда дорога пошла в гору, старенький паровоз сбавил ход. Это было весьма кстати — за окном открылась панорама удивительной красоты, и оба пассажира в купе, только что закончившие пить чай, надолго погрузились в созерцание.

На вершине высокого холма белела дворянская усадьба, возведенная, несомненно, каким-то расточительным сумасбродом.

Здание было красивым и странным: оно напоминало не то жилище эльфов, не то замок рыцарей-монахов. Белые шпили, стрельчатые окна, легкие мраморные беседки, поднимавшиеся из причудливо остриженных кустов парка — все это казалось нереальным на сквозном российском просторе, среди серых изб, косых заборов и торчащих по огородам пугал, похожих на кресты с останками еще при Риме распятых рабов.

Но даже необычнее белого замка выглядел пахарь, идущий за плугом по склону холма. Это был высокий чернобородый мужчина мощного сложения, одетый в длинную рубаху. Его ноги были босы, а ладони лежали на ручках деревянного плуга, который тянул за собой конь-битюг.

— Вы не находите, ваше священство, что в этой картине есть нечто библейское?

Вопрос задал пассажир с густыми рыжеватыми усами, одетый в коричневую клетчатую пару и такое же кепи. А обращен он был к молодому священнику в черном клобуке и темно-фиолетовой рясе, сидевшему напротив.

Священник, очень похожий на оставшегося за окном пахаря сложением и бородой, отвернулся от стекла и с любезной улыбкой спросил:

— Что же вы в этом находите именно библейского, сударь?

Господин в клетчатом кепи чуть смутился.

— Нечто первозданно-величественное, вернее будет сказать, — ответил он. — Библия, как мы знаем, тоже относится к первозданному и величественному. В таком вот сопоставительном ключе-с. Извините, если неподобающе высказался.

— Ну что вы, — ответил священник. — Не следует быть настолько апологетичным.

— Простите, как?

— Апологетичным, склонным приносить излишние извинения. Миряне при разговоре со священством всегда стараются упомянуть о духовном. Дурного здесь нет, наоборот — отрадно, что мы одним видом своим поворачиваем помыслы к высоким предметам...

— Кнопф, — представился клетчатый господин. — Ардальон Кнопф, торговля скобяными товарами. Я, кажется, так и не назвался. А вы — отец Паисий, я помню.

Священник наклонил черный клобук.

Кнопф опять повернулся к окну. Усадьба и пахарь были все еще видны.

— А знаете ли, что за таинственный замок на холме, отец Паисий? Это Ясная Поляна, усадьба графа Т.

Он выговорил так — «графа Тэ».

— Неужели? — вежливо, но без интереса переспросил священник. — Какое странное имя.

— Графа стали так называть из-за газетчиков, — пояснил Кнопф. — Рассказывая о его похождениях, газеты никогда не упоминают его настоящей фамилии, чтобы не попасть под статью о диффамациях. Эта кличка теперь у него вместо имени.

— Романтично, — улыбнулся священник.

— Да. А по склону, надо думать, идет сам граф Т. У него это завместо утреннего моциона-с. Великий человек.

Отец Паисий сделал вежливое движение плечами, как бы одновременно и пожимая ими в недоумении, и соглашаясь с собеседником.

— А что же, — ответил он, — несколько часов крестьянского труда не повредят и графу.

— Осмелюсь задать вопрос, — быстро проговорил Кнопф, словно только и дожидавшийся этой секунды, — а как вы, ваше священство, относитесь к отлучению графа Т. от церкви?

Священник посерьезнел.

— Это крайне трагический факт, — сказал он тихо, — ибо что может быть скорбнее изгнания чада церкви из ее лона? Но причиной, видимо, являются греховные и непотребные деяния графа. Которые мне, впрочем, не вполне известны.

— Непотребные деяния? Тут я осмелюсь возразить вашему священству. Граф Т. — один из высоких нравственных авторитетов нашего времени. И его величие от отлучения ничуть не умалилось. А вот авторитет церкви-с...

— Какие же у вас имеются основания считать графа Т. нравственным авторитетом? — полюбопытствовал священник.

— Как же-с. Защитник угнетенных, благородный аристократ, не боящийся бросить вызов злу там, где бессильны полиция и правительство... Кумир простых людей. Любимец женщин, наконец. Настоящий народный герой, хоть и граф! Неудивительно, что его начинает опасаться даже правящий дом.

Слова «правящий дом» Кнопф выговорил шепотом, выразительно выпучив глаза, и ткнул пальцем вверх.

— Суета сует, и всяческая суета, — проговорил отец Паисий с улыбкой. — Нравственный авторитет покупается ценой гонений и мук и не связан с одобрением толпы. Иначе придется приписать его и танцовщице, которая по вечерам поднимает голые ножки перед лорнирующим залом.

И отец Паисий показал двумя пальцами, как именно поднимаются ножки.

— Однако же граф Т. не танцовщица, — возразил Кнопф. — И гонений отнюдь не избежал. Знаете ли вы, что за ним установлен тайный надзор полиции и ему запрещено покидать усадьбу? Власти якобы опасаются за его рассудок. По слухам из семейных кругов, граф принял решение уйти в Оптину Пустынь.

— Оптину Пустынь? — отец Паисий нахмурился. — А с какой целью? И что это такое?

— Цель графа мне неизвестна. А о смысле сих слов говорят очень разное. Одни полагают, что это некий тайный монастырь, где граф собирается получить духовное напутствие у святых старцев-схимомонахов. Другие утверждают, что «Оптина Пустынь» есть принятое у секты исихастов обозначение предельного мистического рубежа, вершины духовного восхождения, и это не следует понимать в географическом смысле. Третьи, в правительственных кругах... Совсем не представляю их мыслей, но по какой-то причине намерение графа проникнуть в Оптину Пустынь представляется им опасным. И наперерез Железной Бороде посланы лучшие агенты охранки.

— Железной Бороде? — переспросил священник.

— Да, так графа называют в Третьем отделении.

— Откуда у вас эти сведения?

Кпопф с готовностью вынул из кармана сложенную газету:

— А вот, пишут в «Петербургских Дребезгах».

Священник засмеялся.

— На вашем месте я не придавал бы значения слухам, которые распространяют подобные издания. Это все пустые сплетни, поверьте мне.

Кнопф посмотрел на часы, потом внимательно глянул на священника.

— Однако же сведения о домашнем аресте графа самые доподлинные, — сказал он. — У меня, знаете ли, есть знакомства в полиции. Мне это по секрету рассказали. И еще много интересного.

— Что же именно, позвольте полюбопытствовать?

— Говорят, — сказал Кнопф, пристально глядя на отца Паисия, — граф Т. завел себе двойника, высокого детину из крестьян. Сделал ему бороду из старого парика. И отправляет пахать к курьерскому каждый раз, когда хочет незаметно исчезнуть из усадьбы. А сам скрывается в переодетом виде. Садится на поезд, вот как раз где вы вошли, батюшка, и едет себе по делам...

— Вон оно что, — отозвался отец Паисий. — Интересно. Однако же, господин Кнопф, для торговца скобяными товарами вы очень осведомлены о полицейских делах.

— А вы, батюшка, для священника переизбыточно экипированы. Вон какой у вас револьверище-то под рясой, рукоять аж выпирает. Зачем вам такой?

Священник сунул руку под рясу и вытащил оттуда длинный сверкающий револьвер.

— Этот-то? — спросил он, с некоторым словно бы удивлением осмотрев его. — Да от волков. Приход наш в лесах, путь от станции далекий. Дорога дальняя, да ночка темная...

— «Саваж», французский? — промурлыкал Кнопф. — Хорош. А давайте я вам свой покажу...

И он вытащил из-за пазухи горбатый полицейский «смит-и-вессон».

Странное положение дел сложилось в купе.

Фиолетовый священник и клетчатый господин сидели на своих кожаных диванах с револьверами в руках — и не то чтобы прямо угрожали ими друг другу (разговор их был скорее шуточный и веселый), но все же ясно и недвусмысленно направляли нарезные стволы друг на друга.

— И раз уж мы заговорили про графа Т., — сказал Кнопф. — Знаете ли вы, что такое непротивление злу насилием?

— Конечно, — ответил священник, поигрывая револьвером. — Это морально-этическое учение о недопустимости воздаяния злом за зло. Оно опирается на евангельские цитаты, правда, произвольно подобранные. Господь наш действительно сказал «ударившему тебя по правой щеке подставь левую». Но господь сказал и другое — «не мир я принес, но меч...»

— Моральное учение, говорите? — спросил Кнопф, поглаживая пальцем барабан. — А у меня другие сведения.

— Какие же?

— Граф Т. всю жизнь обучался восточным боевым приемам. И на их основе создал свою школу рукопашного боя — наподобие французской борьбы, только куда более изощренную. Она основана на обращении силы и веса атакующего противника против него самого с ничтожной затратой собственного усилия. Железная Борода достиг в этом искусстве высшей степени мастерства. Именно эта борьба и называется «непротивление злу насилием», сокращенно «незнас», и ее приемы настолько смертоносны, что нет возможности сладить с графом, иначе как застрелив его.

Рассказ Кнопфа определенно действовал на отца Паисия — тот испуганно схватился рукой за бороду, словно опасаясь каких-то последствий для нее от этого рассказа. Ствол его револьвера, однако, по-прежнему смотрел в сторону Кнопфа.

— Железная Борода, — сказал он, вытаращив глаза, — вот оно что... А почему такая странная кличка?

Кнопф пожал плечами.

— Азия-с... А упомянутый вами моральный аспект непротивления злу — это просто декоративная философия, которую азиаты так любят присовокуплять к своим кровожадным военным искусствам. Поэтому преследователям, которые посланы в погоню за графом Т., велено открывать огонь, если он попытается оказать сопротивление.

— Какие ужасы вы рассказываете, — охнул отец Паисий. — Неужели они прямо-таки станут стрелять в этого отверженного? Ведь смерть вне лона церкви, пока над ним довлеет анафема — это верная дорога в геенну!

— Ах, батюшка, а что же делать служивым людям? Ведь графа иначе не взять. Это ужасный противник — хотя, надо признать, руки в крови он старается не пачкать. Его азиатская философия именно в том, чтобы не отвечать ударом на удар, а возвести между собой и противником смертельную преграду, о которую расшибется атака, а вместе с ней и атакующий. Препона может быть любой, и в умении создавать ее графу Т. нет равных.

— Значит, в графа будут стрелять? — переспросил отец Паисий. Он, казалось, никак не мог вместить эту ужасную мысль.

— Боюсь, что да, — сокрушенно подтвердил Кнопф.

В воздухе повисло напряженное молчание. А затем дневной свет вдруг померк и наступила тьма — поезд въехал в туннель, и перестук колес, отраженный от каменных стен, сразу заглушил все остальные звуки.

Неизвестно, что именно происходило в грохочущей темноте в следующую минуту или две. Но, когда опять стало светло, купе выглядело более чем странно.

В воздухе плавали клубы сизого порохового дыма. В оконном стекле зияли три пулевые пробоины. Простреленный клобук отца Паисия валялся на полу. Бессознательный Кнопф с багровым кровоподтеком на лбу лежал на кожаном диване, открыв рот и выставив перед собой связанные собственным галстуком руки. А отец Паисий возился с замками окна.

В дверь купе громко постучали. Отец Паисий никак на это не отреагировал — только удвоил усилия. Но окно не поддавалось: видимо, деревянная рама разбухла от сырости, и ее заклинило.

В дверь постучали еще раз.

— Отоприте!

— Одну секунду, господа, — откликнулся отец Паисий. — Мне только надо одеться.

С этими словами он примерился и ударил ногой в окно. Пробитое пулями стекло лопнуло и исчезло под ударом ветра. Быстро выдернув из рамы самые крупные осколки, отец Паисий швырнул их следом.

— Не валяйте дурака, открывайте немедленно! — раздалось из коридора. — Иначе мы выломаем дверь!

— Сейчас, сейчас...

Отец Паисий выглянул в окно. Впереди была широкая река — поезд уже подъезжал к мосту.

— Отлично, — пробормотал он.

В дверь ударили, и отец Паисий заспешил. Отвернув нижний край рясы, он высвободил две пришитых к ее кромке петли и, словно в стремена, вдел в них башмаки. Такие же две петли оказались в рукавах; отец Паисий продел в них ладони. После этого он залез на столик и присел на корточки перед выбитым окном, похожим на квадратную пасть с редкими прозрачными зубами.

Раздался сильнейший удар, и дверь слетела с петель. В купе ввалились люди с револьверами в руках — их было много, и они мешали друг другу. Прежде, чем они добрались до стола, отец Паисий сильно оттолкнулся от него ногами и выбросился из поезда.

Преследователи бросились к окну. Первый из них, вскочив на столик, отважно прыгнул следом — и с жутким стуком врезался головой в ферму моста, вдруг возникшую из пустоты. Его тело отлетело от чугунной конструкции, ударилось о вагон и мешком свалилось на землю. В купе раздались крики досады и гнева. Затем из окна высунулся другой преследователь с двумя револьверами в руках.

За фермами моста видна была спокойная, будто застывшая на дагерротипе, река под сенью высоких перистых облаков. Над водой, как полный ветра зонт, парила фиолетовая ряса отца Паисия. Скользя по воздуху огромной белкой-летягой, он приближался к поверхности воды.

Захлопали выстрелы. Одна пуля отрикошетила от фермы, остальные подняли фонтанчики над рекой. А затем толпящиеся в купе люди потеряли отца Паисия из вида.

II

Сброшенная ряса медленно уплыла в подводную мглу, и на поверхность реки вынырнул уже не отец Паисий, а граф Т. — молодой чернобородый мужчина в белой рубахе без ворота. Глубоко вдохнув, он открыл глаза и посмотрел в небо.

Свод ровных перистых облаков казался крышей, превратившей пространство между землей и небом в огромный открытый павильон — прохладный летний театр, в котором играет все живое. Было тихо, только откуда-то издалека доносился шум уходящего поезда, и еще слышался мерный плеск воды, словно кто-то через равные интервалы времени кидал в воду пригоршни камней.

Несмотря на только что пережитую опасность, Т. ощутил странный покой и умиротворение.

«Небо редко бывает таким высоким, — подумал он, щурясь. — В ясные дни у него вообще нет высоты — только синева. Нужны облака, чтобы оно стало высоким или низким. Вот так и человеческая душа — она не бывает высокой или низкой сама по себе, все зависит исключительно от намерений и мыслей, которые ее заполняют в настоящий момент... Память, личность — это все тоже как облака... Вот, например, я...»

Вдруг настроение Т. самым резким образом переменилось. Умиротворение исчезло, сменившись внезапным испугом — Т. даже сделал несколько непроизвольных резких гребков.

«Я... Я?? Почему я ничего не помню? Контузило пулей? Стоп... Этот человек, Кнопф, сказал, что меня зовут граф Т. и я пробираюсь в Оптину Пустынь. А откуда я ехал? Ага, он сказал — из Ясной Поляны, это усадьба, которую мы видели за окном... Но зачем я ехал из Ясной Поляны в эту Оптину Пустынь?»

Т. огляделся.

Из-под моста показался корабль. Он был странного вида — похож на большую баржу, но отчего-то с веслами, торчащими из люков в бортах. Весла слаженно поднимались над рекой, замирали на миг и рушились назад в воду, производя тот самый плеск, который Т. слышал уже с минуту.

Чем ближе подплывал корабль, тем больше открывалось необычных деталей. Его украшало подобие носовой фигуры — копия Венеры Милосской на дощатом постаменте (судя по нежной игре света, это был настоящий мрамор). На носу корабля, как на греческой триере, были намалеваны два бело-синих глаза, а над палубой возвышалась надстройка, удивительно похожая на небольшой одноэтажный дом из какого-нибудь уездного городка. Однако, несмотря на все эти художества, было видно, что корабль — никакая не триера, а просто большая грузовая баржа.

Оказавшись возле борта, Т. поплыл под весельными люками. За ними сидели хмурые мужики в подобии греческих хитонов из серой сермяги. Никто из них даже не посмотрел в сторону Т., плывшего совсем рядом.

«Землепашцы, — подумал Т., стараясь держаться ближе к борту. — Оторванные от естественной стихии, превращенные в рабов чужой прихоти... Впрочем, поставить землепашца у станка на городской фабрике — это ведь, в сущности, такое же точно издевательство...»

Последний в ряду люк оказался пустым — пространство за ним было отделено от остальной части трюма перегородкой, за которой можно было спрятаться. Ухватившись за край дыры, Т. подтянулся и, стараясь не производить шума, влез внутрь. Кажется, его никто не заметил.

В трюме пахло мякиной и потом. Мужики, сидевшие на приделанных к полу скамьях, слаженно ухали, раскачиваясь взад и вперед. В проходе стоял надсмотрщик, одетый в такой же сермяжный хитон, что и на гребцах, только с серебряной пряжкой на плече. Он задавал ритм, ударяя в медный таз деревянной колотушкой в виде головы барана.

Дождавшись, когда он отвернется, Т. толкнул дверь с грубо нарисованным Аполлоном-лучником и выскользнул из трюма. За дверью была узкая деревянная лестница. Поднявшись по ней, Т. вышел на палубу.

Почти все ее пространство занимала надстройка, похожая на вытянутый одноэтажный дом. Собственно, это и был самый настоящий одноэтажный дом — с жестяной крышей и фальшивыми колоннами, отсыревшая штукатурка которых кое-где отвалилась, обнажив сосновую дранку. В стенах, как и положено, были окна и двери.

Т. осторожно заглянул в окно. За плотными шторами ничего не было видно.

Внезапно ближайшая дверь приоткрылась, и тихий мужской голос позвал:

— Ваше сиятельство! Быстрее сюда!

Т. подошел к двери. За ней оказался чулан с разным хламом на полках. Людей внутри не было.

— Входите же, — настойчиво повторил непонятно откуда раздающийся голос.

Т. шагнул внутрь, и дверь закрылась, словно притянутая пружиной. Вокруг сразу сгустилась чернильная темнота. Как Иона в чреве кита, подумал Т. и вдруг отчетливо представил себе библейского пророка — в желтых ризах, с виноватым умильным лицом и длинными волнистыми волосами, обильно смазанными маслом.

— Если вы осторожно отступите назад, — сказал голос, — вы нащупаете за собой стул. Присаживайтесь.

— Я вас не вижу. Вам угодно прятаться?

— Прошу вас, граф, присядьте.

Т. опустился на стул.

— Кто вы такой? — спросил он.

— А сами вы кто?

— Поскольку вы обратились ко мне «ваше сиятельство», — ответил Т., — я предполагаю, что вам это известно.

— Мне-то известно, — произнес голос. — А вот известно ли вам?

— Я граф Т., — ответил Т.

— А что такое «граф Т.»?

— То есть?

В темноте раздался смех.

— У вопроса есть, например, философский аспект, — сказал голос. — Можно долго выяснять, что именно называется этим словосочетанием — нога, рука, полная совокупность частей тела или же ваша бессмертная душа, которую вы никогда не видели. Однако я не об этом. Говорят, в Ясной Поляне вас посещают индийские мудрецы, вот и ведите подобные беседы с ними. Мой вопрос имеет чисто практический смысл. Что вы про себя помните и знаете, граф Т.?

— Ничего, — честно признался Т.

— Очень хорошо, — сказал голос и снова хихикнул. — Именно так я и предполагал.

— Вы не сказали, кто вы.

— Я тот, — ответил голос, — кто имеет безграничную власть над всеми без исключения аспектами вашего существа.

— Смелое заявление, — заметил Т.

— Да, — повторил голос, — над всеми без исключения аспектами.

— Я должен верить вам на слово?

— Отчего же на слово. Я могу представить доказательство... Например, такое: объясните, пожалуйста, почему совсем недавно, подумав о пророке Ионе, вы вообразили его одетым в желтое? Не в зеленое, не в красное, а именно в желтое? И почему его волосы были в масле?

Повисла долгая пауза.

— Должен признаться, — отозвался наконец Т., — вы меня изумляете. Откуда вам это известно? Я не имею привычки бормотать вслух.

— Вы не ответили.

— Не знаю, — сказал Т. — Должна ведь на нем быть одежда. А масло на волосах... Видимо, случайное сближение... Дайте вспомнить... Подумалось отчего-то о пьяных рубенсовских сатирах, которые тут совершенно ни при чем... Но каким образом...

Т. не договорил — ему показалось, что темнота впереди сгустилась в угрожающий твердый клин, который вот-вот ударит его прямо в грудь, и он ощутил необходимость срочно предпринять какое-то действие. Стараясь двигаться бесшумно, он сполз со стула на пол и пригнулся. Ощущение опасности ушло. А еще через миг Т. перестал понимать, почему так вышло, что он стоит на коленях, упершись руками в пол.

— Ну, — сказал голос насмешливо, — это тоже случайное сближение? Я имею в виду пережитый вами страх перед темнотой? И странное для аристократа желание встать на четвереньки?

Т. поднялся с пола, нащупал стул и снова сел на него.

— Прошу вас, объяснитесь, — сказал он. — И прекратите эти выходки.

— Поверьте, я не получаю от них никакого удовольствия, — ответил голос. — Просто теперь вы на опыте знаете, что источник всех ваших мыслей, переживаний и импульсов находится не в вас.

— Где же он?

— Я уже сказал, этот источник — я. Во всяком случае, в настоящий момент.

— Одни загадки, — сказал Т. — Я хочу вас увидеть. Зажгите свет.

— Что же, — отозвался голос, — это, пожалуй, можно.

Загорелась спичка. Т. не увидел перед собой никого. Ничего необычного в чулане тоже не было: какие-то тюки, банки и бутылки на полках. В самом темном углу померещилось шевеление — но это оказалась просто дрожащая тень от мотка веревки.

Была, впрочем, одна странность.

Спичка, которая зажглась в двух шагах от Т., висела в пустоте.

Плавно спустившись вниз, она зажгла стоящую на ящике керосиновую лампу, причем ее колпак сам собой поднялся и опустился на огонек. Затем колесико лампы повернулось, и огонек из красновато-желтого стал почти белым.

Перед лампой никого не было. Но Т. заметил на стене напротив еле заметный контур человеческого тела — тень, которую отбросил бы стоящий у лампы человек, будь он почти прозрачным.

Вскочив, Т. вытянул руку, чтобы коснуться прозрачного человека — но его рука схватила воздух.

— Не трудитесь, — сказал голос. — Вы сможете схватить меня руками только в том случае, если я захочу этого сам — а я не хочу. Дело в том, что я создаю не только вас, но и все вами видимое. Я выбрал стать тенью на стене, но точно так же я могу стать чем угодно. Как создатель, я всемогущ.

— Как ваше имя?

— Ариэль.

— Простите?

— Ариэль. Вы «Бурю» Шекспира помните?

— Помню.

— Пишется так же, как имя из «Бури». Приятно было познакомиться, граф. На этом наше первое свидание заканчивается. Сегодня я появился перед вами, чтобы сказать — успокойтесь и ведите себя так, словно все в порядке и вы уверены в себе и окружающем.

— Но я не уверен в себе, — ответил Т. шепотом. — Наоборот. Я ничего про себя не помню.

— В вашей ситуации это нормально. Никому не жалуйтесь, и все придет в норму.

— Я не знаю, куда и зачем я иду.

— Вы это уже знаете, — отозвался Ариэль. — Вам объяснили — вы идете в Оптину Пустынь. Так что возвращайтесь на палубу и продолжайте путешествие.

Т. показалось, что последние слова донеслись откуда-то совсем издалека. Прозрачная тень на стене исчезла, и сразу вслед за этим погасла лампа. Некоторое время Т. сидел в темноте, даже не пытаясь связно думать. Затем он услышал звуки струн. Встав, он нащупал дверь, открыл ее и решительно шагнул в полосу солнечного света.

III

Навстречу ему по палубе двигалась странного вида процессия.

Впереди шествовал молодой безбородый мужик, одетый в грубую тунику из сермяги — такую же, как на гребцах. В его волосах блестел золотой венок, а руки сжимали лиру, струны которой он теребил с задором опытного балалаечника, морща лицо и приборматывая что-то вслух. Следом шла полная дама, одетая в многослойный хитон из легкой полупрозрачной ткани. За дамой шли два мужика со сделанными из перьев опахалами в руках — они работали слаженно и четко, как пара деревянных кузнецов-медведей на общем стержне: когда один опускал опахало к голове дамы, другой поднимал свое, и наоборот.

Увидев Т., дама остановилась. Смерив взглядом его мускулистую фигуру в мокрой рубахе и плотно обтягивающих ноги панталонах со штрипками, она спросила:

— Кто вы, милостивый государь?

— Т., — ответил Т. — Граф Т.

Дама недоверчиво улыбнулась.

— Значит, это не просто внешнее сходство, — сказала она. — Какая честь для бедной провинциалки! Сам граф Т... Я княгиня Тараканова к вашим услугам. Но чем обязана удовольствию видеть вас в гостях, ваше сиятельство? Опять какое-нибудь безумное приключение, о котором будут писать все столичные газеты и болтать все салоны?

— Видите ли, княгиня, я ехал в поезде, но отстал от него и упал с моста в реку. Не появись из-под моста ваш корабль, я бы, наверно, утонул.

Княгиня Тараканова засмеялась, кокетливо закатывая глаза.

— Утонули? Позвольте вам не поверить. Если хоть часть тех историй, которые о вас рассказывают, правда, вы способны проплыть всю эту реку под водой. Но на вас мокрая одежда? И вы голодны?

— Признаться, насчет голода вы угадали.

— Луций, — сказала княгиня мужику с опахалом, — проводи графа в комнату для гостей. А как только он переоденется в сухое, веди к столу.

Она повернулась к Т.

— Сегодня у нас на обед фамильное блюдо. Brochet tarakanoff, щука по-таракановски.

— Вообще-то я придерживаюсь вегетарианской диеты, — сказал Т. — Но ради вашего общества...

— Какое вино будете пить?

— Писатель Максим Горький, — с улыбкой произнес Т., — обычно отвечал на этот вопрос так: «хлебное». За что его очень ценили в славянофильских кругах, но недолюбливали в дорогих ресторанах... Ну а я предпочитаю воду или чай.

Через четверть часа Т., одетый в халат красного шелка и свежепричесанный, вошел в столовую.

Столовая оказалась просторной комнатой, украшенной копиями античных скульптур и древним бронзовым оружием на стенах. Вокруг изысканно сервированного стола были расставлены банкетки, накрытые мягкими разноцветными покрывалами; княгиня Тараканова уже возлежала на одной из них. Т. понял, что пустое ложе напротив приготовлено для него.

На огромном овальном блюде, занимавшем всю центральную часть стола, покоилось какое-то небывалое существо — дракон с зеленой гривой и четырьмя изогнутыми лапками. Он выглядел пугающе реально.

— Make yourself comfortable, граф, — сказала княгиня. — Хлебного вина у меня нет, зато есть недурное белое. Мускаде сюр ли. Хотя вообще я не люблю Бретань...

Она указала на серебряное ведерко, из которого торчало бутылочное горлышко.

Устроившись на ложе, Т. взял салфетку и уже хотел заправить ее за ворот халата, но понял, что это трудно будет сделать, лежа на животе — да и ни к чему.

— Так это и есть ваша щука? — спросил он. — Никогда не догадался бы, не предупреди вы меня заранее. Для щуки, пожалуй, великовато...

— Щука по-таракановски — очень необычное блюдо, — сказала княгиня с гордостью. — Она делается из нескольких крупных рыб, незаметно соединенных вместе. В результате получается дракон.

— А из чего сделаны его лапки?

— Из угрей.

— А эта зеленая шерстка?

— Укроп.

Дракон действительно был сделан с большим мастерством — невозможно было заметить место, где одна рыбина соединялась с другой. Он кончался замысловато изогнутым рыбьим хвостом, а начинался щучьей головой с широко разинутой пастью: эта голова была гордо поднята вверх и украшена кавалерийским плюмажем из зелени и полосок цветной бумаги.

— Зачем убивать столько живых существ, чтобы насытить двух представителей праздного сословия? — меланхолично спросил Т.

— Не волнуйтесь, граф, — улыбнулась княгиня. — Я знакома с вашими взглядами. Уверяю вас, ни одно живое существо не погибло зря. Кроме нас с вами, на корабле много едоков.

— О да, — сказал Т. — Я заметил. Когда проходил через трюм.

Княгиня покраснела.

— Вы, возможно, считаете, что я эксплоатирую этих людей? — спросила она, произнося иностранный глагол через «о». — Ничуть. Это бывшие бурлаки, и для них такая работа привычна. Вы сами, граф, часто говорите газетчикам о пользе физического труда на свежем воздухе. Кроме того, поработав у меня год или два, они накопят себе на старость. Поэтому не спешите меня осуждать.

— Как я могу осуждать свою спасительницу, что вы. Я мог бы только отметить некоторую экстравагантность вашего вкуса... — Т. отпил из бокала, — вашего безупречного вкуса, княгиня. Великолепное вино.

— Благодарю, — сказала княгиня. — Я понимаю, что мой образ жизни может показаться странным. Эдакая пародия на античность. Помещица бесится с жиру. Но только во всем этом, уверяю вас, есть глубокий духовный смысл. Помните узелочки, которые завязывают на платке, чтобы не забыть о чем-то важном? Вот и здесь тот же принцип. Такова была последняя воля покойного князя. Моя жизнь устроена подобным образом для того, чтобы все вокруг заставляло меня помнить о главном.

— О чем же? — спросил Т. с неподдельным интересом.

— Попробуйте догадаться с трех раз, граф.

— Я вряд ли сумею.

— Могу помочь. Что приходит вам на ум, когда вы думаете об античности?

— Ну... — Т. замялся.

— Об этом сразу забудьте, — хохотнула княгиня; — шалунишка... Что еще?

Т. посмотрел на набор гладиаторского снаряжения, висящий на стене.

— Цирковые бои?

Княгиня отрицательно покачала головой.

Т. поглядел на Артемиду с ланью, потом на Аполлона, целящего куда-то из воображаемого лука.

— Многобожие?

Княгиня подняла на Т. удивленные глаза.

— Поздравляю, вы угадали! Именно, граф. Покойный князь был глубочайшим знатоком античности и посвятил меня в тайную доктрину древних. Однако мои духовные способности не внушали ему доверия — и он завел домашний уклад, где каждая деталь должна была напоминать мне об этом возвышенном учении. Князь завещал ничего не менять после его смерти.

— Надеюсь, вас не оскорбит мой вопрос, но что возвышенного в многобожии?

— Современные люди не понимают, что это такое на самом деле. Даже в античные времена суть многобожия открывалась только посвященным в мистерии. Но покойный князь владел древней книгой, которая раскрывала секрет — она сохранилась в единственном списке и была приобретена им в одном итальянском монастыре. По преданию, книгу написал сам Аполлоний Тианский.

— И что там было сказано?

— Во-первых, там опровергалась доктрина сотворения мира.

— Каким образом?

— Дело в том, что эта причудливая теория, заразившая западный ум множеством диких представлений, основана исключительно на аналогиях с жизнью крупного рогатого скота, за которым тысячелетиями наблюдали наши предки. Неудивительно, что у них возникла идея о сотворении. Удивительно другое — эти представления до сих пор лежат в фундаменте всего здания современной духовности...

— Простите, — сказал Т., — но я не могу взять в толк, при чем здесь крупный рогатый скот.

— Скоты оплодотворяют друг друга, а затем рождается новое животное, для существования которого уже не требуется, чтобы его, так сказать, зачинали секунда за секундой. Перенеся это наблюдение на высшие сферы, люди древности решили, что и там действует тот же принцип. Есть подобный зачатию момент творения, в котором участвует божество-гермафродит, оплодотворяющее само себя. Они назвали это «сотворением мира». А дальше, после родов, мир существует по инерции — поскольку он уже зачат и порожден.

— Никогда не думал, что подобное воззрение связано со скотоводством.

— Видите, — сказала княгиня, — концы упрятаны так глубоко, что никому и в голову не приходит эта простейшая мысль.

— А как видели сотворение мира последователи многобожия?

— Они считали, что творение происходит до сих пор — непрерывно, миг за мигом. В разное время нас создают разные божества — или, выражаясь менее торжественно, разные сущности. Если сформулировать доктрину многобожия совсем коротко, боги постоянно заняты созданием мира и не отдыхают ни минуты. Ева ежесекундно возникает из ребра Адама, а живут они в Вавилонской башне, которую непрерывно перестраивают божественные руки. Древние пантеоны богов — просто яркая, но недоступная профану метафора, в которой запечатлено это откровение...

— Мне трудно поверить, — сказал Т., — что эллины строили такие причудливые мистические теории. Насколько я представляю, они были простыми и солнечными людьми. А во всем этом чудится нечто математическое, немецкое. Или даже иудейское.

Княгиня улыбнулась.

— В духовных вопросах, граф, «несть ни иудея, ни эллина». Как это говорил один веселый иудей в те времена, когда эллины еще были... Отчего вы не едите щуку?

— Я стараюсь придерживаться вегетарианской диеты.

— Если вы не будете кушать, — сказала княгиня Тараканова игриво, — я замолчу.

Т. улыбнулся и взял рыбный нож.

— Продолжайте, прошу вас, — сказал он, придвигая к себе тарелку. — Вы не сказали, как именно боги создают нас. Они трудятся над нами все вместе? Или по очереди?

— Имеет место и то, и другое.

— Не могли бы вы пояснить на примере?

— Попробую. Вот представьте себе — некий человек зашел в церковь, отстоял службу и испытал религиозное умиление. Дал себе слово всегда быть кротким и прощать обидчиков... А потом отправился гулять по бульвару и наткнулся на компанию бездельников. И один из этих бездельников позволил себе нелестно выразиться о фасоне панталон нашего героя. Пощечина, дуэль, смерть противника, каторжные работы. Неужели вы полагаете, что у всех этих действий один и тот же автор? Вот так разные сущности создают нас, действуя поочередно. А если вы представите себе, что и в церкви, и во время прогулки по бульвару, и особенно в каторжном заточении наш герой то и дело думал о плотской любви в ее самых грубых и вульгарных формах, мы получим пример того, как разные сущности создают нас, действуя одновременно.

Т. кивнул.

— Я думал о чем-то подобном применительно к смертной казни, — сказал он. — Она лишена смысла именно потому, что несчастный, на которого обрушивается кара, уже совсем не тот человек, что совершил преступление. Он успевает десять раз раскаяться в содеянном. Но его вешают все равно...

— Вот именно, — сказала княгиня Тараканова. — Неужели тот, кто убивает, и тот, кто потом кается — это одно и то же существо?

Т. пожал плечами.

— Принято говорить, что человек переменчив.

— Покойный князь хохотал, когда слышал эти слова. Человек переменчив... Сам по себе человек не более переменчив, чем пустой гостиничный номер. Просто в разное время его населяют разные постояльцы.

— Но это все равно один и тот же человек. Просто в ином состоянии ума.

— Можно сказать и так, — ответила княгиня. — Только какой смысл в этих словах? Все равно что глядеть на сцену, где по очереди выступают фокусник, шут и трагик, и говорить — ах, но это все равно один и тот же концерт! Да, есть вещи, которые не меняются — зал, занавес, сцена. Кроме того, все номера можно увидеть, купив один входной билет. Это позволяет найти в происходящем непрерывность и общность. Но участники действия, из-за которых оно обретает смысл и становится зрелищем, все время разные.

— Хорошо, — сказал Т., — а боги занимаются только представителями благородных сословий? Или простым людом тоже?

— Вам угодно шутить, — усмехнулась княгиня.

— Нет, я вполне серьезен. Как, например, боги создают своим совокупным усилием какого-нибудь пьяного приказчика из лавки?

Княгиня немного подумала и сказала:

— Если, например, приказчик из лавки поиграл на балалайке, затем набил морду приятелю, потом продал балалайку старому еврею, сходил в публичный дом и пропил оставшиеся деньги в кабаке, это значит, что приказчика по очереди создавали Аполлон, Марс, Иегова, Венера и Вакх.

Т. посмотрел в окно, за которым висели невозможно далекие, словно высеченные из мрамора облака.

— Вы говорите интересные вещи, — сказал он. — Но что же в таком случае мы называем человеком?

— Это brochet tarakanoff, — ответила княгиня. — Щука по-таракановски. Именно мистерию человека и символизирует наше фамильное блюдо.

Т. перевел взгляд на рыбного дракона. Прислуживающие за столом лакеи в туниках с серебряным шитьем уже почти полностью разделили его на элементы.

— Посмотрите, — продолжала княгиня. — С первого взгляда кажется, что перед нами настоящий дракон — так уверяют чувства. Но на самом деле это несколько разных рыб, которые при жизни даже не были знакомы, а теперь просто пришиты друг к другу. Куда ни ткни дракона, всюду будет щука. Но все время разная. Первая, так сказать, плакала в церкви, вторая стрелялась на дуэли из-за панталон. А когда невидимые повара сшили их вместе, получилось создание, которое существует только в обманутом воображении — хотя воображение и видит этого дракона вполне ясно...

— Я понял вашу мысль, — сказал Т. — Но вот вопрос. Кто создает богов, создающих нас? Другими словами, есть ли над ними высший бог, чьей воле они подвластны?

— Князь считал, что мы создаем этих богов так же, как они нас. Нас по очереди выдумывают Венера, Марс и Меркурий, а мы выдумываем их. Впрочем, в последние годы жизни князь полагал, что сегодняшнее дьяволочеловечество создают уже не благородные боги античности, а хор темных сущностей, преследующих весьма жуткие цели.

— Допустим, я соглашусь и с этим, — сказал Т. — Но остается главный вопрос. Для простого человека — а я полагаю себя именно таким — в вопросах веры важна не доктрина, а надежда на спасение. Древние верования, изобретенные пусть даже и скотоводами, дают ее. Человек верит, что у него есть создатель, который будет судить его и возьмет затем в вечную жизнь. И откуда знать, может быть, за гробовым порогом эта наивная вера действительно способна помочь. А какое утешение дает душе многобожие, которое исповедовал ваш супруг?

Княжна Тараканова прикрыла глаза, словно припоминая что-то.

— Покойный князь говорил об этом тоже, — сказала она. — Боги не творят нас как нечто отдельное от себя. Они просто играют по очереди нашу роль, словно разные актеры, выходящие на сцену в одном и том же наряде. То, что принято называть «человеком» — не более чем сценический костюм. Корона короля Лира, которая без надевшего ее лицедея останется жестяным обручем...

— Спасение души, судя по всему, вас не заботит.

Княгиня грустно улыбнулась.

— Говорить о спасении души, граф, можно только в те минуты, когда нашу роль играет сущность, озабоченная этим вопросом. Потом мы пьем вино, играем в карты, пишем глупые стишки, грешим, и так проходит жизнь. Мы просто подворотня, сквозь которую движется хоровод страстей и состояний.

— А способен ли человек вступить в контакт с порождающими его силами? — спросил Т. — Общаться с создающими его богами?

— Отчего же нет. Но только в том случае, если его создают склонные к общению боги. Любители поговорить сами с собой. Знаете, как маленькие девочки, говорящие с куклами, которых они оживляют собственным воображением... Почему вы так побледнели? Вам душно?

Но Т. уже справился с собой.

— Вот теперь понимаю, — сказал он. — Но ведь это... Это совсем безнадежный взгляд на вещи.

— Ну почему. Одушевляющая вас сущность может быть полна надежды.

— А как же спасение?

— Что именно вы собираетесь спасать? Корону короля Лира? Сама по себе она ничего не чувствует, это просто элемент реквизита. Вопрос о спасении решается в многобожии через осознание того факта, что после спектакля актеры расходятся по домам, а корону вешают на гвоздь...

— Но ведь у нас всех, — сказал Т., — есть постоянное и непрерывное ощущение себя. Того, что я — это именно я. Разве не так?

— Об этом князь тоже частенько рассуждал, — ответила княгиня. — Ощущение, о котором вы говорите, одинаково у всех людей и по сути есть просто эхо телесности, общее для живых существ. Когда актер надевает корону, металлический обод впивается ему в голову. Короля Лира могут по очереди играть разные актеры, и все будут носить на голове холодный железный обруч, чувствуя одно и то же. Но делать вывод, что этот железный обруч есть главный участник мистерии, не следует...

Т. посмотрел на блюдо с обезглавленным драконом и вдруг почувствовал непобедимую сонливость. Он клюнул носом и тихо сказал:

— Похоже, ваш покойный супруг знал все тайны мира. А он случайно не говорил с вами про Оптину Пустынь?

Княгиня наморщилась.

ВИКТОР ПЕЛЕВИН

— Оптина Пустынь? Кажется, это что-то связанное с цыганами. То ли защитное построение повозок, то ли то место, откуда пришли их предки, точно не помню. Здесь на берегу неподалеку будет табор, можно пристать ненадолго и навести справки... Однако вы, кажется, засыпаете?

— Простите, княгиня. Я, признаться, очень устал. Сейчас я...

— Не беспокойтесь. Отдохните прямо здесь. У меня есть небольшое дело, но скоро я к вам вернусь. А если вам понадобятся слуги, Луций будет ждать на палубе за дверью.

Княгиня поднялась с банкетки.

— Не вставайте, умоляю вас, — сказала она, приближаясь к Т. — Пока вы не заснули, я хочу сделать вам небольшой подарок.

Она подняла руки, и Т. почувствовал холодное металлическое прикосновение. Опустив глаза, он увидел на своей груди медальон на золотой цепочке — крохотную золотую книгу, наполовину утопленную в цветке из белой яшмы.

— Что это? — спросил он.

— Книга Жизни. Амулет достался мне от покойного князя. Он принесет вам удачу и защитит от беды. Обещайте не снимать его, пока вашей жизни угрожает опасность.

— Постараюсь, — дипломатично ответил Т.

Княгиня улыбнулась и пошла к дверям.

IV

Т. сразу же заснул. Ему приснился короткий беспокойный сон — он говорил с княгиней Таракановой, и беседа была очень похожа на только что завершившуюся, но в конце княгиня сделала строгое лицо, накинула на голову темный плат и превратилась в нарисованного на стене черного ангела.

Проснувшись, Т. увидел, что блюдо, на котором лежал сделанный из рыб дракон, исчезло: мифологическую метафору, видимо, уже доедали гребцы и слуги.

«Какая гадость эта составная рыба, — подумал он. — И ведь в словах княгини почти невозможно найти брешь. Единственный вопрос — это о смысле устроенного подобным образом мира. Надо поинтересоваться, что говорил на эту тему покойный князь...»

Но спросить в пустой столовой было некого — княгиня еще не вернулась.

Уже темнело. Комнату наполнил синеватый сумрак, и античные статуи, стоявшие у стен, преобразились — полутьма сделала их белизну мягкой и почти телесной, словно вернув то время, когда эти изувеченные лица и торсы были живыми. Но взгляды каменных глаз оставались холодными и равнодушными — и под ними человеческий мир казался смешным и суетливым фокусом.

Внезапно Т. ощутил тревогу. Что-то было не так.

Встав, он подошел к двери на палубу и открыл ее. За ней никого не оказалось.

Т. понял, что его насторожило — размеренный плеск воды больше не был слышен. Подойдя к борту, он посмотрел вниз. Неподвижные весла торчали во все стороны. Кораблем никто не управлял — он плыл по течению, постепенно поворачиваясь к берегу носом.

В дальнем конце палубы промелькнула быстрая тень.

— Кто здесь? — позвал Т. — Отзовитесь!

Ответа не последовало.

Т. вернулся в столовую, нашел на столе спички и зажег керосиновую лампу. Комната сразу изменилась: огонек изгнал из мраморных статуй их сумрачные души, и темно-синий вечер за окном превратился в черную ночь.

Т. оглядел комнату в поисках какого-нибудь оружия.

На стене тускло поблескивала гладиаторская экипировка: тяжелый шлем с рогом, круглый бронзовый щит и копье, кончавшееся с одной стороны широким лезвием, а с другой — массивным круглым набалдашником, к которому была привязана длинная веревка, обмотанная вокруг древка. Под копьем висела табличка со словами:

МЕТАТЕЛЬНАЯ САРИССА

Древко выглядело крепким и новым, но металлические части, похоже, были настоящей античной бронзой.

Шлем оказался тесным, рассчитанным на древний маленький череп — он неприятно сдавил голову. Продев руку в кожаные петли щита и подхватив сариссу, Т. взял другой рукой лампу и вернулся на палубу. Она по-прежнему была безлюдной.

Сделав несколько шагов, Т. краем глаза заметил движение рядом и резко повернулся. Перед ним стоял бородатый воин в рогатом шлеме и халате — по виду типичный персиянин из армии Дария. В одной руке у воина была лампа, в другой — щит и копье.

Это было его собственное отражение в одном из окон.

«Каким идиотом я выгляжу», — подумал Т.

Добравшись до кормы, он спустился по знакомой лестнице и осторожно открыл украшенную изображением Аполлона дверь.

Все люди в трюме были мертвы.

Это стало ясно с первого взгляда. Т. пошел по проходу между скамьями, внимательно глядя по сторонам.

На мертвых лицах не было гримас страдания — скорее, открытые глаза усопших глядели на что-то, оставшееся в прошлом, с недоумением и досадой.

Т. заметил что-то вроде тонкой щепки, торчащей из шеи одного гребца. Склонясь над мертвецом, Т. поднес лампу ближе и увидел маленькую стрелу, похожую на зубочистку с перышком на конце. Такая же торчала из плеча соседнего трупа.

В трюме сильно пахло керосином. Кто-то успел полить им и тела, и пол, и скамьи — на это ушел целый бидон, валявшийся теперь в проходе.

Пройдя дальше, Т. заметил слуг из столовой, одетых в туники с серебряной вышивкой. А затем — саму княгиню Тараканову.

Она сидела в узком пространстве между скамьями, прислонясь спиной к стене; на ее лице застыла удивленная полуулыбка. Стрела-зубочистка попала ей в щеку. На полу перед ней блестели осколки блюда со щукой.

Рядом с Таракановой лежали Луций и четверо неизвестно откуда взявшихся монахов-чернецов, трупы которых смотрелись в таком окружении совсем странно — словно это были жертвы последнего антихристианского эдикта. Видимо, смерть настигла их всех почти одновременно. Один из монахов, упавший на скамью для гребцов, держал в руках странного вида рыболовную сеть с похожими на лезвия кристаллами хрусталя или кварца, привязанными к ячейкам.

С минуту Т. завороженно глядел на искры света в кристаллических гранях, а затем дверь трюма открылась, и на пол упал бледный луч карбидного фонаря.

— Граф Т... Боже мой, в каком виде. А знаете, вам идет этот наряд. Из вас вышел бы недурной гоплит.

Лицо стоящего у двери было скрыто полосой тени, но Т. узнал голос.

— А вы выглядите на редкость безобразно, Кнопф, — сказал он.

Действительно, Кнопф смотрелся не лучшим образом — его мокрый пиджак был покрыт пятнами жирно блестевшей грязи или тины.

— Это сделали вы? — спросил Т., указывая на трупы.

— Нет, — ответил Кнопф. — Не я, а стрелы духового ружья, смазанные экстрактом цегонии остролистой.

— Что это такое?

— Растение из амазонской сельвы, которое обладает весьма особенными свойствами. Ботаники называют ее «cegonia religiosa».

— А кто стрелял?

— Хотите узнать? — отозвался Кнопф. — Извольте.

Он сунул руку за пазуху и вынул оттуда нечто, сперва напомнившее Т. кожаный кошель. Но когда предмет попал в луч фонаря, стали видны седые волосы и презрительно сморщенные черные глазницы.

Это была высушенная человеческая голова на длинной пряди волос — даже не голова, потому что из нее вынули череп, а просто сушеное лицо. От него отходил длинный мундштук. Кнопф поднес его ко рту и дунул.

Раздался низкий вибрирующий звук, похожий на крик ночного зверя. Т. услышал шлепанье босых ног, и по лестнице в трюм скатилось пятеро крохотных существ, одетых в карнавальные фраки, разноцветные жилеты и цилиндры; все это было мокрым и грязным, в таких же пятнах тины, как на одежде Кнопфа. Обступив Кнопфа, они замерли на месте.

— Вы вовлекли в свои мерзости детей? — брезгливо спросил Т.

— Это не дети, а амазонские индейцы, безжалостные и опытные убийцы. Они не вырастают выше двух аршин. Младшему из них около сорока лет.

— Зачем тогда этот дурацкий маскарад?

— Единственный способ не привлекать внимания в пути, граф, это перевозить наших маленьких друзей под видом цирковых коротышек. Оно, конечно, хлопотно, но приносимая ими польза искупает все трудности. Они действуют совершенно бесшумно, а по своей убойной силе могут сравниться с пулеметной командой...

Пока Кнопф говорил, Т. поставил лампу на лавку и незаметно сбросил веревочный моток с копья на пол.

— Трудно представить себе что-нибудь бездарнее убийства беззащитных людей с помощью яда, — сказал он.

Кнопф хитро покрутил пальцем в воздухе.

— Не все так просто! Их убил не яд. Их убило безверие.

— Что вы имеете в виду?

— Знаете ли вы, почему цегония остролистая называется также «религиозной»? В ней содержится не просто яд, а особый алкалоид с сильным избирательным действием. Он не действует на человека, безусловно и глубоко верующего.

— В кого? В Бога?

— В Провидение, Высшую Силу, Истину, Будду, Аллаха — неважно, как вы это назовете. Главное, чтобы вера была искренней. Когда-то такой яд использовали индейские колдуны для своих магических обрядов, а во времена конкисты про его свойства узнали, потому что он не действовал на некоторых католических миссионеров, хотя убивал обычных грабителей-конкистадоров...

Т. перевел взгляд на покрытый трупами пол. Под сермягой на груди ближайшего гребца тускло блестел медный крест.

— Так вот, — продолжал явно любующийся собой Кнопф, — перед экзекуцией всем этим несчастным, включая хозяйку, было предложено помолиться. Как видите, ни у кого не нашлось веры даже с горчичное зерно.

Т. поглядел на труп княгини Таракановой.

— Но зачем ваша ˙амазонская сволочь убила эту бедную женщину, которая в жизни не обидела и мухи?

— Представьте заголовки петербургских газет, — сказал Кнопф. — «Пожар на яхте сумасбродной помещицы...» Или так — «Отлученный от церкви граф празднует огненную помолвку с княгиней-язычницей...» Экстравагантная смерть не вызовет ни у кого подозрений. Ни один коронер не заметит крошечных ранок на обгоревших трупах.

Т. медленно передвинул ногу и наступил на конец размотавшейся веревки, прижав его к полу.

— Ну а ваш античный шлем, — продолжал Кнопф, — послужит лишним доказательством давно ходящих слухов о вашем помешательстве, граф.

С этими словами он постучал себя пальцами по голове.

— Неплохо, Кнопф, — сказал Т. — Но в ваших рассуждениях есть одна слабость.

— Какая же?

— Вы обратили внимание на мой шлем. Но не обратили на копье.

Т. перекинул сариссу в свободную руку и показал ее Кнопфу. Тот растянул губы в улыбку.

— Ваше упрямство вызывает уважение — хотя, конечно, отнимает силы и время. Вот только как же ваш знаменитый принцип непротивления злу? Боюсь, что в этом зловонном трюме вам не удастся соблюсти его в полной мере...

— Забота о моих принципах очень трогательна, — ответил Т. — Но я следую им применительно к обстоятельствам.

— Ну что ж, — промурлыкал Кнопф, — давайте узнаем, есть ли в вас истинная вера... Вам, наверно, и самому ужасно интересно?

Он поднял ко рту свой жуткий мундштук и издал два сиплых гудка.

В руках индейцев-фрачников появились короткие духовые трубки. Они вскинули свое оружие к губам; в ту же секунду Т. присел на корточки, закрывшись щитом. Раздалось несколько звонких щелчков о металл, а вслед за этим Т. страшно прокричал:

— Поберегись!

И швырнул копье в ближайшего из индейцев.

Раздался глухой вой — скорее звериный, чем человеческий. Несчастный упал. Т. рванул на себя веревку, и окровавленное копье опять оказалось в его руке.

— Поберегись! — крикнул он снова.

Бросок, и второй карлик повалился на пол рядом с первым. Третий успел перезарядить свою духовую трубку и выстрелить, прежде чем его сразило копье. Острый шип воткнулся Т. в плечо.

В ту же секунду он почувствовал во рту металлический вкус; в голове загудело, а перед глазами заплясали разноцветные пятна.

«Ариэль, — вспомнил он, — Ариэль...»

Пелена перед глазами сразу исчезла, и головокружение кончилось так же внезапно, как началось.

В Т. попало еще два отравленных шипа — один в ногу, другой в кисть руки. Но яд больше не оказывал действия, и вскоре последний фрачник упал на пол, обливаясь темной кровью.

— Поберегись... — хрипло выдохнул Т.

— В этот раз ваше напутствие несколько опоздало, — меланхолично заметил Кнопф. — Впрочем, бедняга все равно не понимал по-русски... Вы не устаете меня удивлять, граф. Причем удивлять неприятно.

Вынув из кармана револьвер, он попятился к лестнице. Закрываясь щитом, Т. шагнул за ним следом. Грохнул выстрел; пуля под острым углом ударила в щит и отрикошетила в потолок.

Кнопф вновь поднял револьвер, тщательно прицелился и выстрелил. Керосиновая лампа, стоявшая на лавке, подскочила и, лопнув, упала на пол. По доскам поползли желто-голубые огненные змеи. На лице Кнопфа появилась ухмылка.

— Что ж, — сказал он. — Кому суждено сгореть, тот не умрет от яда...

Он навел револьвер на Т., и тот вновь выставил перед собой щит. Но Кнопф не стрелял — он просто держал Т. на мушке, дожидаясь, пока пламя расползется по трюму.

Запахло паленым мясом. Т. чувствовал, что жар подступает со всех сторон; щит в его руке стал нагреваться.

— Прощайте, граф, — сказал Кнопф. — Счастливой дороги в Аид.

С этими словами он захлопнул за собой украшенную Аполлоном дверь.

Т. огляделся. Пустой весельный люк, через который он попал на корабль, теперь был отрезан непроходимой стеной огня. Бросив щит, Т. подскочил к ближайшему веслу, яростным усилием вырвал его из уключины и вытолкнул за борт. Затем он сорвал уже тлеющий халат, протиснулся сквозь узкий лаз, упал в холодную воду, нырнул и поплыл прочь от обреченного судна.

Отплыв, насколько хватило дыхания, он вынырнул и оглянулся. Баржа горела; Т. увидел привязанную к ее корме лодку, куда перебирались подручные Кнопфа. Сам Кнопф был уже в лодке.

— Вон он! — крикнул один из преследователей. — Глядите, вон он плывет!

Т. сделал глубокий вдох и нырнул за миг до того, как по воде защелкали пули.

V

Выбравшись на берег, Т. пошел вниз по реке, прячась в прибрежных зарослях. Зарево пожара осталось позади; вокруг сомкнулась холодная тьма, и вскоре Т. стало казаться, что он не человек, а заблудившийся зверь, крадущийся сквозь ночь — доказательством были его нагота и одиночество.

«Впрочем, — подумал он, — фальшивое чувство. Крадущийся зверь не ощущает себя крадущимся зверем. Хищнику не нужны метафоры — все это слишком человеческое...»

Примерно через час он увидел вдали огни костров, потом услышал звуки гитары, а затем до него долетел сводящий с ума аромат печеных яблок. Это, видимо, и был тот табор, о котором говорила покойная княгиня.

Самая веселая компания расположилась вокруг большого костра у кромки воды. Они пели «Шел мэ вэрсты». Т. любил эту песню.

Чтобы не смутить цыган внезапностью своего появления, он издали запел им в лад. На его голос обернулось несколько человек — но никто не проявил беспокойства, когда в освещенном пространстве перед костром появился голый мускулистый бородач.

Сохраняя дистанцию, Т. присел у огня и с наслаждением стал впитывать тепло — за время прогулки по берегу он изрядно продрог. Вскоре к нему подошла цыганская девушка, одетая в ворох пестрых платков и тряпок, и протянула глиняную тарелку с двумя печеными яблоками. Т. благодарно принял предложенное, и девушка, покосившись на его золотой талисман, присела рядом.

— Куда путь держишь, офицер? — спросила она хриплым разбойничьим голосом.

«Видимо, — подумал Т., — офицер для нее всякий мужчина, который не цыган. Какая простая вселенная, даже завидно...»

— В Оптину Пустынь, — ответил он.

— А что это такое?

— Так я сам, милая, хотел у вас разузнать.

Цыганка смерила его взглядом.

— Ну погоди, сейчас разузнаешь.

Встав, она ушла в темноту.

Когда Т. доел последнее яблоко, к нему приблизились двое — седой старик, похожий на зажиточного мужика (его принадлежность к цыганскому сословию выдавала только серьга в ухе), и бритый наголо гигант в зеленых шароварах. Торс гиганта покрывали лубочные татуировки, выполненные крайне неискусно и криво, а нос был уродливо расплющен.

«Это впечатляет, — подумал Т. — До чего, однако, точный психологический расчет: сразу понимаешь, что такому ничего не стоит убить человека. Ясно по тому, как пошло он себя изуродовал. Ведь из презрения к собственной жизни всегда следует презрение к чужой...»

— Ты спрашивал про Оптину Пустынь? — спросил старик.

— Я, — подтвердил Т.

Старик с гигантом обменялись многозначительным взглядом.

— Думаю, это тот, кого мы ждем, — сказал гигант. — Если полковник правду говорил, куплю новые сапоги.

— Не лютуй, Лойко, — вздохнул старик.

Он повернулся к Т. и показал ему дешевые песочные часы — вроде тех, что встречаются в гимназических кабинетах естествознания.

— Тебе придется доказать, что ты заслуживаешь ответа на свой вопрос, борода.

— Каким образом?

— Ты должен бороться с Лойко и выстоять против него хотя бы две минуты. Останешься живым — узнаешь все, что хочешь.

— Господа, — сказал Т., — здесь какое-то недоразумение. Вы даже не спросили, кто я такой.

— Тебя не спросили, кто ты такой, — отозвался старик, — потому что это не в нашем обычае. Мы цыгане. Но каждый, кто заговорит о том, о чем заговорил ты, должен бороться с Лойко. А если ты тот, кого мы ждем, ты просто обязан бороться.

Перевернув часы, он поставил их на землю и объявил:

— Время!

— Постойте, — сказал Т., — а кого, собственно, вы ждете?

Гигант, уже протянувший к Т. руки, замер.

— К нашему барону приезжал жандармский полковник, — ответил старик. — Он сказал, что сегодня из реки может выйти голый человек с черной бородой, за которого объявлена награда — за живого или мертвого. Нам не нужна награда за живого, потому что мы цыгане и это будет для нас позором. Но нет позора в том, чтобы получить награду за мертвого — это как продать лошадиную шкуру. Поэтому борись с Лойко, и пусть Бог поможет тебе выстоять.

— А какой смысл вы вкладываете в понятие «выстоять»?

— За то время, пока в часах сыплется песок, ты ни разу не должен коснуться спиной земли. Это не так долго — меньше двух минут. Тогда мы поверим, что ты тот, за кого себя выдаешь

— Но я ни за кого себя не выдаю, — заметил Т.

Старик с гигантом переглянулись.

— Это правда, — сказал старик. — Тогда ты должен доказать, что ты тот, за кого мы тебя принимаем.

— А за кого вы меня принимаете?

— За того, кого ждет наш барон, — ответил гигант Лойко. — Тебе уже объяснили. Жандармский полковник предупредил барона, что может прийти голый человек с бородой.

Т. почесал в затылке, словно пытаясь понять слишком мудреную для него мысль.

— Но для чего мне доказывать, что я голый человек с бородой, если это и так видно?

Цыгане у костра давно затихли и теперь напряженно вслушивались в разговор. На лице гиганта отразилось раздумье. Старик тоже надолго задумался, поглаживая пальцами тяжелый серебряный полумесяц в растянутой мочке уха. Наконец он сказал:

— Голый человек с бородой может быть тот и не тот. Голых людей с бородой много, а награду дают только за одного.

— Да, — согласился Лойко.

— И я уже не уверен, — продолжал старик, — что ты тот голый человек с бородой, про которого говорил полковник. Для того человека ты слишком много болтаешь. Но тебе все равно придется пройти испытание.

— И что будет, если я его пройду? — спросил Т.

— Мы отведем тебя к барону.

— Хорошо, — ответил Т. — Извольте, я готов. Только скажите, какие приемы мне разрешается применять?

Лойко презрительно засмеялся.

— Любые, какие знаешь.

— То есть совсем-совсем любые?

Лойко кивнул.

— Все это слышали? — спросил Т., обращаясь к сидящим у костра.

— Да, — подтвердил Лойко, пригибаясь к земле и вытягивая перед собой похожие на два полена руки. — Все слышали. Не бойся сделать мне больно...

Он сделал шаг к Т.

— Но тогда, — сказал Т., — я уже прошел ваше испытание.

— Почему? — спросил старик.

Т. указал на поблескивающую в траве колбу.

— Весь песок в часах пересыпался вниз. Извольте свериться. И я ни разу не коснулся спиной земли. Такие уж у меня приемы, господа.

Вокруг костра поднялся шум — цыгане заспорили. Кто-то смеялся, кто-то разочарованно плевал в огонь. Но, судя по всему, серьезных возражений ни у кого не нашлось.

— Какие странные приемы, — сказал старик. — И что это за борьба?

— Она называется «незнас», или «непротивление злу насилием», — ответил Т.

— Ты схитрил, как баба, — презрительно бросил Лойко.

— Еще скажите, сударь, что я веду себя как цыган, — усмехнулся Т.

— Мы еще встретимся с тобой, борода, запомни.

Т. пристально поглядел гиганту в глаза.

— Вам не следует к этому стремиться.

— Почему?

— Встреча закончится не так, как вы предполагаете.

Цыган Лойко ничего не сказал, только недобро ухмыльнулся. Т. повернулся к старику.

— Вы обещали отвести меня к барону, если я пройду испытание? Так ведите...

Цыганский барон оказался приземистым полным человеком, похожим на отставного гусара — он был одет в малиновый доломан со споротыми шнурами. На его морщинистом лице кустились пушистые длинные усы, которые вполне пошли бы полицмейстеру или железнодорожному служащему.

Барон в одиночестве сидел на раскладном стуле у самого дальнего костра; рядом стоял второй такой же стул. Изредка к огню приближалась худая маленькая женщина, чтобы подбросить в него веток, и сразу уходила прочь.

Цыган, сопровождавший Т., подошел к барону, склонился к его уху и долго что-то говорил. Барон несколько раз усмехнулся, глядя на Т., а потом жестом пригласил его сесть рядом.

— Итак, — начал он, когда провожатый удалился, — вы победили Лойко. Кто вы?

— Меня называют граф Т.

— Здравствуйте, граф.

— Здравствуйте, барон, — сказал Т. с еле уловимой иронией. — Зачем нужно было это идиотское испытание?

— Мы стараемся, чтобы из жизни не уходил дух благородного соперничества, — ответил барон чуть виновато. — Иначе мы быстро выродимся в шайку воров.

— Вы знаете, кто я, — сказал Т. — А как ваше славное имя?

— Зачем я стану обременять вашу память, — сказал барон. — Мое имя вам уж точно ни к чему. Пусть я буду просто цыганским бароном. Итак, у вас, кажется, был ко мне вопрос?

— Да, — сказал Т. — Что такое Оптина Пустынь и где она находится?

Барон выпучил глаза в недоумении.

— Как? — переспросил он.

— Оптина Пустынь, — отчетливо повторил Т. — Мне сказали, это что-то цыганское.

Барон надолго задумался.

— Не знаю, — сказал он. — Кажется, я раз или два слышал похожее словосочетание, когда учился в Петербургском университете. Это что-то литературное или мистическое. Но я могу и ошибаться. Однако совершенно точно, что к цыганскому укладу и обычаю это не имеет никакого отношения.

— Позвольте, — сказал Т., — но ваши люди только что говорили: всякий, кто спросит об этом, должен бороться с Лойко.

— Они по любому поводу так говорят, — махнул рукой барон. — Скучают, кровь играет. Вчера, верите ли, проезжал мимо жандармский полковник — один, верхом на лошади. Направлялся из сестриного имения в город Ковров, который тут неподалеку. Спросил у этих разгильдяев дорогу, так они и его заставили бороться... Он, кстати, успел рассказать, что похожего на вас человека ищут в округе.

— Мне уже говорили, — ответил Т. — Выходит, вы ничем не можете помочь?

— Отчего, — сказал барон, — могу. Ваша победа в поединке накладывает на меня определенные обязательства, поэтому мы обратимся к оракулу нашего табора. Делать это следует только в исключительных случаях, но сегодня у меня тоже есть к нему вопрос.

— Думаете, оракул знает что-то такое, чего не знаете вы?

Барон засмеялся.

— Понимаю ваш скептицизм, граф. И все-таки попробовать стоит. Вы ведь рисковали ради этого жизнью.

Он хлопнул в ладоши, и к нему приблизилась следившая за костром женщина. Барон что-то тихо приказал, и она исчезла в темноте. Через минуту она вернулась, положила к ногам барона вместительный футляр, обтянутый темной тканью, отвесила поклон и снова растворилась во мраке.

Барон вынул из сапога маленький нож. Придвинув к себе футляр, он вспорол пыльную ткань и раскрыл его. Внутри лежала деревянная кукла. Вместо ног у нее была заостренная на конце палка, черная от земли. Цыган воткнул ее в землю (отчего кукла в бессильном возмущении взмахнула руками), а затем вынул из того же футляра курительную трубку с маленькой металлической чашкой и длинным деревянным чубуком. Достав из привязанного к трубке мешочка кусочек какого-то прозрачного вещества, похожего на янтарь или канифоль, он вложил его в чашечку.

— Вы хотите... — начал было Т., но цыган перебил его:

— Не бойтесь, вас не отравят. Мне надо понять, что делать по поводу вчерашнего жандарма, поэтому у вас будет собственный лорд-пробователь... Вернее, барон-пробователь.

Вынув из костра горящую ветку, он поднес ее к металлической чашечке, затянулся и повелительным жестом протянул трубку Т. Тот осторожно взял ее в руки и, стараясь не вдыхать чересчур много, потянул в себя густой терпкий дым. У него сразу же закружилась голова, и он вернул трубку барону.

— Ну как? — спросил барон. — О чем вы теперь думаете?

Т. открыл рот для ответа, и вдруг понял, что ответа нет.

Все мысли, только что заполнявшие его ум, разлетелись и исчезли — остался только треск сучьев в костре, запах дыма и чуть холодящий спину ветер. И еще мелькнуло головокружительное ощущение: словно под ногой подломилась перекладина лестницы, и тело стало невесомым.

Поборов испуг усилием воли, Т. исподлобья поглядел на барона. Тот, видимо, понимал, что происходит. — улыбнувшись, он затянулся еще раз, затем положил трубку назад в футляр, указал на куклу, встал и неторопливо пошел прочь от костра. Оставшийся в одиночестве Т. уставился на деревянного истукана.

Это было подобие деревянного Пьеро: кукла печального образа с яйцеобразной головой, поднятыми над переносьем бровями (что придавало ей комически грустный вид) и прямоугольным подвижным ртом. Ее овальное тело покрывал черный лак; на груди были нарисованы три больших белых помпона, а длинные суставчатые руки кончались шариками, похожими на сжатые кулаки. С этих шарообразных кулаков и подвижной челюсти свисали коротко обрезанные нити. Т. разглядел выступающие из дерева крохотные металлические кольца, к которым они были привязаны: кукла, по-видимому, когда-то служила для представлений в балагане.

Вдруг одна из рук куклы пришла в движение — хотя Т. отчетливо видел, что за обрезки нитей никто не тянул. Поднявшись до уровня головы, рука приветственно помахала, затем прямоугольный рот поехал вниз, и кукла сказала:

— Коман сава, граф?

Она говорила тем же голосом, что и тень на корабле княгини Таракановой.

— Сава, — ответил Т.

— Извините за этот вид, — сказала кукла. — Но если бы я выбрал в качестве медиума кого-нибудь из цыган, у вас наверняка остались бы сомнения в достоверности происходящего. Сейчас их не будет.

— Кто вы такой? — спросил Т.

Деревянный рот куклы издал несколько сухих звуков, похожих на что-то среднее между смехом и стуком.

— Я уже представился в прошлый раз. Я ваш создатель. Мое имя Ариэль. Как и положено создателю, в настоящий момент я творю вас и мир. Я имею в виду, ваш мир.

— Это я помню, — сказал Т. — Но кто вы по своей природе? Вы Бог?

— Лучше считайте меня ангелом, — сказала кукла. — Мне будет приятно.

— Вы падший ангел? Князь мира сего?

Кукла зашлась деревянным смехом.

— Вам не кажется, граф, что слово «падший» применительно к князю мира отдает просто небывалым лицемерием? Люди наперебой соревнуются, чтобы получить у него какую-нибудь работенку, и отчего-то называют его при этом «падший»...

Т. улыбнулся.

— Так учит церковь, — сказал он.

— Да-да, церковь, — повторила кукла. — Считается, церковь противостоит князю мира. Ну не чушь ли? Вот подумайте сами, если бы у обычного околоточного надзирателя в самом что ни на есть жидоедском околотке какой-нибудь бедный еврей открыл корчму, где на вывеске было бы написано «противостою околоточному надзирателю», долго бы он так противостоял?

— Думаю, нет.

— И я тоже так думаю. А если бы такое заведение исправно работало из года в год и приносило хорошую прибыль, это, видимо, означало бы, что тут с околоточным очень даже совместный проект.

— Извините, — сказал Т., — но ведь есть разница между околоточным и князем мира сего.

— Я тоже так думаю, — согласилась кукла. — Князь мира не в пример могущественнее и умнее. И если он позволяет в своем околотке заведения, которые официально и торжественно противостоят околоточному, то это, надо думать, не без особого резону...

— Что вы хотите этим сказать?

— Пока ничего, граф, — хмыкнула кукла. — Так, делюсь наблюдениями. — Просто мне не нравится выражение «падший ангел». Если хотите, считайте меня пикирующим ангелом.

— Что значит — «пикирующий»? Вы с кем-то пикируетесь? Говорите язвительности?

— Нет. Пикирующие ангелы — это такие, которые еще надеются выйти из падения. Не совсем падшие, но вплотную приблизившиеся к порогу, хе-хе...

— Церковь ничего о вас не говорит.

— Мы тоже ничего о ней не говорим, — ответила кукла, — наша позиция по этому вопросу пока неясна. Но по мере вашего приближения к Оптиной Пустыни все решится. Если все пройдет как задумано, вас ожидает трогательное возвращение в церковное лоно. Однако не будем предвосхищать события...

— Вы громоздите одну загадку на другую, — сказал Т. — Ответьте мне ясно и без уверток — кто вы такой на самом деле?

Нарисованные глаза куклы моргнули и холодно уставились на Т.

— А кто такой вы? Что вы знаете про самого себя?

Т. пожал плечами.

— Теперь мало. Меня контузило пулей. Но хоть я и потерял память — временно, надеюсь, — я все же остаюсь самим собой.

— Вспомните что-нибудь конкретное о себе самом. Что угодно.

— Например... Например... — Т. нахмурился, а потом нервно засмеялся. — Я думаю, так любого можно поставить в тупик. Велите человеку вспомнить о себе что угодно, и он растеряется.

— Но вы не помните вообще ничего, не так ли?

— Почему, кое-что приходит на ум. Вот Ясная Поляна, например. Беседки, борозда от плуга... Фру-Фру... Так лошадь зовут...

Т. показалось, что кукла растянула рот в деревянной улыбке — хотя устройство ее рта этого не позволяло.

— Ну это уже я за вас начинаю придумывать. Трудно удержаться.

— Послушайте, Ариэль, — сказал Т., — вы, как я понимаю, можете показаться в любом виде, в каком пожелаете. Почему вы решили стать куклой?

— Это намек.

— На что?

— Вы постоянно спрашиваете, кто такой я. Но ни разу не спросили, кто такой вы. Приходится стать для вас зеркалом.

— Вы хотите сказать... — Т. почувствовал неприятный холодок под ложечкой, — что я кукла? Ваша марионетка, игрушка? Которая кажется живой только тогда, когда кукловод дергает ниточки?

Кукла противно захихикала.

— Почти попали. Но ниточки, как вы видите, обрезаны, и марионетка действует как бы сама. Задумайтесь, чем она занята? Дерется, стреляет, ведет беседы со встречными, убегает от какого-то Кнопфа. Но ничего толком не знает ни про себя, ни про этого Кнопфа. Каждую секунду она ведет себя так, словно движется к хорошо известной цели, но стоит ей задуматься об этой цели, и она с ужасом понимает — цель неясна...

— Почему бы вам не перестать морочить мне голову? — спросил Т., сжимая кулаки. — Покажитесь в своем настоящем виде. Можете вы?

— Могу, — сказала кукла после недолгого размышления. — Но вы будете разочарованы.

— Прошу вас, сделайте это.

— Сегодня уже нет времени.

— Тогда в следующий раз. Обещайте.

— Ну что ж, — вздохнула кукла и поглядела куда-то в сторону. — Пожалуй, и покажусь. А сейчас вам следует отдохнуть, граф. Завтрашний день вы почти полностью проведете в седле. Набирайтесь сил и не мучьте себя раздумьями — скоро вы все узнаете и так. Спокойной ночи.

Т. не успел ничего сказать в ответ — руки куклы, только что занятые мелкой жестикуляцией, вдруг бессильно повисли; прямоугольник рта отвалился вниз.

Теперь перед Т. чернел просто мертвый кусок дерева с нарисованными пятнами глаз. Т. смотрел на него до тех пор, пока из темноты не появился цыганский барон.

В его руках были два свернутых одеяла.

— Устраивайтесь на ночлег, — сказал он. — Утром вы получите вещи, которые велел передать вам оракул.

— Какие вещи?

— Форму жандармского полковника, — ответил барон. — Его оружие, кошелек с деньгами и коня. И какой это конь... Мне придется сделать над собой усилие, чтобы не перерезать вам горло ночью.

— А откуда у вас форма жандарма? И его лошадь?

— Та Лойко заборол. Не волнуйтесь, граф, все произошло по-честному. Жмура мы по реке пустили, а барахло я хотел приберечь, но уж больно оно горячее, как бы весь табор не запалило. Да и не нужны свободным людям сапоги со шпорами. А вам могут пригодиться. Езжайте, а дальше что-нибудь подвернется. Может статься, и найдете свою Пустынь...

VI

Конь, белый иноходец, действительно оказался превосходным — только чересчур горячим. Сначала он попытался сбросить Т. на землю, но, почуяв опытную руку, подчинился человеческой воле.

«Интересно, — думал Т., несясь по пустому утреннему тракту мимо серых изб и придорожных лавок, — как лошадь чувствует разницу между умелым наездником и новичком? На что это для нее похоже? На ношу, которая бывает удобной или нет? Впрочем, поклажа тем удобнее, чем она легче... А если вес одинаков? Наверное, лошадь воспринимает разницу просто как смену собственных настроений. В одном случае она испытывает нервозность, в другом чувствует себя уверенно и спокойно. И, конечно, не догадывается, почему — это просто случается, и все...»

Странно, но мысли о ночном разговоре не тревожили Т. Он вспомнил об Ариэле только раз, вскоре после полудня: белые ивы, стоявшие вдоль дороги, напомнили ему процессию великанов, которые неспешно брели из одной вечности в другую, помахивая множеством тонких серебристых рук, похожих на руки вчерашней куклы. Великаны были древними, добродушными и слепыми; их мелкие многозначительные жесты были адресованы неведомым существам, которые понимали когда-то этот язык, но уже давно вымерли. А слепые деревья не знали про случившееся и жестикулировали так же старательно, как много миллионов лет назад.

Обещание Ариэля сбылось — Т. действительно провел весь день в седле. Когда солнце склонилось к западу, он остановился у маленькой железнодорожной станции, чтобы перевести дух и поесть в станционном буфете.

Половой, верткий малый с карандашиком, торчащим из кармана засаленного передника, внимательно оглядел молодого жандармского полковника, а затем, даже не скрываясь, сверился с какой-то сложенной бумажкой.

«Вероятно, — подумал Т., — там описание примет. Не следует спрашивать здесь про Оптину Пустынь — могут наврать или отправить прямиком в западню...»

Пообедав, он подозвал полового.

— У вас есть телеграфный аппарат?

— Есть, — сказал половой. — Желаете дать телеграмму?

— Нет, — презрительно бросил Т. — Просто пытаюсь сообразить, сколько у меня времени, любезный.

Половой осклабился, словно не поняв барской шутки, но по его покрасневшим ушам Т. понял, что попал в точку. Бросив на стол рубль, он вышел во двор, вскочил на коня и, не оглядываясь, помчался вперед.

Вскоре дорога вывела в богатое село со свежевыкрашенной белой церковью. У церковной ограды сидел печальный одноногий солдат в полинявшем сером мундире.

— Не знаешь, где тут Оптина Пустынь? — спросил Т., нагибаясь к нему с лошади.

— Это про которую мужики бают? — переспросил солдат. — Которое недавно устроили заведение?

Т. решил, что служивый выжил из ума.

— Как это «недавно устроили заведение»?

— А значить, по-любому все прямо, ваше благородие, — сказал солдат и махнул рукой, — далеко еще буде. Дорог тут только две, и обе в одну сторону. Хучь по первой поезжайте, хучь по второй. А хочешь покороче, тогда через лес. Там развилка, так можете взять любую сторону. После леса еще пять верст по большой дороге, и будет город Ковров, там обе дороги сходятся. А уж за ним и твоя пустынь, и все что хошь.

— Благодарю, — ответил Т.

Он решил поговорить еще с кем-нибудь на выезде из села — но не успел.

Преследователи ждали за ветхим двухэтажным домом с обвалившейся трубой, прячась среди яблонь запущенного сада. Они выехали на дорогу и помчались следом, как только Т. миновал их укрытие. Густые усищи скакавшего впереди Кнопфа заворачивались вверх, словно клыки атакующего вепря.

«Как он только успел? — думал Т., погоняя коня. — Наверно, проехал ночью несколько станций на курьерском. Им ведь известно, куда я направляюсь и зачем... Хотя нет. Как это может быть им известно, если это неизвестно мне самому? Кнопф ведь не знает, где эта Оптина Пустынь. Или он врал? И почему они не стреляют? Впрочем, понятно. Не могут же эти штатские штафирки стрелять в жандармского полковника у всего села на виду. Так их за нигилистов примут».

Догадка была верной. Как только последние дома скрылись из виду и дорога нырнула в лес, сзади захлопали выстрелы. Одна из пуль сбила с дуба впереди ветку. Т. пригнулся к шее коня, пустил его еще быстрее и стал постепенно отрываться от преследователей.

Чем дальше в лес уходила дорога, тем выше становились деревья по ее краям. Вдруг Т. увидел, что путь впереди разделяется надвое, как бы разбиваясь о невысокий пригорок, покрытый кустами. За пригорком был овраг, узкий и глубокий, совершенно скрытый зарослями лозы — Т. еле успел осадить лошадь на самом его краю. Решение созрело у него мгновенно — отъехав назад, он жестоко пришпорил коня и с разгону перескочил зеленую стену.

Для менее опытного наездника это могло бы закончиться падением вниз и смертью, но Т. приземлился между деревьями на другом краю оврага. У него хватило времени только на то, чтобы развернуть коня — преследователи уже выезжали к развилке.

Когда Кнопф и его спутники появились из-за деревьев, Т. подумал, что они похожи на компанию путешествующих коммивояжеров, одетых с щеголеватой безвкусицей и вооруженных на всякий случай отменными револьверами. Их было хорошо видно сквозь просветы в листве: они остановились и некоторое время озадаченно смотрели на дорогу, раздваивающуюся перед заросшим лозинами пригорком.

Кнопф поднял ладонь в желтой перчатке, призывая к тишине. И в этот самый момент лошадь Т. заржала.

— За ним, живо! — заревел Кнопф. — Он прямо впереди!

Всадники лихо рванули вперед, заставляя лошадей прыгать через кусты — и веселое кавалерийское гиканье сразу же сменилось криками ужаса и боли. Кнопф, въехавший на пригорок последним, успел удержать лошадь и подъехал к оврагу осторожно и медленно.

На дне оврага бились кони и люди. Один из упавших пытался выбраться из-под лошади, другой полз вверх по склону, волоча нелепо вывернутую ногу. Третий, оглушенный падением, сидел на земле, медленно водя головой из стороны в сторону. Четвертый был мертв.

Кнопф поднял глаза. В просвете между деревьями с другой стороны оврага появился всадник — чернобородый жандармский офицер. Он сдерживал коня, бившего копытом в землю. Кнопф потянулся за оружием, но тут же увидел в руке Т. направленный на себя револьвер.

— Неужели вы думаете об убийстве, — презрительно молвил Т., — когда рядом страдают ваши товарищи? Ведь им нужна помощь...

— Не читайте мне нотаций, граф, — проговорил Кнопф. — Если кто и виновен в мучениях этих людей, так это вы.

— Вы лжете, — ответил Т. — Я не прикоснулся к ним и пальцем.

Кнопф презрительно захохотал.

— Вот именно! Вы хуже убийцы — убийца хотя бы берет на себя ответственность за совершаемое. А вы... Вы трусите убивать сами и принуждаете свою жертву умереть как бы по собственной воле. Ваши руки по локоть в крови, но вы считаете их чистыми, потому что на них перчатки.

Т. пожал плечами.

— Не говорите ерунды, Кнопф. Я никого не принуждал прыгать в этот овраг. Больше того, я был бы счастлив, если бы эти господа выбрали себе какую-нибудь другую забаву вместо того, чтобы гнать меня, словно зайца, паля мне в спину. Почему вы меня преследуете?

— Ваше лицемерие просто безгранично. Как будто вы этого не знаете.

— Но я действительно этого не знаю.

— Может быть, вы станете отрицать, что пытаетесь пробраться в Оптину Пустынь?

— Не стану, — ответил Т., — хотя...

Он собирался уже сказать «хотя впервые услышал об этом от вас в поезде» — но сразу понял, каким сарказмом взорвется Кнопф.

— Что «хотя»? — спросил Кнопф.

— Ничего. Это, по-моему, еще не повод, чтобы отправлять за человеком банду убийц и называть его лицемером, если он пытается остаться в живых...

Т. глянул вниз и резко поднял свою лошадь на дыбы. В тот же миг в овраге хлопнули два выстрела. Обе пули впились лошади в живот. Т. плавно соскользнул с ее спины на землю, и жалобно заржавшее животное обрушилось прямо на стрелка, который успел подняться к самому краю оврага. Два тела — человеческое и лошадиное — скатились вниз; стрелок, придавленный тяжелой тушей, издал короткий утробный стон и замер.

Оказавшись на земле, Т. удержался на ногах и немедленно взял Кнопфа на прицел.

— Вы и ваши подручные омерзительны, сударь, — сказал он сыщику. — Берегитесь, не испытывайте мои принципы на прочность. В один прекрасный день я могу свернуть вам шею.

— Полагаю, — ответил Кнопф ядовито, — я узнаю о приближении конца по сострадательному крику «поберегись!».

Т. ничего не сказал в ответ — держа Кнопфа на мушке, он попятился от края оврага. Когда силуэт сыщика скрылся за листьями, он развернулся и пошел в глубину леса.

Как всегда после избегнутой опасности, все его чувства обострились. Теперь они жадно впитывали звуки и краски мира: щелканье вездесущих соловьев, молитвенный плач кукушки, невыразимые цвета летнего вечера. Пахло вечерней свежестью и далеким дымом. Постепенно в душу снизошли покой и почти молитвенное умиление.

«Каким бы ни был создатель, — думал Т., — ему следует покориться... Не стоит в гордыне считать себя умнее мириадов прошедших по земле людей. Но как обратиться к нему? Да как угодно. Например, так: Ариэль, светлый ангел, создающий меня и мир... Хочется верить, что светлый... Покажи мне дорогу и дай знак! Если я иду к тебе — значит, это не я хочу тебя увидеть, а ты сам во мне желаешь, чтобы я нашел тебя. И поэтому ты обязательно выйдешь мне навстречу...»

Но даже если эти мысли и были похожи на молитву, она оставалась без ответа.

Чем дальше в чащу уходил Т., тем темнее и гуще становился лес. Все холодней и отрешенней куковала далекая кукушка, все мрачнее мерещились соловьи-разбойники в переплетениях покрытых мхом ветвей. Тяжкая сырость сгущалась в воздухе, и вскоре настроение Т. переменилось.

«Да, Ариэль может быть моим творцом, — думал он, пробираясь через густую поросль орешника. — Но отчего я думаю, что мой творец благ? Подумаешь, создатель... Великое дело... Любой пьяный солдат способен стать создателем новой жизни. Быть может, я просто результат неумелого опыта? Несчастная случайность? Или, наоборот, я сотворен для того, чтобы испытать безмерное страдание и угаснуть?»

Неподалеку закричала хриплая старая птица. Ее крик был одновременно жутким и смешным — словно лай простуженной болонки, которая четверть века назад потерялась в лесу, но ничего не забыла и ничему не научилась. Т. усмехнулся.

«Вот такой песней, — подумал он, — быть может, и надо славить господа этих мест...»

Стало темнеть. Теперь на Т. со всех сторон брела синяя стена сумрака, в которой чернели разлапистые силуэты деревьев. Т. поднял руки ко рту и закричал:

— Ариэль! Довольно терзать меня! Я хочу тебя видеть! Ты обещал показаться таким, каков ты на самом деле!

И вдруг в лесу поднялся ветер. Он быстро достиг такой силы, что с деревьев полетели листья и сухие ветки. Несколько поднятых в воздух прутьев больно хлестнули Т., и он закрыл лицо руками. Ветер дул все яростнее — он на тысячу голосов выл и стонал вокруг, будто заклиная одинокого путника на всех забытых языках не искать страшной тайны, к которой он так неосторожно приблизился. Т. пришлось схватиться за старую осину, чтобы удержаться на ногах. Тогда ветер стих — так же внезапно, как начался.

Т. отпустил ствол. Вокруг было уже совсем черно — стемнело неправдоподобно быстро, как бывает перед грозой. Но теперь не оставалось сомнений, что он услышан.

Далеко между деревьями мигнул огонек странного бело-голубоватого цвета. Как только Т. увидел его, огонек погас, а потом вспыхнул опять и разгорелся так ярко, что на земле стали видны тени от деревьев.

Опасаясь, что огонек исчезнет так же неожиданно, как появился, Т. заспешил вперед.

Источником света оказался висевший на ветке фонарь кубической формы с круглым стеклом, за которым ослепительно сияла короткая полоса белого огня — это было не керосиновое или карбидное пламя, и даже не электрическая дуга, а какая-то другая, незнакомая энергия или субстанция. Фонарь горел так ярко, что все находившееся позади него сливалось в сплошную черноту.

Выйдя из конуса света, Т. остановился, чтобы дать глазам отдохнуть. Когда они вновь привыкли к полутьме, он увидел шатер из светлой ткани. Перед ним развевался флаг — широкое белое полотнище с буквами «А-Ь» билось в воздухе, несмотря на полное отсутствие ветра. Это было столь явное и настолько бессмысленное чудо, что Т. непроизвольно нахмурился.

Не решаясь войти в шатер, он остановился у входа. Тогда внутри загорелся свет.

— Заходите, граф, — раздался знакомый голос. — Я давненько вас жду.

VII

Внутри шатер выглядел странно.

Пожалуй, он напоминал жилье кочевника — только не настоящее, а сымитированное театральным декоратором, воображение которого рисовало роскошные, но смутные и бедные деталями картины. Здесь были ковры, опять ковры, снова коврики, пестро расшитые пуфики и подушки причудливых очертаний, и еще зачем-то поблескивал косой насечкой огромный золоченый кальян. На полу в центре шатра стоял большой круглый поднос с фруктами и напитками, а сверху свисала лампа, излучавшая такой же ярко-мертвенный свет, как и ослепивший Т. фонарь.

У подноса полулежал мужчина в халате синего цвета и синей шелковой маске, закрывавшей большую часть лица. На лбу маски были вышиты те же буквы, что на знамени — «А-Ь».

— Садитесь, — сказал Ариэль, кивая на подушки. — Если не хотите сидеть на полу, я с удовольствием создам для вас стул или кресло.

— Я вполне обойдусь, — сказал Т. и опустился на подушку напротив хозяина.

Кое-как скрестив перед собой ноги в пыльных жандармских сапогах (и порвав при этом шпорой один из ковриков), он минуту или две разглядывал своего визави. Ариэль молча смотрел на Т. — тоже, кажется, с любопытством.

— А теперь снимите маску, — сказал Т.

Он не ожидал, что Ариэль выполнит его просьбу. Но тот послушно поднял руку и сдернул маску с лица.

Т. увидел перед собой мужчину средних лет, с щеткой усов и ореолом жидких волос над лысеющим черепом. У него было мясистое округлое лицо, на котором застыло выражение несколько напряженного ожидания — словно он только что перестал икать и теперь ждал, не возникнет ли икота снова. В общем, это была самая обычная физиономия, какие забываются через секунду после того, как исчезают из поля зрения.

Зато одет Ариэль был весьма оригинально, чтобы не сказать карикатурно. Под распахнутым халатом виднелось подобие теплого исподнего белья из странного переливающегося материала желто-коричневого цвета, с пришитой вместо лампаса георгиевской лентой по бокам штанов и нашивкой в виде черной лилии в центре груди.

В этом наряде, возможно, присутствовало нечто неуловимо-кавалеристское, но не было ничего ангельского или демонического: Т. пришло в голову, что возлежащий в шатре Ариэль напоминает вышедшего в отставку штабс-капитана, решившего, сообразуясь со скромными средствами, устроить у себя в Рязанской губернии персидский сераль по картинкам из столичных журналов.

— Я просил вас появиться передо мной в своем подлинном обличье, — сказал Т. — Означает ли ваш... хмм... вид, что вы исполнили мою просьбу?

Ариэль кивнул.

— Ваше тело настоящее? — спросил Т. — Или это тоже фокус?

— Вы меня веселите, — ответил Ариэль. — Что именно вы хотите проверить? Здесь все настоящее, но лишь до тех пор, пока я этого хочу. Реальность и нереальность определяются исключительно моей волей.

— Если я говорю с создателем, — сказал Т., — могу я в таком случае спросить, в чем цель существования?

Ариэль улыбнулся.

— Существование, сударь мой, это не выстрел из пушки. С чего вы взяли, что у него есть цель? И потом, это вопрос не по адресу. Я всего лишь творец видимого вами мира, временный повелитель, создающий тени из праха. Помните, как у Пушкина? «Властитель праздный и лукавый, плешивый щеголь, враг труда, нечаянно пригретый славой...» Вот только Слава где-то заблудился, хе-хе-хе...

— Тени? — переспросил Т. — Вы хотите сказать, я просто тень?

— Это смотря с кем сравнивать, — ответил Ариэль. — Если со мной, то да. А если, например, с Кнопфом, то тенью относительно вас будет он.

— Хорошо, — сказал Т., — можете вы объяснить, что я делаю в сотворенном вами мире?

— Могу. Но вряд ли вам это понравится.

— Прошу вас, откройте мне правду, какой бы страшной она ни была. Не мучайте меня дальше. Кто вы такой? Действительно ангел? Или, может быть, демон?

— Я человек, — ответил Ариэль. — Но по отношению к вам являюсь скорее божеством, чем существом того же класса.

— Как так может быть?

— Долгая история. Я отпрыск семьи, из которой вышло много весьма эксцентричных типов — революционеров, банкиров, даже разбойников. Но самым необычным из них был мой дедушка по отцовской линии, мистик-каббалист.

— Каббалист? В наш просвещенный век?

— Самый настоящий каббалист, — подтвердил Ариэль. — Но не шарлатан из тех, что торгуют фальшивым знанием в глянцевых журналах, а истинный эзотерик. Видите ли, Россия вашего будущего и моего прошлого была прелюбопытнейшим местом. В этой стране все желающие могли получить какую-нибудь фиктивную работу вроде сторожа и скромно жить на государственном обеспечении, занимаясь любой духовной практикой. Особенно много таких людей появилось после великой войны, когда люди разочаровались в идеалах, которые раньше одушевляли общество...

— О какой войне вы говорите?

— С немцами, — сказал Ариэль, — неважно. Мы так увязнем. Я всего лишь хочу объяснить, что мой дедушка был самым настоящим каббалистом, очень продвинутым и уважаемым в мистических кругах. Он и умер как-то странно... Впрочем, теперь я сам отвлекаюсь. Итак, все началось в детстве, когда мне было девять лет. Дедушка, надо сказать, был страшный весельчак и хохотун, его невозможно было ничем опечалить. Но однажды он спросил меня, кем я хочу стать. А я ответил, что хочу стать писателем. Ибо в тот момент все так и обстояло, хотя еще за два дня до этого я хотел стать пожарным. Когда дедушка услышал мои слова, он буквально посерел от ужаса и спросил: «Но почему?» Ответить на вопрос искренне я не мог...

— Отчего?

— Причина была смешной и нелепой, мне даже неловко вам рассказывать. В школе нас заставляли зубрить бесконечные стихи про Ленина, это брат цареубийцы Ульянова, про которого вы, наверно, слышали. Тоска жуткая. А старшие мальчики в это самое время обучали меня всяким пошлым и неприличным песенкам. И вот однажды я услышал такое четверостишие: «В каюте класса первого Садко почетный гость, гандоны рвет о голову и вешает на гвоздь...»

— Садко? — переспросил Т. — Это, если не ошибаюсь, былинный герой?

Ариэль кивнул.

— Почему-то меня это потрясло, — продолжал он. — Сложно объяснить вам, человеку другой культуры, несмотря на всю мою власть над вами. Я, разумеется, ничего не знал тогда о постмодерне, но все равно ощутил ветер свободы, веющий от этих строк. Они отменяли все стихи о Ленине и Родине, все это «держа вю», как выражался мой дедушка. Тогда у меня и мелькнула мысль, что неплохо бы самому научиться складывать слова в строфы такого могущества. Но рассказать дедушке правду я постеснялся. Я соврал, что мне нравится выдумывать людей, которых раньше не было. Реакция дедушки меня потрясла — он повалился передо мной на колени и сказал: «Арик, обещай, что ты выкинешь эту жуткую мысль из головы!»

— Ариэль — ваше настоящее имя?

— Да, — ответил Ариэль. — Я забыл представиться — меня зовут Ариэль Эдмундович Брахман.

— Очень приятно, — сказал Т. — Необычное и красивое имя.

— Еврейское, — хмыкнул Ариэль. — Практически еврейское. А я, тем не менее, ни разу не еврей, можете такое представить? Даже дедушка-каббалист евреем не был, он из семьи польского ксендза. Я евреев терпеть не могу.

— За что?

Ариэль засмеялся.

— Да вот за имя свое главным образом. Попробовали бы вы с таким вырасти в бандитском дворе, вопроса бы не возникло. Ладно бы я действительно евреем был — у них хоть маца с христианской кровью есть, чтобы на время забыться, скрипочки там всякие. А тут вообще никакой отдушины. Имя мне подбирал дедушка — по своим каббалистическим выкладкам. Чтобы жизнь была яркой и полной впечатлений. Как оно и вышло... На чем я остановился?

— Вы признались дедушке, что хотите стать писателем.

— Да... После моего признания он провел со мной беседу, которую я запомнил на всю жизнь. Он говорил о вещах, совершенно для меня немыслимых... Его целью было отговорить меня от занятий литературой, хоть я и не думал о них всерьез. Но в результате он добился противоположного. Я действительно захотел стать писателем и стал им.

— Что же он вам сказал? — спросил Т.

— По его словам, с давних времен последователи каббалы — не внешней и профанической, которой занимается, например, Мадонна, а скрытой и реальной...

— Мадонна? — переспросил Т., подняв бровь. — Занимается каббалой?

— Давайте не отвлекаться, умоляю. Итак, дедушка объяснил, что с давних времен еврейские мистики верили — весь наш мир создан мыслью Бога. То же самое, кстати, знали и греки. Вспомните, например, как говорил о божестве Ксенофон — «без усилия силой ума он все потрясает...» Так действует Творец.

— Я помню эту цитату.

— Творец, — продолжал Ариэль, подняв палец, — или Творцы. «Элоим», как называют Бога в иудаизме. А это слово есть множественное число от «Элой», или «Аллах», если убрать малосущественные маркеры гласных. Обращаясь к могуществам, каббала говорит «Аллахи». Разумеется, эта наука, столь пунктуальная в ничтожных мелочах, не может вот так запросто взять и оговориться в самом главном. Но заменить множественное число на единственное она тоже не может, чтобы не разрушить собственных уравнений силы. К этому факту просто стараются не привлекать внимания. Официально Бог один, однако скрытое эзотерическое ответвление каббалы хорошо помнит, что творцов на самом деле много и всех нас создают разные сущности.

— Простите, — сказал Т., — я, к сожалению, плохо знаком с каббалистическими терминами и не всегда вас понимаю. Но после общения с княгиней Таракановой я представляю, о чем речь. Она называла это «многобожием», не так ли?

Ариэль кивнул.

— Затем дедушка попытался рассказать мне про Семь Сефирот и Двадцать Два Пути, — продолжал он. — Он говорил про запутанный маршрут, по которому божественный свет сходит к человеку, про аспекты небесных сил, воплощенных в двадцати двух буквах древнееврейского алфавита, про то, как могущества сталкиваются друг с другом в наших душах — но я, как вы догадываетесь, мало что понял. Помню одну только фразу, поразившую меня своим таинственным смыслом: человек, сказал дедушка, есть история, рассказанная на божественном языке, для которого земные языки лишь бледная тень. В божественном языке все буквы живые, и каждая из них есть история сама по себе, и таких букв двадцать две. Впрочем, это число условное — например, китайцы считают, что букв шестьдесят четыре, а каббалисты профанического круга говорят, что их пятнадцать.

— Тут, надо полагать, есть аналогия с писательством? — спросил Т.

— Именно! — улыбнулся Ариэль. — Писатель, описывая несуществующий мир с помощью алфавита, делает практически то же самое, что творцы вселенной. Запирается, так сказать, в каюте первого класса и начинает рвать о голову сами знаете что... Мне это показалось забавным. Но дедушка был в ужасе. «Арик, — говорил он, — как же ты не понимаешь? Когда писателя называют творцом, это вовсе не комплимент. Даже самый тупой и подлый писака с черной как ночь душой все равно властен вызывать к жизни новые сущности. Отец всех писателей — диавол. Именно поэтому творчество, демиургия есть самый темный грех из всех возможных...»

— А вот здесь я не вполне понимаю, — сказал Т. — Отчего самый темный?

— А оттого, что каждый литератор, в сущности, повторяет грех Сатаны. Складывая буквы и слова, он приводит в содрогание божественный ум и вынуждает Бога помыслить то, что он описывает. Диавол есть обезьяна Бога — он творит таким образом полный страдания физический мир и наши тела. А писатель есть обезьяна диавола — он создает тень мира и тени его обитателей.

— Что же страшного в создании теней? — спросил Т.

— Как что? Ведь фальшивый герой какого-нибудь дамского романа с божественной точки зрения не менее реален, чем пассажиры метро, которые этот роман читают. Причем книжный персонаж, возможно, даже реальнее обычного человека. Ибо человек — это книга, которую Бог читает только раз. А вот герой романа появляется столько раз, сколько раз этот роман читают разные люди... Во всяком случае, так утверждал дедушка.

— Вы поверили ему?

— Разумеется, нет — я же был здоровый советский ребенок. Я спросил — если писатель действительно создает новые существа, где и как на них можно посмотреть?

— И что он ответил?

— Дедушка, видимо, действительно опасался, что я стану писателем. Он решился на демонстрацию. Это было весьма похоже на колдовство: дедушка на моих глазах вырвал страницу из тома Шекспира, написал на полях какие-то знаки, сжег этот лист, растворил пепел в стакане с водой и дал мне выпить эту воду. После этого он посадил меня на стул лицом к стене и велел закрыть глаза.

Ариэль замолчал, словно поглощенный тяжким воспоминанием.

— Что было дальше? — спросил Т.

— Скоро я почувствовал, что засыпаю, и увидел странный сон наяву. Я стал Гамлетом, и я был реален. Но не совсем — не так, как реален человек. Это было очень необычное переживание, благодаря которому я понял, каким образом возникает из небытия литературный герой и как он опять в него уходит.

— С вами происходило что-то отличное от описанного в пьесе? — спросил Т.

— Нет, — ответил Ариэль. — Но мои чувства и мысли, связанные с другими персонажами, были неве-

роятно, неописуемо тонки. В каждой из своих реплик
я существовал как сложная и глубокая личность. Вот
только при попытке выйти из роли мой ум провали-
вался в небытие. Когда я говорил с Гильденстерном
или Лаэртом, мой внутренний мир появлялся в качестве фона. Но стоило мне отвлечься от канвы действия,
и я оказывался в пустоте, где не было ничего вообще.
А когда мои мысли начинали следовать тропинкам,
проложенным для них в тексте, я снова становился
живым. Понимаете? Гамлет действительно существовал на том крохотном отрезке жизни и судьбы, который был изображен Шекспиром. Он жил по-настоящему. Но не так, как я.

— А в чем разница?

Ариэль задумался.

— Тут можно только подбирать сравнения... Представьте нарисованный на бумаге трехмерный предмет.
Он кажется трехмерным, а на самом деле имеет только
два измерения... А тут измерение было вообще одно —
последовательность знаков, которая, как заклинание,
создавала меня на миг и тут же разрушала... Довольно
страшно. Дедушка заставил меня принять участие в
нескольких подобных опытах, стремясь показать весь
темный ужас демиургии, или «творчества».

— И чем все это кончилось?

— Чем? — Ариэль засмеялся. — Тем, что я действительно решил стать писателем. Поскольку понял,
какими невероятными силами управляет человек, бо-
рющийся с чистым листом бумаги.

— Дедушка обучил вас каббалистическим искусствам?

Ариэль отрицательно покачал головой.

— Он отчего-то вбил себе в голову, что я не гожусь
в ученики. Единственное, чему я научился — это уста-
навливать связь с героем текста. Но даже этому он не
обучал меня специально. Просто я умудрился сфото-
графировать одну из надписанных им страниц перед
тем, как он сжег ее. Он, знаете, просто писал на полях

вокруг печатного текста древнееврейские буквы — против часовой стрелки. После того как у меня оказалась фотография, я стал писать эти буквы сам, затем точно так же сжигал лист и выпивал воду с пеплом, и впадал в этот странный транс. Дедушка приоткрыл передо мной двери чудесного. Хоть открыть их шире я не смог, этот опыт я повторял без труда. Сначала я наблюдал чужих литературных героев, а затем стал беседовать со своими собственными выдумками.

Т. почувствовал, как у него на лбу выступил холодный пот.

— Постойте... Вы хотите сказать, что и я такая выдумка?

— Нет, — сказал Ариэль, — у вас есть прототип. Это граф Толстой, великий писатель и мыслитель, живший в Ясной Поляне и ушедший в конце жизни в Оптину Пустынь. До которой он, впрочем, не добрался.

— Значит, я граф Толстой?

— Боюсь, не вполне.

— Так кто я на самом деле?

— На самом деле? — ухмыльнулся Ариэль. — Не уверен, что могу ответить на этот вопрос однозначно, но у меня есть одна... Скажем так, гипотеза.

— Говорите, — сказал Т.

— Когда дедушка отговаривал меня от писательства, он рассказывал, что происходит с писателями после смерти. Куда уходят их души.

— Куда?

— Как я уже говорил, дедушка полагал страшнейшим из грехов создание новых сущностей, появление которых инициировано не Богом, а кем-то еще. Ибо любой несовершенный акт творения причиняет Всевышнему страдание. Поэтому наказание для так называемых земных творцов заключается в том, что именно их душам впоследствии приходится играть героев, испекаемых другими демиургами.

— Вы хотите сказать...

— Я этого не утверждаю. Но существует и такая возможность. Вот представьте: жил когда-то в России великий писатель граф Толстой, который своей волей привел в движение огромный хоровод теней. Быть может, он полагал, что выдумал их сам, но в действительности это были души бумагомарателей, которые, участвуя в битве при Бородино или ныряя под колеса поезда, расплачивались за свои грехи — за Одиссея, Гамлета, мадам Бовари и Жюльена Сореля. А после смерти и сам граф Толстой стал играть похожую роль. Вот сейчас он стал всадником в синем мундире, едущим в Оптину Пустынь. Мир, где граф с оружием в руках пробивается к неясной цели, придумывает Ариэль Эдмундович Брахман, которого после смерти ждет похожая судьба. Поэтому нельзя утверждать, что Ариэль Эдмундович Брахман на самом деле создал графа Т., хотя он и является его создателем. Видите, никакого противоречия нет.

— Все вокруг меня — ваша работа? И цыганский барон, и княгиня Тараканова, и этот сумасшедший солдат у церкви?

— На самом деле все несколько сложнее, но для простоты можете считать, что да, — сказал Ариэль. — Люди и предметы в вашем мире возникают только на то время, пока вы их видите. А за все, что вы видите, отвечаю я.

— Каким образом вы появляетесь передо мной?

— По методике покойного дедушки. Беру лист из рукописи, пишу на полях эти самые еврейские буквы, потом сжигаю лист, растворяю пепел в воде и пью ее. И на некоторое время, граф, мы становимся реальны друг для друга...

В кармане Ариэля что-то мелодично прозвенело.

— Сжигаете лист из рукописи? — переспросил Т. — Позвольте, а из какой именно рукописи? У вас есть какая-то рукопись, магически действующая на мою судьбу? Какое-то мое описание, да?

— В следующий раз, — сказал Ариэль. — Сейчас, извините, придется вас оставить. Можете переночевать в этом шатре, а утром... Метрах в ста будет дорога. Там вы найдете попутную телегу. Здесь неподалеку уездный город.

— Ковров?

— Пусть Ковров. Потом, если что, переименуем. Отдохните денек. Развлекитесь как можете. Ну и подумайте над услышанным.

Т. заметил, что сквозь локоть Ариэля стал виден ковер на полу. Потом прозрачной стала его нога.

— Мы встретимся еще?

Ариэль благосклонно улыбнулся.

— Несомненно. Ведь самого главного я пока не рассказал. Давайте завтра или послезавтра. В гостинице «Дворянская» — это единственное приличное место в городе. Я вас там найду.

VIII

Телега остановилась возле двухэтажного каменного дома с вывеской «Гостиница «Дворянская».

Т. дал мужику-вознице монету, слез на землю, стряхнул сено с голубых рукавов и потянулся, расправляя тело.

— Ваше благородие господин полковник! — закричал привратник с крыльца. — Прикажете остановиться?

— Да, — ответил Т., не давая себе труда уточнить, что именно тот имел в виду. — Лучший номер.

— Сию секунду будет сделано, ваше благородие! Губернаторский приготовим!

— И еще, — сказал Т. тихо и чуть виновато, — ты мне это, братец, водки принеси.

— Как не принести, ваше благородие! Мигом сообразим!

Через четверть часа номер был готов. Когда Т. вошел в него, на столе уже стоял запотевший графин и серебряный поднос с закусками.

Т. успел узнать от коридорного: «губернаторским» номер называли потому, что в нем когда-то пытался повеситься губернатор, ехавший по высочайшему вызову в Петербург.

Номер и впрямь был роскошен по уездным понятиям, только мрачноват: его украшал огромный камин, который уместнее смотрелся бы в немецком замке, чем в провинциальной гостинице, а над камином висел огромный и, кажется, действительно старый портрет императора Павла (или его просто закоптило дымом).

Курносый и бесстрастный император походил на собственный труп, натертый румянами и белилами, а его холодные презрительные глаза казались нарисованными на закрытых веках. Висок, куда ударила табакерка убийцы, был прикрыт нелепо подвернутой буклей парика — будто художник различил таинственные знаки судьбы сквозь парадный наряд государя.

В углу комнаты стояли часы необычной формы — это был полный рыцарский доспех с застекленным животом, за которым поворачивались шестеренки и качались какие-то стержни, словно символизируя надежное, ровное и размеренное пищеварение. А в раскрытом шлеме вместо лица помещался небольшой белый циферблат со стрелками.

Налив себе стакан водки, Т. выпил, закусил блином с икрой и сел в расшитое павлинами кресло возле каминной решетки.

«К чему тут этот Павел, — подумал он, оглядывая комнату. — До чего, однако, похож на нарумяненного и заспиртованного младенца из Кунсткамеры... Чувствую, сегодня напьюсь, как никогда не напивался. Что, впрочем, несложно, поскольку я вообще не знаю, когда я прошлый раз напивался...»

Т. налил себе еще водки.

«Неужели весь мир действительно есть то, что говорит Ариэль? Вот журнальный столик. Вот графин, в котором отражается окно. Вот граненый стакан, похожий на спившуюся призму. Откуда он, собственно, взялся, этот стакан? Он возникает, потому что его описывает Ариэль. Но кто тогда его видит? Кто я сам? Неужели такой же стакан, только говорящий?»

В дверь постучали.

— Ваше превосходительство, — раздался голос из коридора, — не прикажете ли подать бумаги и чернил?

— Нет, — сказал Т. — С какой вдруг стати?

— А чего изволите приказать? — спросил голос после неловкой паузы.

— Принеси еще блинов. И вообще, подавай обедать.

— Слушаю.

«Вот, — подумал Т., поднимая палец и грозя нарисованному императору. — Вот именно. Бумаги и чернил. Не зря ведь этот шельмец о них спросил. Может, он думает, что я и есть тот писатель, о котором говорил Ариэль? Впрочем, вряд ли. Скорей всего просто предлагает блага цивилизации. Ведь Кнопф в поезде ничего не говорил о литературе, а он осведомлен обо мне во всех деталях. Кстати, надо бы как-нибудь поговорить с этим Кнопфом, расспросить. Впрочем, трудно — он ведь всякий раз начинает палить из револьвера...»

Часы в виде рыцаря с прозрачным животом пробили два раза.

«Надо признать, мир, придуманный этим каббалистическим демоном, выглядит по-настоящему убедительно. Однако надо будет погулять по нему после обеда, посмотреть, не кончается ли он в ста шагах от дороги. Это будет интересно. Сначала выпьем и поедим, а потом все тщательно исследуем...»

Первая часть этого замысла была осуществлена незамедлительно. А вскоре Т. уже спускался с гостиничного крыльца.

— Ничего, — бормотал он, сжимая кулаки и грозно ухмыляясь, — мы испытаем на прочность это наваждение. Сейчас...

Прохожие оглядывались на подвыпившего жандармского полковника с опаской. Полковник, надо сказать, давал для этого основания.

Перейдя улицу, он подошел к фатовато одетому господину в котелке, который стоял у входа в ресторан и, зажав под мышкой трость, пересчитывал ассигнации в бумажнике.

— Здравствуйте, милостивый государь, — сказал Т., с дьявольской ухмылкой прикладывая ладонь к своей фуражке. — С кем имею честь?

— Купеческий старшина Расплюев, — испуганно ответил господин в котелке.

— Вот как, — сказал Т. — Купеческий старшина. А вид такой, словно собрался в Париж на Всемирную выставку. Почему?

Господин в котелке попытался изобразить вежливое европейское недоумение, но вышло это не очень — отразившееся на его бритой физиономии чувство гораздо больше напоминало страх, причем сразу стало ясно, что страх и был изначальным выражением этого лица, проступившим от неожиданности сквозь все слои мимической маскировки.

— А как же, — сказал он, — прогресс, ваше благородие, проникает и в наши медвежьи углы. Отчего не нарядиться...

— А знаешь ли ты, купеческий старшина Расплюев, — сказал Т., грозя бритому господину кулаком, — что на самом деле ты есть не купеческий старшина, а ничтожество. И даже не ничтожество, а вообще полное ничего. И хоть наряжен ты во все эти английские материалы, братец, а существуешь ты понарошку, и только до тех пор, пока я с тобой беседую... Это ты понять можешь?

Купеческий старшина покраснел и усмехнулся.

— То есть в каком это смысле, позвольте вас спросить, понарошку? То есть я, по вашему рассуждению, на самом деле пустое место?

— Ты даже не пустое место, — ответил Т. — Я тебе просто объяснить не могу словами, какой ты есть ноль. Вот перестану с тобой говорить, чудила ты тараканский, займусь чем-нибудь другим, и исчезнешь ты безвозвратно вместе со своим котелком и тростью на всю оставшуюся вечность. Не веришь?

Лицо купеческого старшины стало совсем багровым.

— Извольте попробовать, — сказал он. — Не буду иметь никаких возражений, если вы соблаговолите исполнить свою угрозу незамедлительно-с.

На крыльце ресторана уже толпились какие-то длинноволосые господа разночинского вида, подтянувшиеся из зала; до Т. долетели слова «держиморды» и «палачи», сказанные хоть и опасливым шепотком, но с чувством.

— А, — махнул рукой Т., — ну тебя совсем к черту, братец. Прощай навсегда.

Отвернувшись от Расплюева, он наискось перешел улицу и вдруг почувствовал на себе чей-то внимательный взгляд. Он обернулся.

По другой стороне улицы брел пожилой печальный еврей в длинном лапсердаке. На носу у него была большая волосатая бородавка. Т. еще раз перешел улицу и пошел с ним рядом. Через некоторое время еврей спросил:

— Вы меня преследуете, господин офицер?

— Просто иду рядом, — ответил Т.

— А зачем? — спросил еврей.

Т. засмеялся. Еврей почему-то сразу обиделся.

— Зачем это вы смеетесь? — спросил он.

— Затем, что вы смешной. Задаете смешные вопросы.

— Чем же смешные?

— Я иду рядом с вами для того, чтобы дать вам возможность немного насладиться этим днем. Подышать этим воздухом, полюбоваться игрой солнечного света и тени.

— Вы хотите сказать, если вы оставите меня в покое, я таки задохнусь и ослепну?

— Несомненно, — сказал Т. — Таки задохнетесь, ослепнете, оглохнете, потеряете обоняние и осязание и перестанете думать свои печальные мысли.

— А откуда вы знаете, что они печальные?

— Такое у вас лицо, — сказал Т. — И вообще, если я что-то говорю, это ведь не просто так.

— Вы, наверное, не любите евреев? — спросил еврей.

— Что вы, почтенный, — ответил Т. — Я замечательно отношусь к евреям. Но вот наш создатель...

— Что? — настороженно спросил еврей. — Что — создатель?

— Вот насчет него я не уверен, — сказал Т. тихо. — У меня сложилось подозрение, что евреев он недолюбливает.

— Откуда вы можете знать про создателя?

— Я пару раз имел с ним дело. Сказать по секрету, его ужасно раздражает, что его назвали еврейским именем. Из-за этого люди часто принимали его за еврея, и возникало много разных глупых проблем. Вот он и мстит теперь вашему брату — не так, конечно, чтобы очень всерьез, но все-таки. Ведь эта бородавка у вас на носу не просто так — вы, наверно, думали про это долгими ночами?

— Вы имели дело с создателем? — спросил еврей, подняв бровь. — Вы хотите мне сказать, создатель беседует с жандармским полковником?

— Мало того, — ответил Т., — вы существуете единственно с той целью, чтобы этому жандармскому полковнику было с кем поговорить.

— Вам так создатель сказал?

Т. энергично кивнул.

— А почему вы уверены, что это был создатель? — спросил еврей. — Вы хорошо его разглядели?

— Весьма. Я стоял к нему так же близко, как к вам.

— Знаете, — сказал еврей, — после таких слов хочется стать к вам так же далеко, как отсюда до Бердичева. Можете вы оставить меня в покое?

— Я могу, запросто, — сказал Т. — Только вы ведь пропадете ни за грош. Причем сразу и навсегда.

— Значит, такая моя судьба, — сказал еврей, — и не печальте себя этим вопросом.

Вежливо приподняв шляпу, он прибавил ходу и, не оборачиваясь, скрылся в подворотне.

Несколько секунд Т. смотрел ему вслед. Потом покачнулся и подумал:

«Сплошное прощание с людьми и предметами, как говорят в Париже. Однако надо же так напиться... Впрочем, надо еще выяснить, кто здесь пьян. Вот эти вокруг — что они, трезвы? Ну да, от них не пахнет водкой. Они не шатаются при ходьбе — идут куда-то по своим делам. Но разве это трезвость? Можно ли считать трезвыми телеграфные столбы? А смысла во всех этих купеческих старшинах столько же, сколько в телеграфных столбах или облаках в небе. И даже меньше, потому что смотреть на облака куда интереснее, чем разглядывать истуканов, которых посылает мне навстречу Ариэль...»

Т. огляделся по сторонам. Возле приземистого желтого дома с полукруглой сине-красной вывеской «Хлебозаготовки Курпатов и Ко» стояла телега, полная свежего сена — она в точности походила на транспортное средство, доставившее его в Ковров (Ариэль, видимо, предпочитал не создавать без нужды новые сущности). Людей рядом не было. Недолго думая, Т. подошел к телеге, упал в сено и уставился вверх.

Небо над городом было затянуто серой пеленой с редкими просветами синевы. В них иногда появлялось солнце. Сделав небольшое усилие, можно было увидеть мир иначе — с редкими синими облаками на сером небе. В одном из этих облаков плескалось ослепительное золотое сияние; иногда оттуда вырывался луч желтого света и падал на город. Потом этот луч и это сияние переходили в другое синее облако.

«В этих синих облаках живет Бог, — думал Т., пожевывая колосок ржи. — А мы глядим из нашей преисподней на небесное великолепие и грустим о недостижимом... И никогда ничего не поймем, потому что даже эти синие облака на сером небе, которые мы видим с такой отчетливостью, на самом деле не облака, и все совсем наоборот...»

Впряженная в телегу лошадь беспокойно заржала и несколько раз хлестнула себя хвостом по лоснящемуся буланому крупу, отгоняя мух. Ржаной колосок был странным на вкус — Т. вынул его изо рта и увидел между зерен пурпурные рожки спорыньи.

«Ариэль говорил, я узнаю окончательную правду при нашей следующей встрече. Но мне кажется, я знаю ее уже сейчас. Видимо, все происходящее со мной есть наказание за какой-то грех. Именно поэтому я утратил память. Меня лишили ее и отдали во власть каббалистического демона, который теперь обрушивает на меня тяжкие волны безумия. Такова кара... Но здесь же и надежда. Ибо тогда происходящее со мной — просто очищение, необходимое душе перед восхождением в эту сине-золотую чистоту... И сколько разбросано вокруг подтверждений — ведь даже то, что я лежу сейчас на этой телеге и вижу эти пятна сверкающей синевы — уже свидетельство, что я буду допущен туда... Иначе это было бы слишком жестоко и безжалостно, так не может быть никогда, душа знает... Да...»

— Отдыхаете, барин?

Т. повернулся на голос.

У телеги стояла миловидная крестьянская девка лет двадцати, еще почти ребенок, с копной русых волос под косынкой и трогательно хрупкой шеей над вырезом красного сарафана.

— Отдыхаю, милая, — ответил Т.

— А мне ехать пора, барин.

— Послушай, — сказал неожиданно для себя Т., — а не знаешь ли ты, где тут Оптина Пустынь?

— Как не знать. Знаю. Мне по дороге.

На секунду хмель выветрился из головы Т.

— Так не свезешь ли? Награжу...

— Ну уж прямо наградите, — засмеялась девка. — До самой Оптиной Пустыни не свезу, а рядом могу доставить.

— Ну поезжай, — отозвался Т. — Договоримся.

Телега тронулась. Т. хотел было спросить девку, что это, собственно, такое — «Оптина Пустынь», но по размышлении решил этого не делать: подобный вопрос мог выставить его дурачком из сказки, едущим туда не знаю куда.

«Приедем — посмотрим. Однако удивительно, с какой сказочной легкостью... Впрочем, кто сказал, что жизнь должна быть сложнее?»

Теперь небо покачивалось в раме перетекающих друг в друга крыш. Иногда на эту раму накладывались бородатые лица под картузами, которые опасливо глядели на Т. и торопились уйти из поля зрения. Т. не обращал на них внимания — он следил за сине-золотой небесной рябью (сделав еще одно небольшое усилие, можно было увидеть ее не вверху, а впереди) и сам не заметил, как уснул. А когда он проснулся, вместо крыш по краям неба были уже деревья.

Прошло, должно быть, около часа. Дневной жар спал; воздух стал прохладнее и чище и доносил запахи дорожной пыли, луговых трав и еще чего-то особого, теплого и приятно волнующего. Т. понял, что это запах сена, смешанный с ароматом молодого женского тела.

— Али проснулись, барин? — спросила девушка.

Т. приподнялся на локтях и огляделся.

Дорога шла вдоль пшеничного поля; по другую ее сторону зеленел близкий лес.

— Вон тама Оптина Пустынь, — сказала девка и махнула рукой в сторону леса. — Пешком версты две будет наскрозь. Сама не была, бають так.

— А ближе подвезти не можешь?

Девка отрицательно помотала головой. Движение было очень решительным; Т. показалось, что она чуть побледнела.

— А отчего не подвезешь? — спросил он.

— Да боязно же, — ответила девка и перекрестилась.

Т. несколько секунд глядел в зеленую бездну леса, затем повернулся и посмотрел на пшеничное поле.

Из пшеницы поднималось пугало в черных лохмотьях, раскинувшее для объятья с вечностью сухие и бессильные палки своих рук — déjà vu, подумал Т., это ведь уже было совсем недавно, в поезде. Он перевел взгляд на девку.

— Тебя как звать?

— Аксинья, — ответила девка. — А вас?

Отчего-то Т. вдруг почувствовал непреодолимое желание выдать себя за писателя, о котором говорил Ариэль.

— Толстой, — сказал он. — Лев Толстой.

Девка прыснула в кулак.

— Скажете тоже, — проговорила она застенчиво. — Ну какой же вы толстой. Вы худявый. И еще лев, придумал тоже. У льва грива.

Т. заглянул в ее зеленые глаза и вдруг почувствовал мгновенное, бесстыдное и полное взаимопонимание с этим веселым юным существом. Аксинья улыбнулась — и столько в этой улыбке было красоты, мудрости и непобедимой силы, что Т. показалось, будто одна из античных статуй с корабля княгини Таракановой облеклась плотью и возникла перед ним наяву.

— Грива, говоришь? — переспросил он охрипшим голосом. — Грива как раз есть...

— Врете небось, барин, — хохотнула Аксинья.

— Не, не вру. Поезжай-ка вон в ту рощу. Покажу...

* * * * * * * * *

Прислонясь лбом к березе, Т. тяжело дышал, стараясь стряхнуть с себя последние остатки хмеля. Но ничего не получалось — опьянение, наоборот, становилось все тяжелее и беспробудней. Душу постепенно наполняло раскаяние в том, что произошло минуту назад.

— И правда лев, — смешливым голоском сказала лежащая на телеге Аксинья. — Прыгучий какой...

«Как же так, — думал Т., — отчего так устроена душа? Почему мы за одну секунду проходим путь от ангела, ждущего, когда откроются райские врата, до блудливого демона, боящегося лишь одного — не допить чашу позорного наслаждения до дна, упустить из нее хотя бы каплю... И ведь самое страшное и поразительное, что никакого шва, никакой заметной границы между этими состояниями нет, и мы переходим от одного к другому так же легко и буднично, как из гостиной в столовую. Действительно впору поверить в бредни покойной княгини...»

— А какие на ногах когти, — бормотала Аксинья. — Истинный лев...

— Ты бы прибралась, — сухо бросил Т.

— Аль не ндравлюсь? — обиженно спросила Аксинья. — А только что ндравилась...

Уже собирясь сказать ей что-то отрезвляющее, Т. поглядел на нее и осекся. В небесных доспехах юности и красоты Аксинья казалась древней богиней, вечной небожительницей, сошедшей на землю, чтобы соблазнять человеческих сынов и нести им смерть... Вокруг нее дрожала еле заметная радужная дымка, которая как бы подчеркивала ее неземную природу.

Впрочем, такой же еле видный ореол окружал и телегу, и даже помахивающую хвостом лошадь — видимо, влажный лесной воздух странным образом расщеплял косые солнечные лучи.

ВИКТОР ПЕЛЕВИН

Аксинья лукаво улыбнулась, и Т. с ужасом понял, что хочет ее опять, и через минуту, когда это чувство вновь захлестнет его с головой, сопротивляться будет невозможно.

«Мне с этим не совладать, — подумал он. — Как сказано в Евангелии? Лучше для тебя, чтобы погиб один из членов твоих, а не все тело было ввержено в геену... Истинно...»

Оторвав влажный лоб от березы, Т. качнулся, шагнул к телеге и, избегая глядеть на Аксинью, спросил:

— Слушай, я тут у тебя топор видел. Где он?

— Вот, — сказала Аксинья, кивнула на торчащую из сена рукоять и побледнела. — Да зачем тебе? Али задумал что?

Т., не отвечая, взял топор.

Аксинья вскрикнула, соскочила с телеги и побежала в лес. Она перемещалась легко и плавно, словно плыла — но двигалась при этом очень быстро. Вскоре ее уже нельзя было различить между стволов.

«Как хороша, — подумал Т., — и ловкая, захотел бы, не догнал. Вот только она вернется сейчас, я знаю. Нутром чую, грехом самим... И все заново... Так, значит, что? Рубить и не сомневаться...»

Он прижал указательный палец к серому борту телеги, поднял, примериваясь, топор, и вдруг увидел немыслимое.

Лошадь, только что тянувшаяся губами к траве, подняла морду, поглядела на него колдовским пурпурным глазом и отчетливо произнесла:

— Рубить не палец надо, барин.

Т. от неожиданности выронил топор.

— Что? — спросил он. — Что ты... Что вы сказали?

— А то, барин. Пальцы тут ни при чем, — повторила лошадь тихо, будто боясь, что услышит кто-то лишний. — Тут не палец рубить, тут малой печатью убелиться след. Усечь смердячую яцутку. Вот тогда ровно по греху одежка будет.

80

Сказав это, лошадь отвернула морду и стала дальше щипать траву.

— А ну повтори, — сказал Т. — Повтори, что ты сказала.

Но лошадь продолжала щипать траву, не обращая внимания на Т., и ему стало казаться, что все услышанное было просто галлюцинацией. Это подозрение быстро стало уверенностью — и даже непонятно сделалось, как он мог всерьез размышлять, говорила с ним лошадь или нет.

«Безумие, — подумал он. — Нельзя столько пить. Может, в гостинице подмешали в водку какую-то дрянь? Впрочем, совсем недавно я допускал, что на самом деле мертв и все происходящее суть загробное испытание души... Как, однако, скачут мысли. А ну скорей к Ариэлю. Там все выясним...»

Т. повернулся к лесу.

— Аксинья! — крикнул он. — Мне в гостиницу надо! Выходи!

— Не выйду, барин! — отозвалась Аксинья. — Вы топором зашибете.

— Да не трону я! Верно говорю!

— А чего топор взял?

Т. наморщился от идиотизма ситуации.

— Палец хотел рубить, — крикнул он. — Палец, не тебя!

— А зачем палец?

— От зла уберечься!

Аксинья некоторое время молчала — верно, думала.

— А че ты им делаешь, пальцем? — крикнула она наконец.

Т. почувствовал, что его лицо покрывается горячей краской стыда.

— Ты прямо как лошадь рассуждаешь! — крикнул он. — Дура!

— Чиво ж, — прокричала Аксинья в ответ, — мы Смольных институтов не кончали!

— Прекрати меня фраппировать!

— Будете ругать, еще дальше убегу, — раздался ответный крик.

Т. потерял терпение.

— Да выходи же, не бойся!

— Не, барин, сами езжайте, — отозвалась Аксинья. — Лучше я за телегой к гостинице приду, как у вас дурь пройдет.

Как ни погонял Т. лошадь, она плелась медленно и только после хорошего шлепка ненадолго переходила с шага на ленивую рысь. Каждый раз при этом она оглядывалась и пронзительно смотрела на него — словно намекая, что состоявшийся в лесу обмен мнениями о нравственных вопросах сделал неуместными и даже оскорбительными те перевозочно-гужевые отношения, в которые Т. назойливо пытается с ней вступить.

Впрочем, Т. было неловко и без этого.

«Оскорбил эту святую женщину, эту юную труженицу, — думал он, — плюнул ей в душу... Хотя непонятно, что именно ее так оттолкнуло. Совсем ведь не чувствую народной души, только притворяюсь. Нельзя так напиваться. До чего дошло — лошадь заговорила... И ведь не просто заговорила, она надо мной смеялась. И была совершенно права...»

— Конечно права, — сказала вдруг лошадь, оглядываясь. — Рубить палец, граф, это чистой воды кви про кво.

Т. похолодел.

«Вот, опять, — подумал он. — Сейчас отвернется и замолчит, как ни в чем не бывало...»

Но лошадь брела вперед, по-прежнему глядя на Т.

— Кви про кво? — переспросил Т. — Что это?

— Это когда одно принимают за другое, — ответила лошадь.

Никакой возможности считать разговор наваждением больше не осталось. Все происходило на самом деле.

— Признаться, я слаб в латыни, — сказал Т., стараясь сохранять самообладание. — В юности знал, а сейчас все забылось.

— «Кви» — это местоимение «кто», — объяснила лошадь, — а «кво» — его же архаическая форма, только в дательном падеже.

— Благодарю, — сказал Т. — Кажется, начинаю припоминать.

— Латынь здесь не важна, — продолжала лошадь. — Важна суть дела. Вы вспомнили Евангелие от Марка — так задумайтесь, о чем там на самом деле речь. Сначала надо трезво определить, какой именно из членов вас соблазняет: нога, рука, глаз, ухо... Апостол ничего не конкретизировал по той причине, что эллины были большие выдумщики по этой части. В некоторых апокрифах даже уточнялось, что перво-наперво следует задуматься, ваш ли собственный член вводит вас в соблазн. Может, его надо рубить кому-то другому...

Сказав это, лошадь подняла морду к небу и пронзительно заржала, отчего телега заходила ходуном, и вожжи чуть не выпали у Т. из рук. Вокруг опять замелькали странные радужные тени.

— Но в нашем случае все просто, — продолжала лошадь, поворачивая к Т. надменный профиль, — поэтому я посоветовала бы вам обратиться к опыту скопчества. Есть два варианта. Убелиться малой печатью, как я предложила с самого начала. Отделить яички, этого на первое время будет достаточно. За месяц все заживет. А можно сразу большую печать. Это сами понимаете что. Если вы не трус, рубите не задумываясь. А потом поедем искать проплеванный якимец.

— Чего искать?

— Якимец, — повторила лошадь, — это, по скопической терминологии, свинцовый гвоздик из колеса, который в дырочке носят. Как убьете в себе нечистого, два месяца нельзя вынимать. Пока заживать будет.

— А почему проплеванный?

— Чтоб не загноилось.

Т. с отвращением сплюнул.

— Яцутки какие-то, якимцы, — пробормотал он, морщась, — придумают же такую мерзость. Ничего не понимаю...

— Да я потом подробно объясню, не бойтесь. Времени будет предостаточно. Главное не медлить — сейчас отличная минута, сердце полно решимости, а вокруг как раз никого нет! Не сомневайтесь, граф. Другого такого случая может не представиться очень долго!

Лошадь остановилась и уставилась на Т. горящими гипнотическими глазами. Т. слез с телеги, взял в руку топор и неуверенно положил ладонь на пряжку брючного ремня... Тут вдали зазвонили ко всенощной, и он пришел в себя.

«Так ведь действительно до членовредительства дойдет», — подумал он и сильно, до крови укусил себя за губу.

Радужные тени исчезли. Он понял, что с топором в руке стоит перед телегой на пустой вечерней дороге — собственно, тут он и стоял секунду назад, но только теперь полностью вернулся в настоящее. Т. перевел глаза на лошадь. Она всем своим видом старалась показать, что совершенно здесь ни при чем. Т. укусил себя за губу еще раз, и стало ясно, что лошадь вообще ничего не старается показать, а просто тянется губами к пучку травы.

Т. приблизился к лошади, положил руку ей на шею и тихо, почти нежно сказал в ухо:

— Слушай меня внимательно, Фру-Фру, или как там тебя зовут. Если ты еще раз — слышишь, еще один только раз раскроешь сегодня пасть и скажешь что-нибудь на человеческом языке, я тебя выпрягу, сяду на тебя и поеду галопом. И погонять буду топором. А теперь пшла в город, к гостинице «Дворянская».

Лошадь нервно повела головой — но, на свое счастье, промолчала.

Т. залез в телегу и сильно хлестнул ее по крупу. Лошадь побежала вперед. Всю остальную дорогу она молчала, только несколько раз косила на Т. полным скрытого огня глазом, будто напоминая о чем-то важном. Каждый раз Т. внутренне напрягался, ожидая, что она заговорит, но лошадь отворачивалась и молча трусила дальше, презрительно и безразлично помахивая хвостом — как бы окончательно потеряв надежду, что пассажиру можно помочь в духовном плане.

Когда Т. добрался до гостиницы, было уже темно. Войдя в свой номер, он зажег лампу, сел в кресло перед камином и прошептал:

— Будем ждать встречи.

— Зачем же ждать, — раздался со стены вкрадчивый голос. — Я уже здесь. Добрый вечер, граф.

Т. поднял голову. С портрета на него благосклонно глядел курносый император Павел. Его рот округлился в зевке, и нарисованная рука, скользнув по полотну, деликатно прикрыла его ладонью.

IX

— Как вы могли? — горячо заговорил Т. — Зачем? Хотели меня унизить? Растоптать? Убейте лучше сразу. Ведь вам, я полагаю, это несложно.

На лице императора изобразилось изумление.

— Неужто все так мрачно? А что именно вызывает у вас такое отторжение?

— Вы еще спрашиваете? — воскликнул Т. — Впрочем, возможно, вы действительно не понимаете. Омерзительно все — плотский грех, пьянство, бредовые видения. Но самое невыносимое — это какая-то лубочная недостоверность происходящего, вульгарный и преувеличенный комизм. Словно меня заставляют играть в ярмарочном балагане мужикам на потеху...

— Вот оно что, — сказал Ариэль смущенно. — Я, признаться, еще не успел ознакомиться с последней главой.

— Не успели ознакомиться? О чем вы говорите? Это же ваша рукопись! Или у вас левая половина головы не ведает, что творит правая?

— Не все так просто, как вам кажется, — ответил Ариэль. — Вы ведь не знаете, как пишутся рукописи в двадцать первом веке.

— А что здесь могло измениться?

— Очень многое. Не рубите сплеча, граф.

— Вас не поймешь, — сказал Т. — То рубите, то не рубите. То говорящая лошадь, то Павел Первый.

— Я вас окончательно не понимаю, — сказал император жалобно, — какая еще говорящая лошадь? С вашего позволения, я возьму короткий тайм-аут. Ознакомиться с тем, что вас так, э... взвинтило.

Лицо на портрете замерло, превратившись в прежнюю мертво-курносую маску. Т. машинально вылил в стакан остаток водки из графина, поднес стакан ко рту, но содрогнулся от спиртового запаха и с омерзением выплеснул содержимое в черный зев камина.

«Кажется, — подумал он, — у меня начинается нервическая дрожь, дергается веко...»

Вскоре со стены послышалось вежливое покашливание.

Т. поднял взгляд на портрет. Император выглядел смущенным.

— Да, — сказал он. — Теперь понятно.

— Я требую полного объяснения, — сказал Т. — Перестаньте ходить вокруг да около. Откройте мне, наконец, кто я такой и что означает все происходящее.

— Я ведь уже намекал, — ответил Ариэль.

— Так повторите еще раз. И яснее, чтобы я понял.

— Извольте. Вы герой.

— Благодарю, — фыркнул Т. — Усатый господин, который сделал мне подобный комплимент в поезде, после этого несколько раз пытался меня убить.

— Все герои отказываются принимать эту новость, — сказал Ариэль грустно. — Даже когда это уже давно не новость. Словно какой-то защитный механизм — каждый раз одно и то же...

— О чем вы?

— Вы герой повествования, граф. Можно было бы назвать вас литературным героем, но есть серьезные сомнения, что текст, благодаря которому вы возникаете, имеет право называться литературой. Попробую сделать так, чтобы до вас это окончательно дошло...

Т. вдруг испытал головокружение — ему представилось, что он стоит на поверхности огромного бумажного листа, то распадаясь на разбросанные по белой плоскости буквы, то возникая из их роя. Мелькнула догадка, что наваждение кончится, если буквы сложатся в какое-то главное слово — но этого слова он не знал... Переживание было коротким, но пронзительно-жутким, словно он вспомнил страшный сон, который снится ему каждую ночь, но забывается каждое утро.

Ариэль наморщил лицо в сострадательную гримасу.

— Это вам неприятно, — сказал он, — потому что вы, вне всякого сомнения, тешили себя совсем иными мыслями о своей природе. Но именно так обстоят дела.

— Вы говорили, я не ваша выдумка.

— Вы не моя выдумка, совершенно верно. Как я уже говорил, ваш отдаленный прототип — писатель Лев Толстой. Но во всем остальном вы просто герой повествования, такой же, как Кнопф и княгиня Тараканова. В настоящий момент я вступаю с вами в контакт с помощью уже знакомой вам каббалистической процедуры.

— Но ведь вы намекали... Вы говорили о загробном воздаянии, положенном писателю. И дали понять, что я как раз и претерпеваю такое наказание.

— Ничего подобного. Я всего лишь пересказал вам слова моего дедушки о природе литературных персонажей. Сам я не имею понятия, правда это или нет. Но даже если все именно так, покойный граф Толстой может с одинаковым успехом оказаться не вами, а Кнопфом или кем-нибудь из амазонских убийц.

Подождав немного и поняв, что Т. ничего не скажет, Ариэль продолжал:

— Позвольте принести вам извинения за случившееся в мое отсутствие. Это все Митенька. Я, если честно, недоглядел.

— Что за чушь вы говорите, — сказал Т. — Какой еще к черту Митенька?

— Не знаю даже, как начать, — вздохнул Ариэль. — Хочется верить, беседа с княгиней Таракановой подготовила вас к подобному развитию событий. Хотя, конечно, подготовиться к такому трудно.

— Выкладывайте.

Император на портрете закрыл глаза и несколько секунд думал, подбирая слова.

— Скажите, — заговорил он, — вы когда-нибудь слышали про машину Тьюринга?

— Нет. Что это?

— Это из математики. Условное вычислительное устройство, к работе которого можно свести все человеческие исчисления. Если коротко, каретка перемещается по бумажной ленте, считывает с нее знаки и, подчиняясь некоему правилу, наносит на нее другие знаки.

— Я слаб в точных науках.

— Ну представьте, что железнодорожный обходчик идет вдоль рельсов. На шпалах мелом нарисованы особые значки. Обходчик заглядывает в специальную таблицу соответствий, которую ему выдает железнодорожное начальство, и пишет на рельсах требуемые буквы или слова.

— Это уже легче, — сказал Т. — Хотя от таких обходчиков, я полагаю, и бывают все крушения.

— Писателя, — продолжал Ариэль, — можно считать машиной Тьюринга — или, то же самое, таким путевым обходчиком. Как вы понимаете, все дело здесь в таблице соответствий, которую он держит в руках. Ибо знаки на шпалах практически не меняются. Впечатления от жизни одинаковы во все времена — небо синее, трава зеленая, люди дрянь, но бывают приятные исключения. А вот выходная последовательность букв в каждом веке разная. Почему? Именно потому, что в машине Тьюринга меняется таблица соответствий.

— А как она меняется?

— О, вот в этом и дело! В ваше время писатель впитывал в себя, фигурально выражаясь, слезы мира, а затем создавал текст, остро задевающий человеческую душу. Людям тогда нравилось, что их берут за душу по дороге с земского собрания на каторгу. Причем они позволяли трогать себя за это самое не только лицам духовного звания или хотя бы аристократического круга, а вообще любому парвеню с сомнительной метрикой. Но сейчас, через столетие, таблица соответствий стала совсем другой. От писателя требуется преобразовать жизненные впечатления в текст, приносящий максимальную прибыль. Понимаете? Литературное творчество превратилось в искусство составления буквенных комбинаций, продающихся наилучшим образом. Это тоже своего рода каббала. Но не та, которую практиковал мой дедушка.

— Писатель, вы хотите сказать, стал каббалистом?

— Писатель, батенька, тут вообще ни при чем. Эта рыночная каббалистика изучается маркетологами. Писателю остается только применять ее законы на практике. Но самое смешное, что эти маркетологи обыкновенно полные идиоты. Они на самом деле не знают, какая комбинация букв будет востребована рынком и почему. Они только делают вид, что знают.

— Ну и ужасы вы рассказываете, — пробормотал Т. — Какие-то мракетологи... Это от слова «мрак»?

— В общем да, — хихикнул Ариэль.

— И что же, автор соглашается на все их требования?

— Само понятие автора в прежнем смысле исчезло. Романы обычно пишутся бригадами специалистов, каждый из которых отвечает за отдельный аспект повествования. А затем сшитые вместе куски причесывает редактор, чтобы они не смотрелись разнородно. Делают дракона, хе-хе.

— Позвольте, — сказал Т., — вы хотите сказать, что я тоже сделан по такой схеме?

— Увы, граф, — ответил Ариэль. — Увы, но это так.

— То есть я даже не ваше творение, а просто составная щука?

— Скажем так — я ваш главный создатель. Тот повар, который соединяет куски щуки вместе. Я задаю общий контур, решаю, что останется, а что уйдет. Придумываю кое-что и сам. Но большую часть текста прописывают другие.

— Так это ваши маркитанты придумали, чтобы я Аксинью... того? А потом за топор?

Ариэль сделал еле заметное движение головой, в котором все-таки можно было опознать утвердительный кивок.

— Можете утешиться тем, — сказал он, — что любой живой человек ничем от вас не отличается. Как говорил мой дедушка, душа — это сценическая площадка, на которой действуют двадцать два могущества, семь сефирот и три... три... вот черт, забыл. Неважно. Каждый человек в любую секунду жизни создается временным балансом могуществ. Когда эти древние силы выходят на сцену и играют свои роли, человеку кажется, что его обуревают страсти, посещают озарения, мучают фобии, разбивает лень и так далее. Это как корабль, на котором борются друг с другом призрачные матросы. Те же самые матросы плывут и на всех остальных кораблях в мире, поэтому все корабли-призраки так похожи друг на друга. Разница только в том, как развивается драка за штурвал.

— А куда плывут эти корабли? — спросил Т.

— Они слишком быстро тонут, чтобы куда-нибудь плыть. А берег слишком далеко. Это уж не говоря о том, что плавают они большей частью неровными кругами, а берег и море на самом деле мираж.

— Оптимистично. И ничего кроме этих матросов в человеке нет?

— Ничего, — ответил Ариэль. — Так что не расстраивайтесь. Не вы один составная щука. Единого автора нет ни у кого из нас.

— Я не хотел спорить на эту тему с покойной княгиней, — сказал Т., — но принято считать, что такой автор у людей все же имеется. Это Бог.

— «Бог» — просто бренд на обложке, — ухмыльнулся Ариэль. — Хорошо раскрученный бренд. Но текст пишут все окрестные бесы, кому только не лень. А потом этот непонятно кем написанный текст пытается сам что-то такое сочинять и придумывать — ведь просто уму непостижимо. Дедушка говорил, человек настолько призрачное существо, что для него вдвойне греховно плодить вокруг себя новых призраков...

— Выходит, вы не единственный демиург, а просто один из работников этой адской фабрики?

Ариэль горестно закивал.

— А много там еще народу?

— Да порядочно, — сказал Ариэль. — Если со мной, то пять. Пять элементов, хе-хе.

— Расскажите по порядку.

— Про себя я уже объяснил. Второй — Митенька Бершадский. Он у нас отвечает за эротику, гламур и непротивление злу насилием. Молодой человек, но весьма уже известный. Восходящая звезда заходящего жанра. Титан малой антигламурной формы.

— А что это? — спросил Т.

— Долго рассказывать. Срывание всех и всяческих масок, трусиков и крестов. Востребованный острый ум, берет за колонку от восьмисот долларов и выше.

— А почему он отвечает за непротивление?

— Потому что бывший политтехнолог.

— Какой-то он дурак, этот ваш острый ум, — пожаловался Т. — «Поберегись, поберегись...»

— Такие у нас политтехнологии.

— Ладно, можете не продолжать — все равно не пойму. Кто следующий?

— Номер три — Гриша Овнюк, — ответил Ариэль. — Когда вы перестреливаетесь с Кнопфом, прыгаете с моста в реку на рясе-парашюте, или выясняете отношения с амазонскими убийцами, это все он. Гриша, чтоб вы знали, гений.

— Гений?

— Да. Суперценный кадр, наше главное достояние. Широчайший специалист. Остросюжетник, мастер мирового уровня. Только один серьезный недостаток — везде и всегда нарасхват. Поэтому все время занят и для нас работает левой ногой.

— Кто еще?

— Есть еще узкие спецы. Это Гоша Пиворылов. Номер четыре.

— А он по какой части?

— Торчок. Ну, или криэйтор психоделического контента, как в ведомости написано. Взяли для полифонии — маркетологи говорят, один торч на сто страниц по-любому не помешает. Он тоже в своем роде звезда. Вернее, звездочка — не такого масштаба, как Овнюк, но без работы не останется. Он всему гламуру и антигламуру легкие наркотики пишет. Если надо, может и тяжелые. Отвечает, короче, за измененные состояния сознания, в том числе за алкогольную интоксикацию. Например, когда вы выпиваете графинчик водки и вам хочется жить и смеяться, и смотреть без конца в синее небо. Кислотный трип с лошадью тоже он делал.

— Простите, что?

— Ну кислотный трип, когда с вами лошадь говорила. В ваше время ЛСД не было, поэтому пришлось вас спорыньей кормить. Гоша говорит, спорынья как-то связана с лизергиновой кислотой.

— Так это из-за спорыньи, — наморщился Т., — вот оно что... Я чуть с ума не сошел. А зачем он меня на скопчество подбивал, ваш Гоша?

— Это не Гоша, — сказал Ариэль. — Был бы Гоша, вы бы сейчас с гвоздем в дырочке сидели. Я же объяснял, за эротику у нас отвечает Митенька.

— Позвольте, какая ж это эротика, когда лошадь советует взять топор и отрубить причинное место?

— Эротика — все, что связано с гениталиями, — ответил Ариэль. — Так у нас по генеральной инструкции. Пиворылов после косячка вам все что хочешь отрубит, ему не жалко. А вот Митенька вам ничего рубить не станет, поскольку сам на бабки попадет. Как он потом свои эротические сцены клепать будет?

— Да, — сказал Т. — Продумано.

— Это только так кажется. На самом деле постоянные накладки.

Т. зашевелил губами, подгибая пальцы. Потом сказал:

— Постойте. Вы же говорили, пять элементов. Раз — это вы. Потом Митенька. Третий Гриша Овнюк. Четвертый Гоша Пиворылов. А пятый кто?

Лицо Ариэля вновь превратилось в императорскую маску. Видно было, что ему неприятен этот вопрос.

— Про пятого даже вспоминать не хочется. По личным причинам — у меня с ним конфликт. Ну да, есть еще один автор, который ваши внутренние монологи пишет. Создает, так сказать, закавыченный поток сознания. Метафизик абсолюта. Это я смеюсь, конечно. Таких метафизиков в Москве как неебаных тараканов, простите за выражение. В каждой хрущобе точно есть пара.

— А почему у вас конфликт?

— Да он мне хамит все время, когда я его продукт правлю. Я его теперь вообще читать бросил, отфильтрую при последней правке. Большую часть выкину. Когда по сюжету нужно, я вам правильные мысли сам добавляю, так оно надежнее.

— А чем вам не нравится его продукт?

— Да он постоянно на левые темы уходит. Не хочет по сюжету работать. И много о себе думает. «Я, мол, у вас не просто пятый номер, я пятая эссенция — квинтэссенция по-латыни. Весь смысл во мне, а вы — просто рамка...» А читатель эту квинтэссенцию как раз и пропускает. Интересно нормальному человеку что? Сюжет и чем кончится.

— Зачем он тогда вообще нужен?

— По первоначальному плану без него было нельзя. Такому герою как вы положено много специфических мыслей. Надо, чтобы присутствовали метафизические раздумья, мистические прозрения и все такое прочее. Потому только и наняли. А вообще он шизофреник, точно говорю. Посмотрели бы вы, как он рецензии на себя читает. Шуршит в углу газетой и бормочет: «Как? Погас волшебный фонарь? А что ж ты в него ссала-то пять лет, пизда? Ссала-то чего?» И вся метафизика. Вы для него лебединая песня, граф, потому что больше нигде ему столько места не дадут.

— А как его узнать, этого квинтэссентора?

— Узнать можно, например, так — когда среди шума битвы вы вдруг задумываетесь о ее смысле, это он и есть.

— Если среди шума битвы задуматься о ее смысле, — пробормотал Т., — весь смысл будет в том, что вас прибьют.

— Вот и наши маркетологи примерно так говорят, — ухмыльнулся Ариэль.

— А почему я Т.?

— Это тоже маркетологи решили. Толстой — такое слово, что все со школы помнят. Услышишь, и сразу перед глазами величественный старец в блузе, с ладонями за пояском. Куда такому с моста прыгать. А вот Т. — это загадочно, сексуально и романтично. В теперешних обстоятельствах самое то.

— А почему именно граф? Это важно?

— Даже очень, — ответил Ариэль. — Маркетологи говорят, сегодня граф Толстой интересен публике только как граф, но не как Толстой. Идеи его особо никому не нужны, и книги его востребованы только по той причине, что он был настоящим аристократом и с пеленок до смерти жил в полном шоколадном гламуре. Если «Анну Каренину» и «Войну и мир» до сих пор читают, это для того, чтобы выяснить, как состоятельные господа жили в России, когда Рублевки еще не было. Причем выяснить из первых графских рук.

— А что такое Оптина Пустынь?

— Это вы сами выясняйте. Иначе весь детективный элемент порушим.

С минуту император и Т. молчали. Потом Т. сказал:

— Все-таки не понимаю. Совсем не понимаю. Как выясняется, у вас от Льва Толстого одни проблемы — вы даже фамилию его употребить не можете. Вам от него только графский титул нужен. Зачем тогда вы его вообще впрягли?

— Так начинали-то мы в другое время, — ответил Ариэль. — И с совсем другими видами. Создавали вас вовсе не на продажу, а с целью великой и значительной. И чисто духовной.

— Изволите издеваться, — усмехнулся Т., — а у меня ведь и правда бывает такое чувство.

— Отчего ж издеваюсь, — отозвался Ариэль, — вовсе нет.

— И какова была эта цель?

Император, оттопырив губу, бережно провел пальцами по белой эмали креста на своей груди.

— Графа Толстого, — сказал он, — в свое время отлучили от церкви.

— Я слышал от Кнопфа. Но за что?

ВИКТОР ПЕЛЕВИН

— За гордыню. Перечил церковному начальству. Не верил, что кагор становится кровью Христовой. Смеялся над таинствами. А перед смертью он ушел в Оптину Пустынь, но не дошел — умер по дороге. И поэтому на могиле у него нет ни креста, ни надгробного камня. Толстой велел просто зарыть его тело в землю, чтобы не воняло. Оно, может, для начала двадцатого века было и стильно. А в двадцать первом в стране началось духовное возрождение, поэтому в инстанциях, — император мотнул носом вверх, — созрело мнение, что крест таки должен быть. А наш хозяин ко всем этим дуновениям прислушивался сверхвнимательно.

— Чей хозяин? — спросил Т.

— Торгово-издательского дома «Ясная Поляна».

— Любопытное название.

— Ага, оценили? В том-то и дело. Вот он и дал указание подсуетиться и подготовить прочувствованную книгу о том, как граф Толстой на фоне широких полотен народной жизни доходит до Оптиной Пустыни и мирится перед смертью с матерью-церковью. Такую, знаете, альтернативную историю, которую потом можно было бы постепенно положить на место настоящей в целях борьбы с ее искажением. Идея, конечно, знойная, особенно если ее грамотно воплотить. Сначала хотели к юбилею успеть. Взяли под это серьезный кредит, заключили контракты, раздали авансы, проплатили маркетинг, информационную поддержку и будущий эфир. Даже рекламу продумали. Писателей для такого национально важного дела с разгону наняли самых дорогих, какие в стране есть, специально такое указание было. Совершенно, кстати, идиотское, потому что для этого проекта они не нужны.

— Это вы, что ли, самый дорогой? — спросил Т.

— Я-то нет, но я тут скорее редактор. А вот Гриша Овнюк кусается, как яхта Абрамовича. Потому что, если он будет в проекте, книгу купят сексуально фрустрированные одинокие женщины, а это по одной

Москве полмиллиона голов. И Митенька недешев, потому что с ним книгу купит гламурно-офисный планктон и латентные геи. Они любят, когда их гневно топчут — это что-то психоаналитическое, мне объясняли. Планктона у нас было по Москве тысяч четыреста, сейчас осталось двести. Зато латентных геев с каждым днем все больше. Представьте, какая это сила — когда Гриша и Митенька в одной упряжке. Правда, с наложением позиций общие цифры меньше простой суммы, потому что значительная часть офисно-гламурного планктона одновременно является сексуально фрустрированными одинокими женщинами и латентными геями, но общий результат все равно впечатляет. Только со Львом Толстым даже Митеньке с Гришей кредита не отбить. С самого начала ясно было.

— А зачем тогда начинали?

— Потому что нефть была сто сорок долларов за баррель. Тогда и не такое откаблучивали. Вернуть кредит на рынке никто всерьез не планировал. Хозяин рассчитывал на основном бизнесе отбить. Думал, что после такого патриотического дела пустят бюджет пилить. Учебники там, брошюры печатать, а может, и по строительной части что вкусное обломится, потому что главный бизнес у него был именно там.

— А кто ваш хозяин?

— Тогда был Армен Вагитович Макраудов. Девелопер. Ну вот, только начали проект, и тут все с размаху и шандарахнулось. Начался кризис.

— Какой кризис?

— В том-то и дело, что непонятно. В этот раз даже объяснять ничего не стали. Раньше в таких случаях хотя бы мировую войну устраивали из уважения к публике. А теперь вообще никакой подтанцовки. Пришельцы не вторгались, астероид не падал. Просто женщина-теледиктор в синем жакете объявила тихим голосом, что с завтрашнего дня все будет плохо. И ни один канал не посмел возразить.

— Но ведь у кризиса должна быть причина?

Ариэль пожал плечами.

— Пишут разное, — ответил он, — да кто ж им поверит. Они и до кризиса что-то такое умное писали, что кризисов больше не будет. Я лично думаю, это мировое правительство устроило. Оно деньги печатает, а в кризис цены падают. Вот оно подождет, пока цены упадут, напечатает себе много денег и всех нас купит.

— А какое отношение это имеет к графу Толстому?

— Самое прямое. У нас ведь даже голуби на процент со скважины жили. Нефть упала, деньги кончились. Народ стал за концы тянуть, кто кому должен. Наш Армен Вагитович, как девелопер, попал особенно неприятно. У него чеченское бабло зависло. Стали вопрос решать на уровне крыши. А крыша теперь у всех одна, только углы разные. Чечены под силовыми чекистами, а Армен Вагитович — под либеральными.

— А в чем между ними разница?

— Да из названия же ясно. Силовые чекисты за то, чтобы все разруливать по-силовому, а либеральные — по-либеральному. На самом деле, конечно, вопрос сложнее, потому что силовые легко могут разрулить по-либеральному, а либеральные — по-силовому.

— Вы как-то примитивно объясняете, — сказал Т., — словно слесарю.

— Потому что вы такие вопросы задаете. Короче, съесть могут и те, и эти. Но либеральные кушают в основном простых людей, какие победнее. Типа как киты планктон, ничего личного. А силовые кушают в основном либеральных — замочат одного и потом долго все вместе поедают. Так что в пищевой цепочке силовые как бы выше. С другой стороны, либеральные целый город могут сожрать, и никто не узнает. А когда силовые кем-нибудь обедают, про это все газеты визжат, поэтому в целом условия у них равные. И четкой границы между ними на самом деле нет. Поняли теперь?

— Не до конца.

— До конца я тоже не понимаю, так что не расстраивайтесь. Короче, силовые чекисты подумали, подумали, и решили Армена Вагитовича сожрать. А либеральные, как ни визжали, ничем ему помочь не смогли. Силовые даже дело уголовное завели — у Армена Вагитовича какие-то офшорные концы болтались. В общем, чтобы вас не утомлять, попал он так, что осталась одна дорога — быстро все отдать, кому скажут, и в Лондон, к сбережениям. Потому что могли лет на десять разлучить. Вот он и отдал бизнес в счет долга. Строительство, бензоколонки и нас до кучи.

— И много за вас дали?

— Нас никто не считал. Пустили просто в нагрузку. В общем балансе мы просто не видны. Бензоколонки и строительный бизнес продать еще можно, хотя по нынешнему времени даже это проблема. А наше издательство — это, фактически, три компьютера и валютный кредит, который на них висит. Кто такое купит? А чеченам надо деньги вернуть, причем быстро, потому что они тоже кругом должны. В общем, спустили они к нам в контору кризисного менеджера.

— Кого?

— Кризисного менеджера. Сулеймана. Такой, понимаешь, джигит с дипломом «мастер оф бизнес администрейшн», которого пять лет учили отжимать бабло из всего, что видит глаз и слышит ухо. Эффективный управленец типа. Посмотрел он, какой на нашем проекте кредит, и стал выяснять, в чем дело — откуда такие дикие цифры. Ну, ему рассказали предысторию, объяснили, что отбивать планировали через бюджет. Заодно объяснили, что к бюджету заместо Макраудова его никто не пустит — да он и сам понял, не дурак. Ну, значит, собрал он маркетологов, посмотрели они контракты и стали думать, как кредит вернуть. Понимаете ситуацию?

— Более-менее, — ответил Т.

— Маркетологи сразу объявили, что эту туфту про кающегося Толстого мы никому не продадим. Что и так все понимали с самого начала. И тут кто-то говорит — господа, а раз у нас такие писатели наняты, зачем нам вообще с этой бодягой про покаяние возиться? Давайте сделаем нормальный триллер с элементами ретродетектива и впарим ботве по самые бакенбарды... Начали мозговой штурм. Сперва хотели переименовать Льва Толстого в поручика Голицына. Но выяснилось, что Лев Толстой уже во всех контрактах прописан. За Голицына агенты новых денег попросили бы. Этот вариант отпал. Зато оказалось, можно без всякой доплаты заменить имя на «граф Т.» — в типовом договоре его в двух местах так написали, чтобы в строчку влезло, и они бы судиться заебались. Дальше что? Сюжет в договоре прописан нечетко, только пара слов про путешествие в Оптину Пустынь, отлучение от церкви и непротивление злу насилием. А возврат аванса прописан конкретно: в случае неодобрения рукописи... Ну вот, объяснили авторам, что главное действующее лицо теперь «граф Т.», и будет оно не писателем, а героем-одиночкой и мастером боевых искусств, возрастом лет около тридцати, потому что старец в качестве главного героя никому не нужен. И станет он, значит, пробираться в эту Оптину Пустынь с приключениями и стрельбой. Ну еще с эротическими сценами и умными разговорами, с учетом того, что на рынке востребован влюбленный герой байронического плана.

— Что значит — байронического плана?

— Байронический... Ну это типа такой Каин и Манфред. Утомленный демон с зарплатой от ста тысяч долларов в год.

— А если меньше?

Ариэль усмехнулся.

— Какой же байронизм, если денег нет. Это не байронизм тогда, а позерство. Деньги, впрочем, еще не все. Байронизм... Это, скажем так, то, что делает вас сексуально привлекательным для читательницы, которая отождествляет себя с княгиней Таракановой.

— Ее Митенька придумал, эту княгиню?

— А кто же, — ответил Ариэль. — Первый эротический эпизод планировался прямо на корабле. Просто Гриша Овнюк ее раньше замочил, чем Митенька успел под вас приспособить. У них даже скандал из-за этого был. Митенька на него как заорет своим тенорком — ты что, говорит, делаешь, палач? Я три дня жду, пока Арик сюжетную линию продавит, а ты мою мокрощелку сразу гандошишь? А Гриша отвечает — я, говорит, не могу вдохновение тормозить из-за всякой мошкары. Для меня ваш проект вообще мелочь. Не хотите, говорит, так совсем уйду, контракт почитайте внимательно.

— И Аксинью тоже Митенька придумал?

Ариэль кивнул.

— Ее уберегли пока.

— Точно говорю, слабоумный этот ваш Митенька.

— Бросьте, граф. Очень способный парень, хоть я его и не люблю. Как никто другой умеет передать ледяное дыхание кризиса. Вот я запомнил из его последней колонки: «башни московского Сити, задранные ввысь так же дерзко и безнадежно, как цены на пиздятину второй свежести в кафе «Vogue»... Закрутил, шельмец, а! Или вот так: «гламурные телепроститутки, содержанки мегаворов и гиперубийц, которые даже из благотворительности ухитрились сделать золотое украшение на своем бритом лобке — что они, как не проекция Великой Блудницы на скудный северный край, багровый луч адского заката на разъеденных хлоридом калия снегах Замоскворечья?»

— Хватит цитат, — сказал Т. — Лучше объясните, какое общее направление повествования. Куда оно должно развиваться?

— Направление такое, — ответил Ариэль, — граф Т. с боями и эксцессами ищет Оптину Пустынь, а в самом конце, когда находит, поднимается на пригорочек, крестится на далекий крест и понимает, что был конкретно неправ перед церковным начальством. Затем беседа с отцом Варсонофием и катарсис, после которого он кается перед матерью-церковью. Эту линию мы решили оставить. В стране такая обстановка, что попам лишний раз отлизать не помешает. Маркетологи согласились, только сказали, что каяться Т. должен не за таинства и Троицу, а за то, что по дороге накуролесил — а то массовый читатель не поймет. Вот тогда появляется реальный шанс отбить бабки, отдать кредит и даже выйти в небольшой плюс. Спустили новую концепцию исполнителям. Ну, мнения разные были. Митя с Гошей плевались, а вот Овнюку сразу понравилось. Он говорит, «Большую Гниду» за такое не дадут, да и хрен с ней — мы за первый месяц в пять раз больше отобьем. Начали мы работать, а дальше вы в курсе...

— Да уж, — сказал Т.

— В общем, до вчерашнего дня все шло нормально. А вчера Сулейман этот, чтоб ему пусто было, открыл бизнес-план, вник еще раз, и вдруг его осенило, что покаяние Т. перед матерью-церковью — это «product placement». Интегрированная в текст реклама христианства в многоконфессиональной культурной среде. Короче, поскреб он щетину на подбородке и велел поднять вопрос об оплате с архимандритом Пантелеймоном. Который у этих, — император опять потрогал крестообразный орден, — за паблик рилейшнз отвечает. Чтоб проплатили возвращение блудного сына.

— И что дальше?

— А дальше ничего пока и не было. Мы как думали? Планировалось, что по прибытии в Оптину Пустынь вы падете на колени перед старцем Варсонофием и покаетесь. А старец Варсонофий обратится к вам с отеческим словом о душе, которое вернет вас в лоно церкви. А теперь уже никто ничего не знает. Ждем-с.

— Кого?

— Емелю.

— А кто это?

— Не кто, а что. Типа как телеграмма. Заплатит Пантелеймон или нет.

— А если не заплатит?

— Сулейман решил их на понт взять. Сказал, что при отказе от оплаты наши специалисты по черному пиару нанесут их бренду колоссальный имиджевый и метафизический урон на самом фундаментальном уровне. Представляете, какие слова в Лондоне выучил?

— Странные пошли абреки, — сказал Т.

Император развел руками.

— Византия, — сказал он таким тоном, будто это слово все объясняло. — Тут вообще много удивительного. По теории, силовые чекисты сами должны вариант с церковным покаянием продавливать, который Армен Вагитович начал. Потому что они за косность, кумовство и мракобесие. А либеральные чекисты, наоборот, должны бабло отжимать с помощью кризисных менеджеров, потому что они за офшор, гешефт и мировое правительство. А на практике выходит с точностью до наоборот. Такая вот диалектика. Как это у Фауста в Мефистофеле — «я часть той силы, что вечно хочет бла, а совершает злаго...» Тьфу, язык заплетается. Ну вы поняли.

Император выговаривал слова все медленнее, как бы засыпая, и к концу фразы его лицо совсем застыло, а потом перестали двигаться и руки — замерли посреди мелкого жеста.

— А кто этот колоссальный метафизический урон будет наносить? — спросил Т.

Император разлепил один глаз.

— Как кто. Гриша однозначно не пойдет, на нем только мочилово. Митенька сами знаете. Пиворылов свои торч и бух уже выдал. Метафизика нашего на это тоже не подпишешь.

— Почему? Ведь урон метафизический.

— А он зассал. Говорит, у него по договору только закавыченный поток сознания и мистические отступления. Мы ведь не можем в закавыченном потоке сознания все разрулить? Не можем. Так что отдуваться мне — и урон наносить, и имидж разрушать. Хорошего, конечно, мало.

Т. недоверчиво посмотрел на императора.

— И вы станете...

Император криво улыбнулся.

— Мы люди подневольные. Как скажут, так и сделаем, хотя тема трудная. Сулейман, правда, одного чечена обещал на помощь прислать. Если надо, говорит, у нас такие интеллектуалы найдутся, каких на Москве вообще не нюхали. Даже интересно.

— Какая-то у вас дикая книга получается, — сказал Т. — Начали за здравие, а кончили за упокой.

— Вот такая сейчас жизнь, — отозвался император. — И не я ее придумал.

— Так что же теперь будет?

— Завтра и узнаем. Давайте так — когда Пантелеймон пришлет емелю, я дам три колокольных удара. Дальше будем действовать по обстоятельствам — думаю, сами сообразите, что к чему.

Лицо Ариэля опять превратилось в курносую маску. Словно преодолевая сопротивление, его холодные выцветшие глаза в последний раз поглядели на Т.

— Пора расставаться, граф, — сказал бантик рта. — Нам обоим надо отдохнуть. Завтра трудный день. У вас еще вопросы?

— Да, — сказал Т. — Ваш дедушка случайно не объяснял, зачем Богу нужен устроенный подобным образом мир? Со всеми этими могуществами, играющими друг с другом на полянах призрачных душ? Что, Бог наслаждается спектаклем? Читает книгу жизни?

— Бог не читает книгу жизни, — веско ответил император. — Он ее сжигает, граф. А потом съедает пепел.

X

Рано с утра, когда Т. еще спал, из Ясной Поляны пришла подвода с вещами и оружием.

Это было кстати — жандармский мундир успел покрыться таким количеством пыли и пятен, что цветом напоминал уже не лазурь, а скорее облачный день. В нескольких местах он был порван и в целом приобрел очень сомнительный вид — обыватели провожали Т. взглядом, как бы размышляя, не означает ли столь бедственный вид жандармских полковников, что над Отечеством зажглась наконец заря долгожданной свободы.

Кроме того, у Т. вновь появилась лошадь — правда, гораздо хуже подаренной цыганским бароном.

Позавтракав, Т. велел седлать, а сам открыл баулы со снаряжением и разложил на столе присланное оружие и одежду. Не было сомнений, что Кнопф со своими людьми будет ждать на дороге — и подготовиться к встрече следовало самым серьезным образом.

Раздевшись до пояса, Т. надел на свое мускулистое тело жилет со множеством карманов и кармашков. Жилет был тяжелым: изнутри его покрывала кольчуга из переплетенных стальных лент, каучуковых нитей и китового уса, которая могла не только остановить лезвие, но и отбить косо ударившую пулю.

«А Кнопф ведь сейчас тоже готовится к свиданию, — думал Т., рассовывая по карманам жилета метательные ножи. — И наверняка он припас для меня сюрпризы... Это, впрочем, понятно и скучно. Интересно другое — задумывается ли Кнопф, с какой стати все это с ним происходит? Почему он, высунув язык, мчится за мной следом? Или он такой доверчивый идиот, что принимает все происходящее без всякого удивления, просто как должное?»

Поверх жилета Т. надел широкую и длинную крестьянскую рубаху, в точности как у пахаря, которого он видел из окна поезда. Затем — просторные малороссские шаровары синего цвета, тяжело звякнувшие спрятанными в них инструментами смерти.

Один из свертков, прибывших из Ясной Поляны, был упакован с особым тщанием. Разорвав два слоя оберточной бумаги, Т. высвободил шкатулку черного лака и поставил ее на подзеркальный столик. Сев у зеркала, он взял гребень, тщательно расчесал бороду и открыл шкатулку.

Внутри было два отделения. В одном, совсем маленьком, лежал моток бесцветной шелковой нити. В другом — пучок тончайших серо-черных стрел. Это были куски зазубренной булатной проволоки, острые и длинные. Т. стал вплетать их в бороду, подвязывая нитью у подбородка.

«Впрочем, доверчивый идиот не один только Кнопф, — думал он, следя за пальцами в зеркале. — Никто вокруг не сомневается в происходящем. Ни купеческий старшина Расплюев, ни Аксинья, ни этот огромный цыган Лойко со сломанным носом. Трудно даже представить, как устроена душа у Кнопфа... Впрочем, отчего же трудно... Наверняка у него имеется смутная, но железная убежденность, что все общие вопросы насчет жизни уже решены и пора решать частные. Иначе как он сможет играть свою роль?»

Когда все проволочки были вплетены в бороду, Т. надел на ноги каучуковые ботинки со стальными кошками в подошве (на каучук было наклеено лыко, из-за чего ботинки выглядели сверху как старые рваные лапти). Затем он водрузил на голову широкую соломенную шляпу, тоже старую и ветхую на вид — в ее двойных полях, склеенных друг с другом, был спрятан тонкий стальной диск с острыми зазубренными краями.

В бауле остался небольшой синий ящик, похожий на коробку дорогих сигар или конфектов — он определенно скрывал в себе что-то специальное. Т. открыл его.

На алой бархатной подкладке, в двух уютнейших на вид углублениях, покоились два конуса из черного металла. Их покрывали продольные ребра, покрытые косой насечкой, а на вершине у каждого был желтый глаз капсюля.

Рядом с конусами лежал сложенный лист бумаги. Т. развернул его и увидел рисунок — бородатого человека, поднявшего руку над головой (пальцы другой руки были смиренно засунуты под поясок длинной крестьянской рубахи).

Наверху была нарисована звездообразная вспышка со словом «Бум-бум!», от которой вниз расходились два треугольника — узкий и широкий. Узкий треугольник, в котором стоял человек, был подписан «Здесь Спасешься». Широкий, в котором метались какие-то тени, назывался «Место Погибели».

Снизу была приписка карандашом:

Граф, по схеме все видно. После того, как продавите капсюль пальцем, подкиньте малышку над головой, чтобы взлетела не ниже аршина. Сама развернется как надо (только кидайте легонько, не подкручивая). Ахнет прямо над головой и посечет все вокруг, а вас не заденет. Практикуйтесь, осторожно подкидывая.

Де Мартиньяк, кузнец судьбы.
Ясная Поляна

«Де Мартиньяк? — подумал Т., вынимая бомбу из алого бархатного гнезда. — Видимо, кто-то из последователей. Стал кузнецом, молодец. Но не помню, никого не помню. Однако работа почти ювелирная...»

На дне первого конуса было аккуратно выгравировано: «Безропотная». Т. несколько раз подкинул бомбу над головой. Поднимаясь в высшую точку, она неизменно разворачивалась зрачком капсюля вниз. Повторив то же упражнение с другим конусом смерти (вторая бомба называлась «Безответная»), Т. осторожно спрятал их в карманы шаровар.

Кое-что из присланного снаряжения вызывало недоумение — например, старинная двузубчатая вилка с очень широко поставленными зубцами и странным названием «Правда», грубо выбитым на ручке.

«Почему «правда»? — подумал Т. — Правда глаза колет, что ли? Все непротивление позабыл. Собирай теперь по крохам...»

Наконец подготовка была закончена. Т. еще раз оглядел себя в зеркале. Его борода стала широкой и как бы седоватой — словно за последние минуты он сделался намного старше и мудрее. Усмехнувшись, Т. поглядел на часы-рыцаря. Пора было отправляться.

Выйдя из гостиницы, он вздрогнул.

Аксинья, в новом желтом сарафане, сидела на своей телеге возле самого крыльца — увидев Т., она соскочила на землю, бросилась ему навстречу — но, разглядев его наряд, вдруг испугалась, невозможным движением затормозила на лету, взмахнула руками и отскочила назад.

— Ты? — выдохнула она. — Ай не ты?

— Я, я, — отозвался Т. с досадой. — Рано же ты встаешь...

— Никак из жандармов поперли? — спросила Аксинья жалостливо. — Домахался топориком-то. Выпил, и сидел бы дома...

Коридорный из гостиницы, появившийся на улице в эту самую минуту, остановился неподалеку от них, присел и стал делать вид, что завязывает шнурок, выставив внимательное ухо.

— Ты за телегой пришла? — спросил Т. строго. — Бери и езжай с Богом. А у меня дела.

— Да куда ж ты пойдешь такой, — сказала Аксинья, косясь на коридорного. — Срам лапотный. Идем я тебе сапоги хучь дам старые.

— Уйди, Аксинья, — повторил Т. тихо, — потом.

— Не пей, Левушка! — запричитала Аксинья. — Хрястом-богом тебя прошу, не пей! Ты, как выпьешь, такой чудной!

Вскочив на лошадь, Т. вонзил в ее бока скрытые под лыком стальные звезды и, не оборачиваясь, понесся по утренней улице прочь.

Засада ждала в трех верстах за городом — у заброшенной лодочной станции, где от дороги ответвлялась ведущая к реке тропа.

Т. ощутил это инстинктом — никаких внешних признаков опасности не было. Вокруг полуразрушенного кирпичного барака с провалившейся крышей качались под ветром заросли бузины; полосатый шлагбаум на спуске к сгнившей пристани был поднят, рассохшаяся будка сторожа пуста — на всем лежала печать многолетнего запустения.

Подъезжая к станции, Т. постепенно сбавлял ход — и только поэтому успел остановиться вовремя. Над дорогой была протянута тонкая серая бечева, почти неразличимая на фоне земли. Она ныряла в заросли бузины под черной дырой окна в стене барака. Осадив лошадь, Т. отъехал на несколько шагов назад, словно раздумывая, куда направиться дальше — прямо или к реке.

«Понятно, — подумал он. — В окне, вероятней всего, ружье, и бечевка идет прямо к курку. Система «остановись, прохожий» — знаем... А Кнопф где-то рядом и смотрит на меня. Плохо, что он меня видит, а я его нет».

То и дело беспокоя лошадь поводьями, Т. заставил ее нервно кружиться на месте, чтобы его труднее было взять на прицел. Одновременно он незаметно высвободил из стремени правую ногу и перенес вес тела на левую.

— Господа, — крикнул он, — я чувствую, что вы рядом! Предлагаю обсудить происходящее! Господин Кнопф, поверьте, у нас с вами нет причин для вражды!

В кустах бузины произошло еле заметное движение. Т. мгновенно перебросил правую ногу через седло и сложился так, что его закрыл бок лошади. В следующую секунду из кустов пыхнули фонтанчики синего дыма и раздался грохот ружейного залпа. Стреляли из двустволок, картечью: одна из картечин оцарапала Т. руку. Лошадь попятилась назад, оседая на разъезжающиеся задние ноги, и тяжело повалилась в пыль.

«Вторая за два дня, — подумал Т., чувствуя волну холодного гнева, — какие же подлецы...»

Он распластался на земле за упавшей лошадью. Опять грохнул выстрел, и новая порция картечи с отвратительным чавкающим звуком шлепнулась в лошадиный живот.

— Господа, — крикнул Т., — еще раз призываю остановиться!

В ответ из кустов раздалась револьверная пальба.

«Отлично, — понял Т., — значит, ружей они не перезарядили. Теперь не медлить...»

Достав из-под рубашки несколько метательных ножей, он веером развернул их в руке.

— Господа, — закричал он, — напоминаю, я противник насилия! Я никому не хочу вреда! Я вижу перед собой только кусты, повторяю, только кусты! Сейчас я буду кидать туда ножи! Ножи очень острые, поэтому если там кто-то случайно прячется, просьба выйти до счета три, чтобы я никого не поранил! Раз! Два!

Т. заставил себя выдержать короткую паузу.

— Три!

Немедленно вслед за этим он приподнялся и стал метать лезвия, чуть поворачиваясь после каждого броска. Четвертый нож в кого-то попал — это стало ясно по полному боли крику. Морщась от презрения к себе, Т. бросил еще два лезвия в то же место, и крик перешел в хрип.

Из кустов снова стали стрелять, и Т. спрятался за лошадью. Как только стрельба стихла, он опять кинул несколько ножей. В этот раз он попал сразу в двоих. Каждый раз после крика боли он посылал в ту же точку еще два острейших куска стали.

Из кустов по-прежнему хлопали револьверы — но выстрелы стали реже. Т. определил, что там осталось еще трое.

— Господа, — крикнул он, — я в последний раз предлагаю прекратить! Хватит страданий и крови!

— Лицемер! — крикнул в ответ Кнопф.

Вынув из кармана еще одну холодную стальную рыбу, Т. подкинул ее на ладони и метнул на звук голоса. Кнопф взвыл.

— Негодяй! Вы проткнули мне икру! Вы за это ответите!

— Повторяю, — отозвался Т., — с вашей стороны было бы разумнее выйти из кустов!

— Если мы выйдем, — раздался голос одного из помощников Кнопфа, — вы гарантируете нам безопасность?

— Предатели! Трусы! — зашипел Кнопф.

В ответ раздалась грубая брань.

— Я не причиню вам вреда! — крикнул Т.

— Вы обещаете?

— Обещаю. Я вообще никому не приношу вреда. Стараюсь, во всяком случае... Люди по неразумию вредят себе сами.

— Пока у вас остаются ножи, мы боимся! — объявил подручный Кнопфа. — Выбросьте их на дорогу! Только без обмана!

Через несколько секунд жилет с остатками метательного арсенала вылетел из-за трупа лошади и тяжело звякнул о дорогу.

— А стилеты? У вас ведь еще должны быть стилеты?

— Верно, господа, — ответил Т., кое-как натягивая на голое тело испачканную в пыли рубашку. — Ваша осведомленность поражает. Но и вы, пожалуйста, выкиньте свои револьверы. И не забудьте отобрать револьвер у Кнопфа.

В кустах произошла быстрая борьба, сопровождаемая причитаниями и всхлипами.

— Предатели! Глупцы! — забормотал Кнопф. — Вы все умрете! Вы не знаете этого человека. Вы думаете, он отпустит кого-нибудь живым?

Один из помощников Кнопфа крикнул:

— Кидаю револьверы на дорогу, граф!

На дорогу, один за другим, грохнулись три полицейских «смит-вессона».

— Позвольте вам напомнить, господа, у вас еще были ружья! — крикнул Т.

Два ружья упали в пыль рядом с револьверами.

«Неужели они это всерьез? — подумал Т. — Верится с трудом... Однако надо держать слово».

Отцепив от шаровар чехол со стилетами, Т. кинул его на дорогу.

— Теперь выходите! — крикнул он. — Не трону, слово чести!

Из кустов выбрались двое компаньонов Кнопфа. Они держали руки перед грудью, показывая, что у них нет оружия. Но эта поза, которая должна была развеять подозрения Т., заставила его нахмуриться — идущие в его сторону сыщики слишком уж походили на готовых к атаке боксеров.

«И где таких только набирают? — подумал он, — Сколько их уже прошло перед глазами — и все одинаковые, словно вылепленные из серой пыли в каком-то угрюмом питомнике... Надо бы с ними поговорить, вдруг в них все же теплится искра сознания...»

Оба сыщика были крепкими усатыми мужчинами лет тридцати-сорока, с мясисто-брыластыми лицами любителей сосисок и пива, но один был лопоух, а другой с бакенбардами. Наряжены они были в клетчатые костюмы, намекающие на опасные приключения и спортивный образ жизни — вроде тех, что петербургские либеральные адвокаты надевают для воскресной автомобильной прогулки на острова.

— Покажитесь и вы, граф, — сказал сыщик с бакенбардами.

«Они явно что-то замышляют, — решил Т. — Однако людям следует верить даже тогда, когда они почти наверняка лгут. Я должен дать им шанс...»

Поднявшись из-за мертвой лошади, Т. показал сыщикам свои пустые руки. Тут же оба выхватили из-под своих клетчатых пиджаков по маленькому «дерринджеру» и навели оружие на Т.

— Руки вверх, граф!

Т. вздохнул.

— Господа, — сказал он, поднимая руки, — я, конечно, подчинюсь вашему требованию. Но как вы будете смотреть мне в глаза?

— В этом нет необходимости, — сказал Кнопф, выбираясь из кустов. — Вы мастер единоборств и должны знать, что при поединке со смертельно опасным врагом не следует смотреть ему в глаза. Надо глядеть в центр треугольника, образованного подбородком и ключицами.

На Кнопфе был такой же клетчатый костюм, как на его компаньонах — только лучше сшитый. Т. вдруг пришла в голову странная мысль: возможно, Кнопф, подобно морскому моллюску, размножался, отщипывая створками раковины крохотные куски своей плоти, которые затем обрастали собственной клетчатой оболочкой и становились почти неотличимы от родителя.

«Вот только ни один из них не прожил пока достаточно долго, — подумал Т., — чтобы выяснить, становятся они в конце концов точно такими как Кнопф или нет. И эти вряд ли проживут...»

Видимо, что-то недоброе отразилось на его лице. Лопоухий сыщик занервничал, помахал в воздухе дулом короткого пистолета и сказал:

— Предупреждаю — ни одного двусмысленного движения!

Т., не опуская рук, попятился от мертвой лошади.

— Позвольте, господа, — сказал он, — откуда мне знать, какие движения вы находите двусмысленными? Это зависит от вашего воспитания, социального класса и обстоятельств жизни.

— Подстрелим как куропатку, — грозно сказал лопоухий. — Лучше и не пытайтесь.

— Я безоружен и не представляю опасности, — ответил Т. — Опасность, как говорят китайские мудрецы, внутри вас самих.

Т. пятился значительно медленнее, чем сыщики шли в его сторону, и было понятно, что он никуда не уйдет. Но презрительная улыбка на его лице явно действовала им на нервы. Клетчатые господа решительно прибавили шагу.

— Не слушайте его, — сказал Кнопф, — не хватало только... Стой! Назад!!

Но было уже поздно — лопоухий тронул ногой натянутую над дорогой бечевку.

В окне кирпичного барака сверкнуло, грохнуло, и вихрь картечи сбил обоих сыщиков с ног. Удар был такой силы, что несчастных оторвало от земли перед тем, как швырнуть о дорогу, словно они были кеглями, в которые попал невидимый шар судьбы. Лопоухий сыщик умер мгновенно; второму выворотило из сустава левую руку — но он был еще жив, когда повалился в окровавленную пыль.

Т. повернулся к Кнопфу. Тот поднял пустые руки и даже растопырил подрагивающие пальцы.

— Запасного пистолета у меня нет, — сказал он. — Однако вы продолжаете меня ужасать, граф. Кви про кво. Не так, так эдак.

— Знаете, — сказал Т., — мне это совсем недавно говорила одна лошадь. Которая, если разобраться, приходится вам родной сестрой, так что в этом мало удивительного. Вот только она переводила это выражение иначе.

— Лошадь? — ненатурально удивился Кнопф, потихоньку отходя в сторону, — да что вы говорите... Удивительно, граф, что лошади до сих пор о чем-то с вами разговаривают. Знакомство с вами обыкновенно оказывается для них фатальным.

— Не лгите, Кнопф, не со мной, а с вами. Больше того, знакомство с вами чаще всего оказывается фатальным и для людей...

Кнопф перемещался так, чтобы заставить Т. повернуться спиной к своим поверженным компаньонам. Т. заметил это и усмехнулся. Сняв с головы соломенную шляпу, он, не оборачиваясь, кинул ее назад. Шляпа прошелестела над дорогой, и стальной диск, скрытый между ее полями, врезался в горло сыщику с бакенбардами, который, привстав на локте, из последних сил целился в Т. из своего «дерринджера». За миг до того, как лезвие перебило сонную артерию несчастного, Т. крикнул:

— Поберегись!

— Поистине, второго такого фарисея не видела Земля! — воскликнул Кнопф. — Зачем вы с такой настойчивостью соблюдаете эти идиотские условности? Кого пытаетесь обмануть? Или вам действительно нравится поддерживать у себя иллюзию, что вы безгрешный непротивленец?

— Отчего вы думаете, что это иллюзия? — отозвался Т. — Разве вы не видите, каких усилий и риска мне стоит вести себя по-человечески? Или вы считаете, все похожи на вас в цинизме и равнодушии к чужой боли?

Кнопф покачал головой.

— Лицемер, каков лицемер! Ну ничего, сегодня я выведу вас на чистую воду. У меня приготовлен особый аттракцион. Лойко!

Никто не отозвался на этот крик. Тогда Кнопф поднял ладони ко рту и еще раз прокричал:

— Лойко!!

Т. услышал за спиной смех и обернулся.

К нему по полю шел бритый наголо великан с расплющенным носом — тот самый, что хотел бороться с ним у цыганского костра. Он был гол по пояс, в тех же самых зеленых шароварах, заправленных в мягкие татарские сапоги.

— Я говорил, мы еще встретимся, борода, — сказал цыган. — Вот и пробил час.

Т. улыбнулся.

— Насколько я помню, — ответил он, — вы пользуетесь песочными хронометрами, а они не бьют. Впрочем, кто-нибудь из декадентов мог бы использовать это как парадоксальную метафору. Ударом песочных часов является тишина. Поэтому они все время бьют вечность...

— Не болтай, — перебил цыган. — В прошлый раз ты задурил нам голову, но сейчас не выйдет. Будем бороться до смерти... Твоей смерти.

— Этого не обещаю, — сказал Т.

Цыган шагнул к нему, взмахнул кулаком и вдруг предательски развернулся и ударил ногой — с проворством, совершенно неожиданным в таком огромном человеке. Т. отпрыгнул. Тогда цыган подскочил к нему и попытался дать кулаком в ухо. Т. опять увернулся, но в следующую секунду Лойко сильно хлестнул его по щеке ладонью. Скривившись от боли, Т. толкнул его двумя руками в живот.

Этот толчок выглядел не особенно сильным — будто Т. отпихнул заигравшегося мальчишку. Но лицо цыгана позеленело. Он согнулся, присел и некоторое время силился вдохнуть, ловя ртом непослушный воздух. Т. вытер рукавом выступившую в углу рта кровь.

— Я советовал бы вам прекратить насилие, — сказал он. — Иначе последствия будут самыми печальными.

Лойко распрямился. В его руках появились два кривых ножа, которые он прятал в голенищах. Не тратя времени на слова, он бросился на Т.

Дальнейшее выглядело так, словно Т. с цыганом принялись танцевать какой-то легкомысленный танец, заключавшийся в том, что Т. поднырывал цыгану под руки, постоянно оказываясь у него за спиной. Они сделали два или три па, и выяснилось, что Т. крепко держит цыгана за оба запястья, остановив нацеленные ему в грудь лезвия в нескольких дюймах от своей рубашки.

Удерживать цыгана было трудно — лицо Т. покраснело.

— Вы уверены, что не желаете прекратить? — спросил он хриплым от напряжения голосом. — Еще не поздно...

— Я разрежу тебя на ремни, — прошипел цыган.

Т. сощурился.

— В Евангелие от Матфея сказано, — проговорил он, причем из его голоса вдруг исчез весь хрип, — кто ударит тебя в правую щеку твою, обрати к нему и левую. Евангелист Лука повторяет: ударившему тебя по щеке подставь и другую...

Т. подтянул цыгана ближе к себе, так, что их лица почти соприкоснулись.

— Вы, сударь, имели наглость ударить меня в правую щеку, — продолжал он, задрав бороду вверх, так, что ее серо-стальная метла оказалась вровень с цыганским лицом. — Так вот вам левая! А вот правая! Левая! Правая! Левая! Правая! А вот левая! А теперь правая!

Т. яростно мотал головой из стороны в сторону, и с каждым движением лицо цыгана покрывалось новыми надрезами от зазубрин вплетенного в бороду булата. Цыган уже кричал, а Т. все повторял:

— Правая! Левая! А вот правая! А вот опять левая!

Наконец цыган разжал руки и выронил свои кривые ножи. Тогда Т. пинком ноги оттолкнул его. Воя от страшной боли, цыган выставил перед собой руки и побежал прочь, чуть не опрокинув оказавшегося на пути Кнопфа. Увидев его окровавленное безглазое лицо, Кнопф содрогнулся и потянулся к лежащему в пыли револьверу.

Не теряя ни секунды, Т. бросился навстречу, перекувырнулся в прыжке и подхватил с дороги «дерринджер» мертвого сыщика. Когда Кнопф навел свой револьвер на Т., ему в лоб уже глядели два расположенных друг под другом ствола.

— Так вот отчего вас называют «Железная Борода», — прошептал бледный Кнопф. — Кончить это раз и навсегда. Убьем друг друга, раз никто не может взять верх...

— Послушайте, Кнопф, — ответил Т., — мне тоже в тягость эта бессмысленная дуэль. Но поверьте, я могу рассказать вам нечто такое, что полностью изменит

117

ваш взгляд на происходящее. Проявим, наконец, некоторую взаимную терпимость...

— Терпимость? — усмехнулся Кнопф. — Вы изощренный и жестокий убийца, граф. С вашей бороды каплет кровь, а вы говорите про терпимость? Да вы просто хотите до конца насладиться моей смертью. Наверняка вы замыслили для меня что-то особенно мрачное...

— Не валяйте дурака, — сказал Т. — Давайте объяснимся, пока мы одни и нам не надо играть эти чертовы роли. Я давно хочу с вами поговорить.

— Да о чем же?

— Я расскажу вам то, что мне довелось узнать о причинах нашей, э-э-э... вражды. Видите эту лавку возле барака? Давайте уберем револьверы, присядем и поговорим.

XI

Пока Т. говорил, Кнопф внимательно осматривал свои рыжие тупоносые башмаки, хмурясь и пришептывая — словно прикидывая, не пора ли нести их в починку. Однако слушал он внимательно — когда Т. замолчал, он сразу же сказал:

— Значит, чтобы подытожить. Нас с вами создает некий демон по имени Ариэль, который является творцом и владыкой этого мира, так?

— Он не считает себя демоном, — ответил Т. — Он называет себя истинным человеком. И создает он нас не в одиночестве, а вместе с целой шайкой таких же сущностей как и он. Но вы правы — для нас с вами, разумеется, он демон. Или, скорее, бог — но не благой, а довольно злобный и недалекий.

— Вы находитесь в постоянном контакте с этим демоном?

— Не то чтобы в постоянном, — сказал Т. — Он сам выбирает, когда и в каком обличье появиться. Но общаемся мы часто.

— А про меня этот демон сообщил, что я тоже его творение, но по сравнению с вами как бы второсортное и эпизодическое?

— Да, в общих чертах так, — согласился Т. — Только не обижайтесь. Наша с вами природа такова, что глупо говорить о чьем-то превосходстве. Мы просто чужая выдумка, порождение мыслящих нас по очереди умов...

И Т. указал куда-то вдаль.

— Ага, — сказал Кнопф. — Понятно. Эти умы выдумывают нас с художественной целью?

— Да, — ответил Т. — Хотя при этом сильно сомневаются в художественной ценности своего продукта. Как я понял, их цель гораздо ближе к коммерческому скотоводству, чем к художеству.

Кнопф забарабанил пальцами по скамейке.

— Скажите, а эти ваши демоны рассказали, зачем вы идете в Оптину Пустынь? — спросил он. — И почему ваши попытки наталкиваются на такое ожесточенное сопротивление?

— Конечно, — сказал Т. — Я должен попасть туда, чтобы покаяться и примириться с церковью. Демонам это нужно для интриги, которую я сам не понимаю до конца.

— А как вам объяснили мою роль?

— Вы строите мне козни, чтобы было интересней.

— Значит, чтобы было интересней, — повторил Кнопф. — Лучшие агенты сыскного отделения гибнут как мухи, чтобы было интересней... И все?

Т. кивнул.

Где-то за рекой три раза громко пробил колокол. Звук у него был меланхолический и какой-то вопрошающий.

Кнопф встал с места и принялся быстро ходить взад-вперед перед лавкой — его, казалось, переполняли эмоции.

— Скажите, — спросил он, — доводилось ли вам слышать от вашего Ариэля про обелиск Эхнатона?

— Нет, — ответил Т.

— А про гермафродита с кошачьей головой?

— Тоже нет. А что это такое?

— Знаете, — сказал Кнопф, — как и большинство сыщиков, я по убеждениям материалист и атеист. Но после вашего рассказа я готов поверить в существование сверхъестественного мира. Может ли быть, чтобы вас действительно вели духи зла, как верят некоторые петербургские сановники?

— Меня? — от изумления Т. выпучил глаза. — Духи зла? Вы в своем уме?

— Хорошо-с, — сказал Кнопф. — Не желаете ли ознакомиться с моей версией происходящего?

— Будет любопытно.

Кнопф опустился на лавку.

— В тысяча восемьсот шестьдесят первом году, — заговорил он, — да-да, граф, именно в год освобождения крепостных, в Египте, в окрестностях древних Фив, нашли странную могилу. Сначала археологи решили, что это захоронение какого-то жреца, или, может быть, фараона, поскольку фараонов нередко хоронили тайно — но представьте себе изумление раскопщиков, когда в огромном саркофаге погребальной камеры они нашли разбитый на части обелиск. Его осколки были залиты битумным маслом и завернуты в бинты, словно мумия. От обелиска сохранились только фрагменты, но даже того, что египтологам удалось прочесть, оказалось достаточно, чтобы в дело вмешался Ватикан. Обелиск был уничтожен, а открытие навсегда скрыто от человечества...

— Это и был обелиск Эхнатона?

— Совершенно верно. Колонна фараона-отступника, который перенес столицу в пустыню и первым в мире попытался уйти от многобожия. Обелиск был разбит жрецами после восстановления старых порядков, что произошло очень быстро после смерти Эхнатона. А тайные последователи фараона захоронили каменные осколки.

— Что было написано на обелиске?

— Смысл надписи был чудовищен. Из прочитанного археологами следовало, что Эхнатон не походил на обычных земных властителей, поклонявшихся выбранному божеству в обмен на его помощь. Он был фанатиком, то есть он больше всего мечтал услужить своему богу просто так. И бог дал ему такую возможность.

— Какой бог? — спросил Т.

— Этот бог изначально был гермафродитом с кошачьей головой. Но видеть его изображение считалось дурным знаком, и суеверие было настолько сильным, что его никогда не изображали на фресках или барельефах в настоящем виде. Использовали замещающий образ в виде диска с множеством рук — смысл был в том, что этот бог всемогущ и ослепительно прекрасен, и дать о нем представление может лишь сияние солнечной короны. Затем суеверие распространилось на всякое упоминание его имени, отчего оно исчезло из надписей, а все уже сделанные были уничтожены. Его почитали, не именуя прямо — точно так же, как фараонов называли не их собственными именами, а различными магическими титулами. Попросту говоря, чтобы не произносить запретного имени, этого бога стали называть «наше солнышко» и изображали в виде солнечного диска — поскольку сравнение с солнцем было самой высокой формой лести, доступной древнему человеку. На деле же гермафродит с кошачьей головой был самым жутким из богов...

— Откуда вы все это знаете? — спросил Т., недоверчиво глядя на Кнопфа.

— От тех, кто послал меня за вами, — ответил Кнопф. — Позволите продолжить?

Т. кивнул.

— В качестве свидетельства своей преданности Эхнатон поклялся принести в жертву гермафродиту огромное количество душ — самое большое число, которое когда-либо было записано египетскими знаками.

Мне называли точную цифру, но я не запомнил — помню только, что она совсем не круглая...

— А как души приносили в жертву? — перебил Т.

— Вот это и было самым поразительным и ужасным. Чтобы уловить как можно больше душ в свои сети, жрецы Эхнатона решили использовать доктрину единобожия. Суть их плана сводилась к тому, чтобы оставить гермафродита с кошачьей головой единственным богом, а всех остальных богов объявить демонами. Но, поскольку подлинный образ гермафродита следовало скрыть, решено было заманить людей в ловушку, использовав в качестве приманки невидимый идол нематериальной природы... Скажу вам честно, граф, что смысла этих слов я не понимаю сам.

— Это как раз довольно просто, — хмыкнул Т.

— Просто? — нахмурился Кнопф.

— Конечно. Что такое, по-вашему, идол?

— Статуя, которую первобытные люди натирают жиром, чтобы им везло на войне и охоте...

— Верно, но почему обязательно статуя? Идолы могут быть самыми разными. Можно сказать людям: ваш бог — вот этот раскрашенный пень. Изготовить такой идол нетрудно, но и уничтожить его тоже легко — такой бог быстро потеряется во времени. Но если выбрать в качестве идола отвлеченное построение ума, например, концепцию бестелесного Бога как личности, то уничтожить такой идол не будет никакой возможности, даже послав целую армию. Вернее, останется лишь один способ избавиться от него — перестать о нем думать. Но для большинства людей это за пределами осуществимого.

— Возможно, — сказал Кнопф, — возможно... Вы необыкновенно умны, граф.

— Так что же сделали жрецы Эхнатона?

— Они заслали молодого жреца к древним иудеям — дикому кочевому народу, острая практическая сметка которого сочеталась с трогательной наивностью в духовных вопросах. Задачей жреца было установить нематериальный идол гермафродита в их девственно чистых умах, запретив поклонение всем другим богам. Жреца звали Моисей. Было предсказано, что через древних иудеев учение единобожия распространится на весь мир и даст множество ветвей — и все души, уловленные с его помощью, уйдут в созданное египетскими магами черное озеро тьмы, где будут поглощены гермафродитом...

Пока Кнопф говорил, над полем, как бы подтверждая правоту его страшных слов, рос и ширился полный боли крик. Он притягивал к себе внимание — и Т. наконец поднял глаза.

Кричал слепой цыган Лойко — он бежал по полю, выставив перед собой руки и задрав к низкому серому небу окровавленное лицо. Кнопф тоже уставился на несчастного. Цыган с ревом промчался мимо скамейки и побежал дальше в поле; прошла минута, и его голос стих вдали.

— Ну хорошо, — сказал Т. — Допустим, вы говорите правду. Но при чем тут я?

— Было предсказано, — продолжал Кнопф, — что мировой цикл завершится, когда в жертву гермафродиту будет принесен некий «Великий Лев». В античные времена посвященные думали, что эта жертва уже принесена, и Великим Львом был полководец Ари бен Галеви по прозванию «лев Сидона», которого современники нарекли «Ари Всемогущий» за удачный рейд на сирийские виноградники. Этим и объясняется постоянное ожидание конца света, общее для многих традиций тех лет. Однако тайные посвященные наших дней, сверяя знаки и указания, считают, что на самом деле «Великий Лев» — это вы. Ведь «Лев» — ваше настоящее имя. Теперь понимаете, зачем вы идете в Оптину Пустынь?

— Не вполне.

— Служители гермафродита с кошачьей головой должны принести вашу душу в жертву своему ужасающему господину, чтобы завершить цикл творения.

— Но если завершится цикл творения, эти сектанты, надо полагать, пропадут вместе со всем остальным?

— Они считают, что для них самих при этом откроется коридор, ведущий к бессмертию.

— А что такое Оптина Пустынь?

— Никто точно не знает. В России есть несколько обителей и скитов с такими названиями, но они не представляют интереса — их много раз обыскивали и осматривали. Вы, по всей видимости, направлялись в одно из таких мест, даже не представляя, что уготовано вам в действительности. Но в терминологии сектантов «Оптина Пустынь» — это нечто вроде алхимического иносказания, когда, например, словам «свинец» и «ртуть» соответствует нечто другое, тайное.

— Что же именно?

Кнопф посерьезнел.

— Мы предполагаем, — сказал он, — что это любое место, где Великий Лев будет принесен в жертву гермафродиту с кошачьей головой. План сектантов в том, чтобы отправить вас в бессмысленное путешествие и принести в жертву по дороге.

— А зачем им направлять меня именно в Оптину Пустынь? Направили бы в какой-нибудь Зарайск, подождали в лесочке, и все.

— Видите ли, граф, древние ритуалы подобного рода подразумевают определенную степень театральности, своего рода радостное соучастие жертвы — пусть и формальное.

Т. рассмеялся.

— Тогда непонятна логика ваших действий, Кнопф. Зачем вы пытаетесь меня уничтожить, если там, куда я направляюсь, меня все равно ждет смерть? Позвольте другим выполнить грязную работу.

— Вы рассуждаете вполне здраво, граф, — ответил Кнопф. — Будь это моим личным делом, я бы так и поступил. Но приказы в сыскном департаменте отдаю не я. Высшие сановники бывают подвержены странным суевериям — и некоторые из них принимают всю эту историю с пророчествами, жертвоприношениями и предсказаниями в высшей степени серьезно.

— И поэтому вы должны меня убить?

— Моя задача не убить вас, а задержать. Вы не должны попасть в руки отца Варсонофия.

— Кто это?

— Это идущий по вашему следу посланец секты. Но если не будет иного пути остановить вас, придется вас укокошить.

Т. задумался.

— Ну? — спросил Кнопф. — Что скажете?

— Ваш рассказ звучит дико, — сказал Т. — Но допустим даже, что вы говорите правду. Тогда выходит, что вы действуете заодно с теми, кто хочет принести меня в жертву. Потому что именно вы направили меня в Оптину Пустынь.

— Я? — изумленно переспросил Кнопф.

— Конечно. Именно от вас я впервые услышал о ней в поезде.

— И до этого ничего о ней не знали?

Т. смутился.

— Признаться, — сказал он, — мне сложно ответить на этот вопрос. Дело в том, что после нашей стычки — то ли от пулевой контузии, то ли от прыжка из вагона в реку — со мной приключилось что-то вроде потери памяти. Единственное, что я помню — наш разговор в купе и ваши слова про Оптину Пустынь.

— Бросьте, — сказал Кнопф, — не надо валить с больной головы на здоровую. Когда я заговорил про Оптину Пустынь, это было попыткой остановить вас, не прибегая к насилию. Я хотел сообщить, что нам все известно...

— Кому — «нам»?

— Полицейскому начальству.

— А откуда у полицейского начальства появились сведения, что я пробираюсь в Оптину Пустынь?

— Кажется, от Константина Петровича Победоносцева. Обер-прокурора Синода. Такой человек, как вы сами понимаете, не станет говорить что попало.

Т. недоверчиво посмотрел на Кнопфа.

— Победоносцев?

Тот кивнул.

— В силу своих профессиональных обязанностей он хорошо осведомлен о всех изуверских сектах. В том числе и о секте посвященных гермафродита с кошачьей головой. Вы должны понимать, какое это чувствительное дело. Если сведения просочатся в либеральную печать, возможны серьезнейшие осложнения для духовных институтов нашего Отечества.

— А откуда взялся термин «Оптина Пустынь»? Почему именно Оптина?

— Затрудняюсь с точным ответом. Насколько я слышал, это связано с трудами Федора Михайловича Достоевского, который имел одно из высших посвящений в иерархии тайного культа. Кажется, этот термин в особом мистическом значении впервые употребил он... Только он говорил, если я правильно запомнил эту страницу в деле, не просто про Оптину Пустынь, а про какую-то «Оптину Пустынь соловьев». Вы ведь были знакомы с Достоевским, граф?

Т. схватился руками за голову.

— Не помню, я же сказал... Ушибся, когда с моста прыгал.

— Ваша потеря памяти, — сказал Кнопф мягко, — связана, скорее всего, не с ударом о воду. Ударились вы несильно. И пулевая контузия тоже не могла дать подобного результата.

— А в чем тогда дело?

— Вероятнее всего, вас месмеризировали.

— Неужели такое возможно?

— Еще как. Недавно в Петербурге злоумышленники подвергли гипнозу директора банка. Так он сначала снасильничал над машинисткой, а потом вынул из сейфа всю наличность в золотых империалах и куда-то отнес... Мы бы, может, и восстановили картину, так он после первого допроса в окно выбросился.

— У вас, я смотрю, на все есть объяснение, — сказал Т. — Но вы рассказываете слишком диковинные вещи, чтобы просто так принять их на веру. Можете ли вы подтвердить правоту своих слов?

— Могу.

— Чем же?

— Хотя бы тем, граф, что на вас жертвенный амулет.

— Простите?

— Что это, по-вашему, у вас на шее?

— Это? — Т. пальцем подцепил цепочку, на которой висел крохотный золотой медальон в виде книги. — Предсмертный подарок княгини Таракановой, убитой вашими бандитами.

— Зачем вы его носите?

— В память о ней. Хотя вещица неудобная, царапает грудь.

Кнопф засмеялся.

— А знаете ли вы, что именно Тараканова собиралась вас погубить? Покойница была безжалостной авантюристкой, выполнявшей самые опасные задания сектантов. Она ни во что не верила сама, но умела заморочить голову другим — видите, даже повесила на вас жертвенный знак. Это она дала вам вино со снотворным. Если бы не я, жертвоприношение уже состоялось бы.

Т. махнул рукой.

— Бросьте. Княгиня Тараканова — опасная женщина? Чушь.

— Хорошо. Скажите в таком случае, что у амулета внутри?

— Да ничего, я полагаю. Просто безделушка. Какая-то символическая книга жизни.

— Вот и этот петербургский банкир, — сказал Кнопф. — Его спрашивают — что за ключик у вас на жилетной цепочке? А он отвечает — это, говорит, куранты вечности заводить. А ключ на самом деле от пустой кассы...

— Вы считаете, в амулете что-то спрятано?

— Именно так, — подтвердил Кнопф. — По нашей информации, там лежит золотая пластинка с тайным именем гермафродита. Это имя, как считают посвященные, позволяет вступить с ним в контакт. Профан, осмелившийся прочесть его, должен умереть.

— Что за ерунда, — сказал Т. — Зачем им так изощряться, если они хотят совершить жертвоприношение?

— В древних культах забиваемое животное украшали символикой божества, которому приносили жертву.

— Животное? Благодарю вас...

— Великий Лев, — развел руками Кнопф. — Вот вас и того-с... Украсили.

— Вы бредите, Кнопф.

— Тогда давайте вскроем амулет. Не боитесь?

Т. снял брелок с шеи, оглядел его и отчего-то ощутил волну неуверенности.

— Хорошо, — сказал он, — извольте. Нужно что-нибудь острое...

— Вот, — Кнопф протянул ему метательный нож с бурыми пятнами. — Один из ваших.

— Благодарю, — сказал Т., взял нож и приставил его острие к краю брелка-книги. — Попробуем здесь. Да нет, бесполезно. Не поддается — я же вам...

Вдруг футлярчик с хрустом раскрылся, и на поверхность лавки вывалился сложенный гармошкой лист тонко раскатанного золота.

Кнопф двумя пальцами взял золотую гармошку, осторожно махнул ею в воздухе, и она развернулась в блестящий желто-зеленый листок, испещренный мелкими знаками.

— Позвольте, — изумленно прошептал Т., — но как...

— Тайное имя гермафродита, — сказал Кнопф, благоговейно поднимая золотую полоску, чтобы поглядеть сквозь нее на свет. — Вы так для них важны, что они повесили на вас не просто копию, а подлинник, древнеегипетский артефакт. Дыхание вечности-с.

— Дайте поглядеть.

— Аккуратно, — попросил Кнопф.

Т. взял листок. Покрывавшие его знаки — птицы, глаза, кресты, фигурки людей и животных — были мелкими и четкими, прорезанными с замысловатой точностью и теми мелкими неуловимыми особенностями, которые никогда не могли бы появиться, если бы не существовало вековой школы подобного письма. С первого взгляда делалось ясно, что вещь это действительно очень древняя и, несомненно, подлинная.

— Что здесь написано? — спросил Т.

— Не могу знать. А теперь, пожалуйста, отдайте... Да, и медальонку, и листочек. Давайте аккуратно сложим все как было, а то вещица, видимо, ценная... Вот так. Убедились?

Т. был уничтожен.

— Я... Я даже на знаю, что сказать, — пробормотал он. — Ариэль не говорил ни о чем подобном.

— Спросите при случае. Если, конечно, он вам после этого явится.

— Хорошо, — сказал Т., — а кто тогда, по-вашему, Ариэль?

— Не знаю, — пожал плечами Кнопф. — Я не верю в сверхъестественное и могу предположить, что это болезненная галлюцинация, каким-то странным образом корреспондирующая с происходящим в реальности. Вам могли и специально внушить... Скажите, в лице этого Ариэля не было чего-то кошачьего?

— Не было, — ответил Т., задумчиво сжимая бороду в кулаке. — Понимаю, куда вы клоните... Нет, точно не было... Вы окончательно меня запутали. А, черт!

— Что такое? — вздрогнул Кнопф.

129

— Руку порезал... Подождите-ка... Но если это правда и меня действительно месмеризировали, тогда выходит, на самом деле я обычный живой человек?

— Ну конечно.

— И это вы тоже можете доказать?

Кнопф засмеялся.

— Как вас, однако, заморочили. Первый раз вижу перед собой человека, требующего доказательств, что он живой человек. У большинства людей, граф, это принято считать самоочевидным... Ну вот, например, вы только что порезались о бороду. Чем вам не доказательство?

— Действительно... Что же делать?

— Вам следует вернуться в Ясную Поляну, — отозвался Кнопф. — Прийти в себя, все обдумать. Буду счастлив лично вас туда сопроводить под охраной. А что касается этого золотого листочка, придется приобщить его к делу. Не каждый день простому полицейскому агенту попадает в руки тайное имя гермафродита с кошачьей головой.

И Кнопф покрутил брелок на цепочке. Т. хмуро промолчал.

— Что? — сказал Кнопф. — Вы все еще думаете, что я пытаюсь вас перехитрить? Или, может быть, ждете весточки от своего Ариэля? Ну давайте позовем его, пускай он нас рассудит...

Вскочив с лавки, Кнопф поднес ко рту сложенные рупором ладони и закричал, приплясывая на месте:

— Ариэль! Ариэль!

— Да ладно вам паясничать, — угрюмо сказал Т.

— Ариэль! — прокричал Кнопф еще громче. — Иди к черту, Ариэль, слышишь? Покарай меня за эти слова, если ты существуешь!

— Хорошо, — сказал Т. — Будь по-вашему. Вернемся в Ясную Поляну.

— Вот и отлично! — просиял Кнопф. — Рад, что вы способны внимать доводам рассудка. Поверьте, несмотря на все наши взаимные, э-э-э, недопонимания, я гордился и продолжаю гордиться знакомством с таким выдающимся человеком...

Вежливо приподняв котелок, он присел и кивнул головой, сделавшись на мгновение похожим на мима: двигались только его голова и туловище, а удерживаемая за поля шляпа неподвижно висела в пространстве там же, где и в начале поклона. Получилось клоунское и одновременно элегантное движение; как ни мрачно было у Т. на душе, он улыбнулся. Кнопф вынул из кармана брегет, прозвонил им переливистую мелодию и сказал:

— Если хотим успеть на восьмичасовой, придется поспешить. Предупреждаю, хожу я весьма бы...

Внезапно раздался выстрел.

За тончайшую долю секунды до него Т. услышал щелчок пули по телу. Кнопф покачнулся, посмотрел куда-то за спину Т., потом перевел почерневшие глаза на него и упал.

Т. обернулся.

От развалин кирпичного барака в его сторону быстро шли несколько человек. Впереди шагал невысокий священник с наганом в руке. За ним спешили пятеро чернецов с винтовками — двое держали оружие наготове, а остальные, навьюченные поклажей, походили на солдат на марше: один нес сложенную армейскую палатку из светлого брезента, другой — два проекционных фонаря, а третий тащил вместительную сумку с вышитым крестом и фонограф с никелированным раструбом.

Т. узнал священника. Это был тот самый старый еврей с бородавкой на носу, с которым он говорил на улице в Коврове — только теперь он не особо походил на старого еврея, потому что на нем был не лапсердак, а черная ряса. Бородавка, как оказалось, тоже была фальшивой — она исчезла.

Подойдя к трупу Кнопфа, священник вынул из его руки золотой амулет, внимательно осмотрел его и спрятал во внутренний карман.

— Эта вещь должна храниться у обер-прокурора, — сказал он. — Ей не место в случайных руках.

— Вы люди Победоносцева?

Священник улыбнулся.

— Представляться не в наших правилах, — ответил он, — но вы вряд ли расскажете газетам о нашей встрече. Именно так.

— Как вас зовут?

— Отец Варсонофий к вашим услугам.

— Вы? — спросил Т. изумленно. — Мне называли ваше имя. Это к вам, выходит, я шел все время?

— Выходит, так, — согласился Варсонофий, поигрывая револьвером.

— Кто же вы на самом деле?

Варсонофий широко улыбнулся.

— У вас была интересная версия ответа на этот вопрос, граф. Если помните, вы изложили ее мне на улице в Коврове. И знаете, я почти вам поверил. Это стоило мне бессонной ночи. Ох, не дай вам Бог испытать подобное...

Один из чернецов склонился над трупом Кнопфа и, задевая его за пиджак свесившимся крестом, обыскал. Найдя кошелек, он вытащил из него деньги и проворно спрятал под рясу. Остальные монахи принялись обшаривать других мертвецов — они действовали умело и осторожно, стараясь не испачкаться в крови.

— Что вы со мной сделаете? — спросил Т. — Убьете?

— Как вам такое пришло в голову, — оскорбился Варсонофий. — Разве я на это способен? Вас убьет Пересвет.

Он кивнул на одного из чернецов, здоровенного детину с бесцветными глазами и аккуратно остриженной бородкой.

Пересвет ухмыльнулся и снял с плеча маузеровскую винтовку. Наведя ее на Т., он тщательно прицелился ему в голову, а потом вдруг отвел ствол в сторону кирпичного барака.

На его полуразрушенной стене сидел крохотный рыжий котенок. Посмотрев на людей, он жалобно мяукнул и пошел прочь по заросшим мхом кирпичам, нервно подняв хвост — будто чувствуя, что эта встреча не сулит ему ничего хорошего.

Пересвет выстрелил, и котенок мгновенно исчез из виду — с такой силой его отшвырнула пуля.

Чернецы захохотали. Варсонофий тоже осклабился.

— Пересвет надпиливает пули крестом, — сказал он. — Для очищения от скверны. Особенно хорошо для борьбы с плотью. Пуля не просто пробивает ее, а вырывает изрядный кусок, так что за один выстрел можно побороть довольно большой объем.

— Что вам от меня нужно? — спросил Т.

— Как и всем лицам нашей профессии, — ответил Варсонофий, — только одно: ваша бессмертная душа!

Чернецы заржали, как упряжка вороных.

Т. поднял глаза в небо. Оно было низким и серым, но никакого величия или покоя в нем не читалось — по нему плыли невыразительные облака, близкие и холодные, напоминающие об осенних огородах, неурожае и скорбной вековой нищете. Желания продолжать борьбу не было («да и с кем, — подумал Т., — за что?»). В сердце осталась только огромная усталость.

«Я ищу свободы и покоя! Я б хотел забыться и заснуть!»

Слова Лермонтова, всегда звучавшие для Т. странным диссонансом, вдруг обрели смысл, распавшись на пары.

«Конечно. Покой — это сон. А свобода... Свобода в забвении! Забыть все-все, и даже саму мысль о забвении. Вот это и есть она...»

Пересвет, однако, не спешил стрелять.

Происходило что-то странное — чернецы словно готовились к представлению. Сначала они вынули из сумки с крестом два круглых шелковых веера и прикрепили их к длинным ручкам, из-за чего вееры стали похожи на огромные мухобойки. На шелке был начертан странный знак, похожий на витую букву «М», пересеченную дугой окружности. Подняв вееры, чернецы принялись плавно махать ими в сторону Т., как бы посылая на него некие влияния и волны: это, наверно, выглядело бы смешно, если бы не трупы вокруг.

Два других чернеца тем временем достали из той же сумки стеклянно зазвеневшую сеть, развернули ее и двинулись на Т. Сеть была ветхая, темно-серого цвета; звенела она потому, что к ее ячейкам были привязаны кристаллы кварца, красивые и очень острые на вид. Т. вспомнил, что уже видел такую сеть на корабле княгини Таракановой — рядом с мертвыми монахами в трюме.

Чернецы избегали глядеть Т. в глаза — они смотрели себе под ноги и шли с таким видом, будто прочесывают озеро в поисках рыбешки.

Т. презрительно отвернулся от них и сунул руки в карманы.

Его расчет был точным: если бы он просто полез в карман, Пересвет, скорее всего, выстрелил бы. Но после того, как он повернул к убийцам беззащитную спину, монах не увидел в этом движении угрозы.

— Граф! — позвал Варсонофий. — Чего это вы? Как говорят попы и фотографы, сейчас вылетит птичка, хе-хе! Не пропустите!

Не обращая внимания на кривляния Варсонофия, Т. охватил ладонью холодный конус бомбы и оглядел поле боя, словно силясь вспомнить что-то важное.

Кнопф лежал на спине и глядел открытыми глазами в вечереющее небо. Неподалеку темнел труп лошади с маслено блестящими дырами в животе. Два сыщика в темных от крови пиджаках лежали у побитых картечью кустов на краю дороги. Где-то вдалеке вновь страшно завыл слепой цыган.

Т. поднял лицо к небу. Прямо над ним в тучах был узкий просвет.

Т. большим пальцем раздавил капсюль и повернулся к чернецам. Глаза Пересвета сузились — он повел стволом, но, прежде чем он нажал на курок, Т. подкинул бомбу над головой и всем корпусом завалился назад.

Выстрел и слившийся с ним взрыв раздались, когда он уже падал на землю. Он не увидел вспышки. Боли не было, просто в глазах померк свет. Ему показалось, что он падает в яму с источающим жар дном. Странным было то, что сначала она казалась неглубокой, но чем дольше он падал, тем ниже опускалось дно. Никакая пропасть не могла быть так глубока.

Затем навстречу ему подул ветер. Постепенно он делался все сильнее, и скоро падение начало замедляться, пока не остановилось совсем.

XII

Реальность состояла из двух противоположных сил.

Первой был ветер, ровный и неизменный. Он старался подхватить Т. и унести вверх. В нем была прохлада, и он вселял надежду.

Другой силой была тяжесть, похожая на усталое согласие чего-то огромного и древнего с самим собой. Она была горячей и обессиливающей, и тянула Т. вниз.

В точке, где находился Т., обе силы уравновешивали друг друга с аптекарской точностью.

Сначала осознание этой странной полярности и было единственной мыслью. Потом на нее стали накладываться другие. Мыслей становилось все больше, и вскоре они перестали быть заметными — вернее, то, что замечало их, исчезло под их потоком и стало незаметным само.

«Это, конечно, не физический ветер и тяжесть, потому что у меня нет тела. У меня, собственно, нет вообще никакой оболочки. Нет даже имени, самого тонкого тела из всех возможных. Имена, которые я носил — не мои, теперь это очевидно. Во мне вообще нет ничего такого, чему можно дать имя. Но кто сейчас об этом думает?»

Ответа не было.

«И ветер, и тяжесть, несомненно, реальны, потому что я их чувствую. Значит, к чему-то эти силы приложены. Допустим, это и есть я, граф Т... Вроде логично. Но откуда берутся эти ветер и тяжесть? Могу я увидеть их источник?»

Оказалось, что источник уже заметен. Им было сгущение мрака впереди.

Однако там был не просто мрак.

Чем дольше Т. вглядывался в него, тем больше различал деталей. Сначала он видел просто шар интенсивной черноты, каким-то образом заметный на таком же темном фоне. Затем стало казаться, что в черноте есть нечто белесое, а потом в этой белесости начали проступать розоватые желтоватости, которые постепенно слились в черты огромного человеческого лица. Появились глаза, потом нос, рот — и Т. понял, что видит Ариэля.

Лицо его, однако, выглядело непривычно. Правый глаз превратился в узкую щелочку (Т. решил, что так могло приключиться от ячменя). Нос был припухшим (возможно, насморк, подумал Т.). Но безобразно раздувшаяся нижняя губа несла на себе отчетливые и позорные следы насилия, которые уже совсем никак нельзя было объяснить естественными причинами: на ней чернел пунктир засохших ранок, оставленных, несомненно, зубами после столкновения с твердым и быстро движущимся предметом наподобие кулака.

Дальше в восприятии Т. произошла своего рода цепная реакция — как только подтвердилось, что лицо Ариэля несет на себе следы побоев, оно утратило мистическое величие космического объекта, и даже окружающая его чернота пожухла и выцвела; за несколько мгновений видение оплотнилось, и все мелкие детали, вплоть до пор на нездоровой коже, стали четко различимы. Глаза Ариэля повернулись, и Т. понял — демиург тоже его видит.

Некоторое время они молча глядели друг на друга.

— Что случилось? — спросил Т.

Было непонятно, как и чем он говорит, но вопрос удалось задать с обычной легкостью.

— Со мной? — нехорошо ухмыльнулся Ариэль. — Или с вами?

— С вами, — сказал Т. вежливо. — Я вижу, произошло несчастье.

Ариэль моргнул, и его глаза мокро заблестели. Т. стало любопытно, что произойдет со слезами демиурга: сорвутся ли они с ресниц и полетят в пространство или же покатятся по щекам? Но Ариэль уже справился с собой, и его распухшие губы раздвинулись в болезненное подобие улыбки.

— Пантелеймон отказал, — сообщил он.

— Я уже догадался, — ответил Т.

— Причем мало того, что отказал. Он отказал в крайне оскорбительной для южного человека форме. Я ведь вам уже говорил, наш кризисный менеджер Сулейман, несмотря на всю свою лондонскую полировку, все-таки южный человек, а для них вторая сигнальная система — довольно свежая инсталляция, и часто вызывает неконтролируемые эмоции.

— Вторая сигнальная система? — спросил Т. — Что это такое?

— Система условных рефлексов, связанных со словами. В отличие от первой сигнальной системы, связанной с реакциями организма на жар, холод и так далее. Вот скажите, какие ассоциации вызывает у вас слово «козлопетух»?

— Что-то семинарское, — ответил Т. — На подобных примерах в семинарии объясняют тщету человеческого разумения. Мол, человек даже в уме своем не может сотворить ничего нового, а в состоянии только соединять элементы уже созданного Господом. Клас-

сический пример — это крылатый бык. Видимо, козлопетух из того же ряда.

— Логично, — сказал Ариэль. — Раз архимандрит,
значит, семинарское. А у зверьков ассоциации совсем
другие. Сулейман, как этот семинарский термин услышал, забыл все свои европейские понты и дал команду
мочить их бизнес ниже пояса. Как он выразился,
«пиздячить на самом фундаментальном уровне». При-
слал своего интеллектуала, как и обещал — нормальный такой пацан оказался, тертый. Посидели мы вече-
рок, подумали, где у них фундаментальный уровень, да
и начали, перекрестясь...

— Угу, — отозвался Т., — я видел.

— Про гермафродита мне не особо нравится, это
чечен вставил. Зато дальше такое заколбасили, что Дэн
Браун нервно сосет в углу. Грааль, по нашей версии,
это мумия Иисуса Христа, примотанная истлевшими
бинтами к кресту в специальной синагоге под Вати-
каном. С помощью Грааля масоны из мирового правительства управляют ходом истории. Поэтому они му-
сульман и ненавидят, что на них излучение не действует. А закончить мы хотели тем, что принудительная
религия современного белого человечества — это культ
мертвых евреев, разные ответвления которого охваты-
вают и темную народную массу, и вольнолюбивую либеральную общественность. Чечен последнюю фразу
даже придумал — «это нужно не мертвым, это нужно
живым».

— Что вы такое говорите, — сказал Т., — право, даже страшно делается.

— Да вы не пугайтесь, — хмыкнул Ариэль. — До
этого не дошло.

— А что случилось?

— Сулейман, значит, вывесил в Сети пару отрыв-
ков — про баржу и гермафродита. Чтоб у Пантелеймона в конторе поняли, что он не шутит. Дальше как
обычно — проплатили флеху, всплыли в топ. А как
всплыли, Сеть стала обсуждать. Обсуждали, правда, в

основном то, почему попы котенка убили, если у ихнего гермафродита кошачья голова — это я, дурак, недоглядел второпях. Ну и про авраамические религии заспорили, со взаимными нападками. А такие базары отслеживают. В общем, за полчаса дошло до силовых чекистов — вместе с инфой, кто это в топ поднял. Стали они смотреть, какая у Сулеймана крыша, и вдруг видят, что это они сами и есть. Главный у силовых теперь стал генерал Шмыга. Жуткий человек, его реально все боятся. Монстр. Каждое воскресенье летает на Эльбрус — охотится с вертолета на снежного леопарда. Охрана ставит на склон «макбук эйр» с мак ос десять-шесть[1], а он его из снайперской винтовки коцает. И ни одна зеленая шавка гавкнуть не может. А у либеральных главный полковник Уркинс.

— Какая-то фамилия странная, — сказал Т.

— Это он с Уркинсона поменял, чтоб в чекисты приняли. Мол, из потомственных латышских стрелков. Он тоже крутой. Говорят, в Марианскую впадину на батискафе спускался — его там серьезные сущности инструктировали, что и как. Уркинс важный человек, его каждый месяц в Лондон посылают свежий ветер изображать. Но только Шмыга все равно главнее. Его олигарх Ботвиник лично боевому НЛП обучил перед смертью. За это, говорят, либеральная башня его и замочила.

— Я половины слов не понимаю, которые вы говорите, — пожаловался Т. — Что такое боевое НЛП?

— Никто точно не знает. Но слухов много. Например, скажет Шмыга что-нибудь такое непонятное по телефону, а человек через три дня опухнет и помрет. Вот такой деятель — чтоб вы понимали, какие люди подключились. В общем, вник Шмыга в дело, позвонил Сулейману и говорит — ты че, зверек, голову ушиб? Твои креативщики на все ибрагимические религии баллон катят. Даже зороастрийцев оскорбили.

---

[1] Операционная система MAC OS 10.6 «Snow Leopard».

Сулейман не понял сначала — каких, говорит, еще зороастрийцев? А Шмыга говорит, таких, мля. Россиян-маздаистов. Сулейман говорит — вы, товарищ генерал, о каких маздаистах — о шестых или о третьих? Вы ведь об этих волнуетесь, которые на «Маздах» ездят? Тут уже Шмыга напрягся. Я, говорит, волнуюсь о россиянах-огнепоклонниках, понял, нет? Вдруг им не понравится, что у тебя горящая баржа тонет. Вдруг это их религиозные чувства оскорбляет. Сулейман решил, что его прессуют не по делу, и говорит — ну, если захотеть, до столба доебаться можно, товарищ генерал. Мы, мол, понимаем, не дети. А Шмыга ему устало так отвечает — меня ты разведешь, Сулейман, а зороастрийцев ни хуя. Тут Сулейман конкретно перебздел, решил, что Шмыга уже боевое НЛП применяет. Потому что больно непонятный разговор пошел. А Шмыга ему дальше трет: зороастрийцы ладно, но ты на кого дальше попер — на бога Саваофа? Ты че, опух? Ты, говорит, либерастам специально повод даешь? Уркинсон же тебя в суде за пять минут отпидарасит, ему дело открыть как два перста обоссать. Ты че, говорит, под экстремистскую статью меня подводишь? Зря, говорит. Пойдешь-то по ней ты, а не я. Тебя, говорит, и просто так замочить теперь могут — ведь психопатов в Москве много. Черные вдовы, нибелунги, криптомастурбаторы с «правой ру», кватероны из Византийского клуба. Буддисты сейчас тоже совершенно ебанутые пошли, от них чего хочешь ждать можно. И потом, что ты такое про ислам говорил в клубе «Тринадцать Гурий»? Сулейман отвечает — ничего. А Шмыга ему — ага, не помнишь, укуренный был и унюханный, а пленочка помнит. Сказал, что ислам — это религия мира, который настанет, когда всем неверным сделают секим-башка. Выложит кто в интернет, так тебе же первому глотку и перережут. Свои, чтоб ты имидж им не портил. Чтоб все знали, что ислам действительно религия мира.

— А Сулейман?

— А что Сулейман. Вспомнил, где живет — и вся евроидентичность с него осыпалась как бледная перхоть. Обосрался и все косяки на меня повесил. А про своего интеллектуала даже не вспомнил, хотя за гермафродита по всем понятиям чечены отвечают. Велел текст с сайта снять, а меня уволить. Причем не просто уволить, а перед этим еще и отмудохать перед видеокамерой.

— А это зачем? — спросил Т.

— Чтоб зороастрийцам показать, если стрелу назначат... Говорит, Шмыга велел. Только мне сказали, Шмыга на самом деле ничего такого не велел. Он буркнул просто: «этому мудаку, который все придумал, надо в рыло дать за такие штуки. Гнать его в три шеи». Можно сказать, просто выругался. А они все дословно выполнили. И по шее ровно три раза дубинкой засадили — мол, если не получается один раз в три шеи, сделаем три раза в одну. Своя же служба безопасности, представляете? Которая пропуск проверяла и под козырек брала... — Ариэль всхлипнул. — А проект закрыли.

— Совсем закрыли? — спросил Т.

— Угу.

— А как же кредит?

Ариэль прищурился на Т.

— Знаете, граф, — сказал он, — я вам даже описать не могу, до какого мне это фиолетового барабана.

Т. ощутил тревогу.

— И что теперь будет?

— С вами или со мной? — спросил Ариэль.

— С вами, — вежливо ответил Т.

— Уйду от Сулеймана. Только не голимый, как они думают, а со всеми наработками. И все продам по второму разу.

— Куда уйдете?

— Есть место. Одна серьезная структура под полковником Уркинсом набирает команду на новый проект. Иронический ретро-шутер на движке «source», выйдет в версиях для писи и иксбокса. Консольный вариант пойдет в комплекте со специально написанной книгой, типа как коллекционный «Warcraft», если вам это что-нибудь говорит. Называется проект «Петербург Достоевского» или «Окно в Европу», еще окончательно не решили. «Окно в Европу», по-моему, хуже. Все будут думать, что про Украину и разборки с газом. Но идеологически проект очень значимый, поэтому бабло нашли несмотря на кризис. Нефтянка пока дает.

— А в чем значимость? — спросил Т., решив ориентироваться по огонькам немногих понятных слов и смыслов.

— Это типа наш ответ Чемберлену. Пиндосы выпустили шутер для иксбокса, называется «Петропавел». Про то, как четыре американских моряка — негр, еврей, грузин и китаец — спасают мир от двухголового русского императора, которого гуннская принцесса Анастасия родила от Распутина. И мы хотим нанести ответный удар. Но сложность в том, что удар нанести тут мало, надо еще, чтобы пиндосы его купили. Поэтому будем делать два варианта — внутренний и экспортный. Разница минимальная — просто вектор реверсируем. Во внутреннем варианте всякая мразь будет лезть из Европы в Петербург Достоевского, а в экспортном — из Петербурга Достоевского в Европу.

— А почему «Петербург Достоевского»? — спросил Т. — Что это у вас, то Толстой, то Достоевский?

— Ревнуете? — усмехнулся Ариэль. — Напрасно. Главная культурная технология двадцать первого века, чтобы вы знали, это коммерческое освоение чужой могилы. Трупоотсос у нас самый уважаемый жанр, потому что прямой аналог нефтедобычи. Раньше думали, одни чекисты от динозавров наследство получили. А потом культурная общественность тоже нашла, куда трубу впендюрить. Так что сейчас всех покойничков впрягли. Даже убиенный император пашет, как ваша белая лошадь на холме. И лучше не думать, на кого.

Чем Достоевский-то лучше? Тем более, что это такой же Достоевский, как вы Толстой.

— Спасибо, — буркнул Т.

— Проект коммерческий, — продолжал Ариэль, — поэтому Федор Михайлович будет у нас не рефлексирующий мечтатель и слабак, а боец. Такой доверчивый титан, нордический бородатый рубака, зачитывающийся в свободное время Конфуцием...

— Но почему именно Достоевский? Почему, скажем, не Тургенев?

— Вот прицепились. Ну хорошо, скажу. У ФСБ есть инсайд, что в следующем году телеведущая Опра Уинфри порекомендует американским женщинам прочесть роман «Братья Карамазовы». Тогда экспортный «Петербург Достоевского» автоматом попадает в сопутствующие товары второго эшелона, а это поднимает продажи минимум в пять раз. Если выйти одновременно на иксбоксе и писи, бабла можно снять немерено.

— Отчего вам так важно на Запад продать?

— Иначе денег не отбить. У нас любую игру украдут, и все. А вложения в этом бизнесе намного серьезней, чем в литературе. Прикиньте, книгу максимум десять человек пишет, а после игры одни титры пять минут по экрану идут, и всем платить надо.

— А почему именно Петербург?

— Чтобы заодно силовой башне отлизать. Вы что, весь Северный Альянс оттуда. Под это и денег больше дадут.

— Там и нибелунги в доле? — осторожно предположил Т. — Раз Северный Альянс?

— Нибелунги тут вообще ни при чем, — сказал Ариэль сухо. — Максимум, что они могут — это узбеков на рынке шугануть. А Северный Альянс, чтоб вы знали, ни с кем в доле не работает. Они всех под себя кладут.

— Все равно не понимаю, — сказал Т. — Вы говорите, Петербург выбрали для того, чтобы силовой башне отлизать. Но вы же теперь под либеральной будете?

— Да.

— А зачем либеральная башня хочет отлизать силовой, если они воюют?

— Византия, батенька, — ответил Ариэль. — Это не головой постигается, а только неравнодушным сердцем. Или на худой конец опытной жопой, простите за безобразный каламбур. Все равно не поймете. Да и зачем вам?

— То есть как зачем? Ведь именно из-за этого и происходит все неустройство в моей судьбе.

— Можете не волноваться. Неустройство скоро кончится.

— Чем же именно?

— А ничем. Просто кончится.

— В каком смысле?

Ариэль улыбнулся.

— Это вы уж сам решайте, в каком. Я шутером заниматься буду, Гришу на трех проектах ждут, а Митенька вообще вверх пошел ракетой, никто не думал даже. У него теперь миллионный контракт на телевидении — сериал «Старуха Изергиль». Это про одну старую путану, которая научилась делать выводы о человеке по минету — типа как цыганка по ладони. Ее в каждой серии менты вызывают — пососать у трупа, чтобы помочь следственной бригаде. Только сосет она за занавеской, чтоб из прайм-тайм не вылететь — один силуэт виден... Вот только не надо так на меня глядеть, граф, не надо. Понимаю, не нравится. Так ведь и мне не особо симпатично. Но кто вас теперь создавать станет? Некому больше. Совсем.

— Так что произойдет после нашего разговора?

— Ничего не произойдет, я ведь сказал.

— Это как?

— Вот и узнаете, — отозвался Ариэль.

Несколько секунд прошли в тишине. Ариэль, видимо, смягчился.

— Вообще-то, — сказал он, — дедушка говорил одну вещь на этот счет. Но я не уверен, что она к вам относится.

— Валяйте.

— Он говорил, что никакой смерти в сущности нет. Все, что происходит — это исчезновение одной из сценических площадок, где двадцать два могущества играют свои роли. Но те же силы продолжают участвовать в миллиардах других спектаклей. Поэтому ничего трагического не случается.

— Вы только забыли спросить, что по этому поводу думает сама площадка, — сказал Т. — Та, которая исчезает.

— Что бы она ни думала и как бы ни страдала, все это за нее будут делать могущества. Кроме них некому. И потом, площадка исчезает не сразу. Некоторое время сохраняется нечто... Некая... Что-то вроде следа в мокром песке. Или отпечатка света на сетчатке глаза.

— Чьего глаза?

— Затрудняюсь с ответом, граф. Впрочем, это ведь просто сравнение. Скажем так, сохраняется остаточное мерцание, мысленный туман. Некая инерция индивидуального существования. Продолжается она недолго, но дедушка говорил, что это чудесное и волшебное время. Именно тогда человек может выполнить свое самое заветное желание. Любое.

— Неужели совсем любое?

— Да. Оно может быть каким угодно именно потому, что исчезают ограничения, существующие при жизни. Когда у вас есть тело, реальность одна на всех. А когда тела у вас нет, ваша личная вселенная никому не будет мешать. Про нее никто даже не узнает. Ум напоследок может устремиться куда угодно.

— Звучит, конечно, интересно, — сказал Т. — Но ведь ваш дедушка говорил о настоящих людях.

— Верно. Что происходит с героем, которого перестает придумывать бригада авторов, я не знаю. Возможно, на вас распространяется сокращенная аналогия... Хотя у вас ведь и желаний никаких нет, пока мы с Митенькой не придумаем. Да, загадка...

Т. услышал холодную неживую мелодию, похожую на пение механического соловья. Ариэль заметно встревожился.

— Телефон, — сказал он, выпучив глаза. — Я теперь всего боюсь...

Он отвернулся.

Тут же что-то случилось с балансом сил, которые удерживали Т. на месте. Похожая на ветер сила возобладала, рванула его прочь, и голова демиурга сразу оказалась далеко внизу.

— Эй! — крикнул Т. — Ариэль! Ариэль!!!

Но Ариэль уже стал точкой. А потом исчезла и точка — и рядом не осталось никого, кто мог бы ответить. Вслед за этим пропала сила тяжести. А еще через миг прекратился ветер.

Яростным усилием воли Т. попытался последовать за уходящим из Вселенной демиургом, и каким-то образом это получилось — хотя Т. понял, что растратил в усилии всего себя и на другое подобное действие его уже не хватит.

Сначала он несколько минут слышал голос, говорящий что-то неразборчивое. Затем голос стих и сквозь черноту стал проступать силуэт человека, сидящего за странным аппаратом, отдаленно похожим на «ундервуд» со светящимся экраном напротив лица.

Т. узнал Ариэля — тот, кажется, не догадывался, что за ним наблюдают, или не обращал на это внимания. Он сосредоточенно тыкал двумя пальцами в клавиши своего прибора (Т. догадался, что это и есть та самая «машина Тьюринга», о которой он столько слышал), и в светящемся прямоугольнике перед его лицом появлялись буквы, словно кто-то подрисовывал их с другой стороны. Буквы собирались в слова, слова в предложения, предложения в абзацы. Т. напряг зрение, и светящаяся поверхность приблизилась вплотную к его лицу — как будто это он сам, а не Ариэль, сидел за машиной Тьюринга.

XIII

Следовало признать, что лицо под крупным словом «Эцуко» было уже немолодым и несвежим. Зато высокое разрешение делало журнальную обложку весьма познавательной: поры, морщинки, крохотные прыщики, разнокалиберные волоски, еле заметные чешуйки отслоившейся кожи, блеск кожного сала, темный раструб бороды, птичьи лапки морщин у глаз — все вместе напоминало испещренную тайными знаками карту лесистой страны с двумя холодными озерами, разделенными длинным горным хребтом носа. Журнальный девиз «С картохой не пропадемЪ!» неудачно пришелся прямо на лоб. Не лицо, усмехнулся Достоевский, а тысячелетняя империя.

На пороге распада и уничтожения.

Достоевский понял, что воодушевление от встречи с очередным свидетельством популярности уже превратилось в тоску.

«Сколько морщин, однако, — подумал он. — Хорошо, что в зеркале не так заметно. А то каждое утро расстраивался бы... Как отчетлива связь между людской славой и смертным тленом. Специально постараешься обмануться, так все равно не дадут...»

Но обмануться все еще хотелось. Заглянув в оглавление, он открыл нужную страницу и увидел крупный заголовок:

ПРАВИЛА СМЕРТИ
ФЕДОРА ДОСТОЕВСКОГО

Дав взгляду понежиться на черных зубцах жирных букв, он поглядел на свою фотографию, воспроизведенную в уменьшенном виде (из-за этого она выглядела не так угнетающе, как на обложке), и, предвкушая скромное и слегка стыдное удовольствие, стал перечитывать коллекцию собственных афоризмов:

— *В жизни вам встретится много предметов, из которых выходит отличное дешевое оружие. Возьмите ящик, бочку, кирпич и киньте их во врага.*

— *Отняв у врага водку и колбасу, не тратьте патрон на контрольный выстрел — все равно он скоро умрет от радиации.*

— *Always aim for the head. You will do more damage.*

— *Сбитых с ног легко прикончить на земле одним ударом.*

— *Кинжалы наносят меньший урон, зато удары ими очень быстры. Кроме того, вы можете научиться наносить врагу удар в спину, незаметно подкравшись сзади.*

— *Не забывайте осматривать трупы, на них могут оказаться водка и колбаса.*

— *Никогда не делайте больше одного глотка водки, чтобы нейтрализовать радиацию — иначе рискуете оказаться пьяным в гуще врагов.*

— *Не старайтесь перебить всех врагов до последнего перед тем, как начнете высасывать души — вовремя проглоченная душа придаст бодрости и поможет довести схватку до конца.*

— *Замерших врагов лучше всего разбить на куски, не дожидаясь, пока они оттают.*

— Недотепы, — пробормотал Достоевский, впервые заметив ошибку, — «замерших». Замерзших! Неужели по смыслу не понятно? Ну болваны! Даже тут все обгадят.

Читать дальше сразу расхотелось. Швырнув журнал в угол маскировочной ямы, Достоевский нахмурился. Неприятнее всего было сознавать, что он хитрит сам с собой — расстроившись из-за морщин, брызжет злобой на безобидную опечатку.

Зажужжал подкожный дозиметр — как всегда, неожиданно. Достоевский выругался, вынул из кармана фляжку с коньяком и сделал большой глоток. Коньяка осталось еще на один такой же. Через несколько секунд противное жужжание превратилось в тихий хрип и стихло, словно живший под кожей стальной червяк захлебнулся алкоголем и помер.

Спиртное кончалось. Вдобавок три часа назад был съеден последний кусок колбасы. Пора было собираться на вылазку.

Достоевский подошел к огневой позиции. Перед окопом лежала старая новогодняя елка с игрушками, но просветы между ветвями были достаточно большими, чтобы контролировать все пространство впереди. Надев очки со святоотеческим визором, он припал к прицелу.

С запада, будто по заказу, приближалась группа мертвых душ. Как обычно, они держались рядом друг с другом. То, что это мертвые души, было понятно по желтому ореолу, который окружал силуэты. Размытая желтизна дрожала только вокруг человеческих фигурок; все остальное — фонарные столбы, голуби, афишная тумба с плакатом, рекламирующим новую книгу Аксиньи Толстой-Олсуфьевой, — выглядело так же, как при взгляде невооруженным глазом.

«Вооруженный глаз, — подумал Достоевский и вздохнул. — Звучит-то как... Наука мчится вперед. А вот общественная мысль — разве может она похвастаться чем-нибудь равномасштабным техническому прогрессу?»

Мертвые души были уже в сотне метров. Подняв очки, Достоевский поднес к глазам перламутровый театральный бинокль и оглядел их внимательнее.

Впереди шли три мазурика, за ними пятеро студентов (это, конечно, не были настоящие мазурики и студенты — так Достоевский классифицировал мертвяков из-за смутных и не до конца ясных самому ассоциаций). Замыкала процессию пара кавалердавров в белых офицерских мундирах и два некроденщика с поклажей. Всего, как и положено, двенадцать.

Несколько секунд Достоевский раздумывал, что с ними делать — то ли подпустить поближе и расстрелять из штуцера в упор, то ли потратить последнюю подствольную гранату.

«Лучше гранату, — решил он наконец. — Иначе разбегутся...»

Подствольник был давно и надежно пристрелян, поэтому все последующие действия он выполнил не задумываясь: поднял прицельную планку в крайнее верхнее положение, поймал на мушку букву «Х» в огромной красной надписи «СОТОНА ЛОХЪ» на стене гранитного особняка и стал ждать, когда мертвые души подойдут ближе.

Под буквой «Х», примерно в полуметре над мостовой, стена была иссечена следами разрывов, похожими на выбитые в камне гигантские ромашки. Со временем прежние отметины исчезали — новые взрывы непрерывно обтесывали гранит.

«Нет ничего постоянного в мире, — подумал Достоевский, выдыхая перед тем, как нажать на спуск. — Шли двенадцать мертвяков — и где они теперь?»

Граната шлепнулась о стену, когда вся группа оказалась рядом со словом «ЛОХЪ». Пыхнул синий дымок — это сработал вышибной заряд-распылитель, — а еще через полсекунды по стене прошла волна, мгновенно разметавшая мертвяков в стороны: взорвался аэрозоль.

«Пу-пум», — долетел низкий приятный звук, похожий на слово из какого-то грозного доисторического языка.

Достоевский снова поднес к глазам бинокль.

Готовы были все, кроме одного кавалердавра — он крутился на месте, загребая ногой в окровавленной штанине, совсем как недодавленное насекомое. Не хотелось даже думать, что пережил бы бедняга, будь он живым человеком. Достать его из штуцера было трудно — уж слишком быстро крутился, — но рядом, по счастью, стояла стандартная красная бочка с бензином.

Припав к штуцеру, Достоевский опустил планку прицела на два деления, поймал в диоптрический кружок желтую маркировку на бочке, задержал дыхание и выстрелил. Бочка превратилась в клуб желтого огня, и с кавалердавром было покончено.

«Зря трачу патроны, — грустно отметил Достоевский, вылезая из маскировочной ямы. — Нарушаю свои же правила...»

Перебравшись через елку, он подошел к месту взрыва.

Вблизи трупы выглядели скверно. Особенно жуткими казались выпученные глаза — будто мертвецов кто-то сильно удивил перед смертью. Вакуум.

«Отчего так дешева стала жизнь? — подумал Достоевский. — Да оттого, что дешева смерть. Раньше в битве умирало двадцать тысяч человек — и про нее помнили веками, потому что каждого из этих двадцати тысяч кому-то надо было лично зарезать. Выпустить кишки недрогнувшей рукой. Одной битвой насыщалась огромная армия бесов, живущих в человеческом уме. А теперь, чтобы погубить двадцать тысяч, достаточно нажать кнопку. Для демонического пиршества мало...»

Улов оказался неплохим. Пять бутылок водки несли студенты — две лопнули при взрыве, но три осталось. У кавалердавров было по фляжке стандартного аристократического коньяку, а у некроденщиков в сумках — четыре батона колбасы, две аптечки и пять бинтов. У мазуриков не имелось ни еды, ни спиртного — зато нашлось три выстрела к подствольнику. Это было самой ценной находкой, потому что в перспективе означало и колбасу, и водку, и другие радости скромной северной жизни. У одного мазурика была еще и книга — «Изречения Конфуция».

— Почитаем, — хмыкнул Достоевский и сунул книгу в карман бушлата.

Вдруг ногу пронзила острая боль.

Неизвестно как выживший кавалердавр исхитрился незаметно подползти сзади — и впился зубами в сапог. Зубы, конечно, не прокусили толстую кожу, но тайная игла, которая была у каждого кавалердавра под языком, дошла до пятки.

Как назло, топор остался в маскировочной яме. С трудом удерживая равновесие, Достоевский несколько раз ударил кавалердавра кулаком в висок. Тот разжал челюсти, покрытые белой пеной, и замер. Но яд уже попал в кровь.

Дышать и двигаться стало невыносимо тяжело. Перед глазами поплыли красные тени, а мысли сделались похожи на мельничные жернова, вращаемые в голове кем-то усталым и недобрым.

«Аптечка? Или бинт? Нет, бинтом не обойтись...»

Пришлось истратить аптечку. Было, конечно, жалко — но аптечка, собственно говоря, и нужна была на тот самый случай, если в кровь попадет яд с тайной иглы.

«Вот так они и Пушкина, — подумал Достоевский, — гниды великосветские. Сначала из пистолетов, а потом, когда он кувыркаться больше не мог, тайными иглами в голову... Правильно про них Лермонтов писал — надменные подонки...»

Пульсирующее красное удушье понемногу отпустило. Теперь осталось только высосать души.

Но сперва, конечно, надо было сотворить молитву.

Выбрав место почище, Достоевский опустился на колени, вздохнул и закрыл глаза. Старец Федор Кузьмич говорил, что молитву следует произносить в душевной и умственной собранности, всем сердцем переживая смысл каждого слова — иначе молитвословие превратится в грех начетничества. Но любая сосредоточенность в последнее время давалась с трудом. Вот и сейчас — вспоминая Символ веры, Достоевский то и дело ловил себя на мыслях самого неуместного свойства:

«Европа, Европа, а что в ней хорошего, в этой Европе? Сортиры чистые на вокзалах, и все. Срать туда ездить, а больше и делать нечего...»

А потом сразу же, без всякой связи:

«Если внимательно прочитать «Дао Дэ Цзин», оттуда следует, что всех журналистов надо незамедлительно повесить за яйца...»

Собравшись наконец, он отвратил внимание от блужданий ума и кое-как завершил молитву.

«Беси, — вздохнул он. — Только встанешь на молитву, подлетают. Раньше меньше терзали. Моложе был, чище и тверже... Ну ладно, теперь начнем...»

Отойдя в сторону, он поднял ладонь перед лицом — так, чтобы растопыренные пальцы накрыли лежащие впереди тела. Затем сосредоточился и потянул всем животом.

Сперва ничего не получилось — мешала какая-то внешняя сила. Достоевский нахмурился, пробормотал «прости, Господи» и потянул шибче.

Раздался щелчок — на шее одного из мертвяков лопнула цепочка с каким-то бесовским амулетом. После этого дело сразу пошло: голубоватый туман заструился от скрюченных тел к ладони, а от нее, пройдя через иньские меридианы руки, потек в висящую под мышкой тыкву-горлянку, где оседал, оплотнялся и превращался в жидкую голубую ману.

Души, хоть и мертвые, были у всех — кроме того кавалердавра, который уколол тайной иглой.

«Отчего-то такое чаще бывает именно с аристократами, — подумал Достоевский. — Уходит связь с высшим, всякое дуновение Бога, и на месте души остается только лужа яда для тайной иглы. Отсюда это постоянное стремление высших классов унижать, язвить и одеваться в особые одежды, всячески демонстрируя свое отличие от других. Демонстрировать... Это ведь от «демон». Надо будет сказать Федору Кузьмичу...»

Улов был отличный — маны набралось достаточно на пять боевых заморозок или одно желание. Когда голубой дымок иссяк, возникло обычное искушение: подойти к трупам и посмотреть, во что превратились их лица. Искушение было сильным, но он справился с ним, отвернулся и пошел назад к окопу.

«Надо в журнал занести. И не откладывая, прямо сейчас — а то опять забуду. Ведь уже хотел в прошлый раз, а не сделал...»

Сложив в углу ямы добычу, он отыскал карандаш поострее, подобрал номер «Эцуко», раскрыл на странице с правилами смерти и дописал в самом низу, экономя место:

— Высосав души, никогда не смотрите на лица. Да, это правда — они меняются. Но если вам любопытно узнать, как именно, приготовьтесь потерять аппетит на две недели вперед.

— Никогда не подходите к упавшему врагу без оружия наготове — он может быть еще жив!

Тут зажужжал вшитый в кожу дозиметр. Достоевский выругался, достал из кармана фляжку, допил коньяк и швырнул ее прочь из окопа — в сторону мусорной кучи.

— Голосуйте за чистый город, — пробормотал он и лег на тюфяк под фанерным навесом, замаскированным сухими еловыми ветками.

Теперь можно было расслабиться до утра, не опасаясь гостей: мертвые души избегали ходить по дороге, где несколько из них встретили окончательную смерть. Во всяком случае, день или два — пока трупы полностью не распадутся на элементы.

Открыв трофейного Конфуция, Достоевский стал листать его наугад. Чем дольше он читал, тем бессмысленнее казался текст — вернее, в нем все ярче просвечивал тот тонкий мерцающий смысл, которого много в любой телефонной книге. Видимо, иероглифы, использованные Конфуцием, указывали на давно ушедшие из мира сущности, и перевести его речь на современный язык было невозможно. Достоевский уже собирался кинуть книгу вслед за пустой фляжкой, когда среди словесного пепла вдруг сверкнул настоящий алмаз:

Конфуций сказал:
— Бывают три полезных друга и три друга, приносящих вред. Полезны справедливый друг, чистосердечный друг и друг, который много знает. А вредны льстивый друг, двуличный друг и друг красноречивый.

Достоевский закрыл книгу и мечтательно поглядел вверх, туда, где между краем тучи и крышей доходного дома виднелся лоскут неба.

«А ведь это правда. И про льстивых, и про красноречивых. Особенно про красноречивых... И про полезных тоже правда. Хотел бы я иметь чистосердечного друга, да еще такого, который много знает... Вот только где ж его взять?»

Дозиметр зажужжал снова. Достоевский тихо выругался. Каждый раз после того, как он возвращался в яму с добычей, приборчик начинал сигналить в два раза чаще обычного.

«Может, пыль приношу, — подумал он, открывая водку. — Хотя при чем тут пыль. Пыль всюду...»

Он сделал большой глоток и подождал, пока дозиметр стихнет.

«Теперь каждые пять минут будет зудеть. Ох, тоска. Напьюсь сегодня... Надо решить, что с маной делать, пока трезвый. А то опять начудачу...»

Он вынул тыкву-горлянку из-под мышки и похолодел — маны внутри не было. Совсем.

«Господи, треснула, что ли?»

Но горлянка была цела. Достоевский пару секунд хмуро размышлял, что случилось — а поняв, засмеялся.

«Это я желание загадал. Сам не заметил, надо же... Друга захотел чистосердечного... Умора. Рассказать кому — не поверят. Впрочем, кому я расскажу? Федору Кузьмичу, что ли? Ему неинтересно... Вот другу и расскажу, если сбудется...»

Маны было жалко — с ее помощью следовало решить какую-нибудь из практических проблем. Например, справить новые сапоги: снимать обувь с мертвяков было противно. Но случай и вправду был поучительный. И, главное, смешной.

Достоевский поставил штуцер у стены — так, чтобы был под рукой, — и попытался вернуться к чтению. Но уже темнело и не хотелось напрягать глаза — а зажигать свет на позиции не стоило. Тогда Достоевский лег на бок, закрыл книгу и подложил ее себе под голову.

В сгущающейся темноте от предметов постепенно оставались только расплывчатые контуры. Прямо впереди лежало ведро, повернутое к нему мятым дном, а справа — ящик от патронов. Они превратились в круг и квадрат, похожие на буквы «О» и «П».

«Что это может быть? — думал Достоевский, засыпая. — Оптина Пустынь... Как давно это было... Оптина Пустынь соловьев...»

XIV

Т. пришел в себя.

И сразу же понял, что напрасно это сделал — вокруг ничего не было.

Не было ни Ариэля, сидящего за машиной Тьюринга, ни самой машины Тьюринга, ни той ватной черноты, которую обычно называют словом «ничего». Вернее, чернота появлялась, но только после того, как Т. начинал вглядываться в окружающее и убеждался, что там не видать ни зги. А все остальное время не было даже ее.

Так прошло несколько секунд — а может быть, веков или тысячелетий.

В одну из этих секунд Т. понял, что видит вечность — и она именно такая, смутная, неопределенная и безмысленная, не имеющая о себе никакого понятия.

Поняв это, он испугался. А испугавшись, убедился, что все-таки существует.

«Надо постоянно что-то думать, а то исчезну совсем, растворюсь, как сахар... Думать что угодно...»

Но в окружающей неопределенности не было ничего, за что могла бы зацепиться мысль — и, после нескольких бессильных содроганий ума, Т. снова провалился в вечность.

«...Оптина Пустынь...»

Эта мысль привела его в себя. В вечности все было по-прежнему.

«Вот еще раз так нырну, — понял Т., — и никогда не вынырну... И на этом все? Неужели я просто возник на мгновение из серого сумрака, чтобы опять раствориться в нем без следа? И обещание чуда и счастья, которое было в небе, в листьях, в солнце — все ложь? Нет, не может быть... Думать! О чем угодно... Кстати, выясняются интересные вещи. Главные вопросы современности вовсе не «что делать?» и «кто виноват?». Они совсем другие — «где я?» и «кто здесь?». И в любой жизни рано или поздно наступает момент, когда это больше невозможно от себя скрывать. Но когда это наконец доходит, общественности уже ничего не объяснишь...»

Даже самая короткая остановка в мышлении была жуткой, потому что сознание начинало исчезать. Как выяснилось, оно было чем-то вроде напряжения между полюсами магнита: для его существования нужна была мысль и тот, кто ее думает, иначе сознавать было нечего и некому. Поэтому, чтобы сознание не исчезло, следовало постоянно его расчесывать, заново создавая весь магнит.

«Недаром, — подумал Т., — в мире столько суеты. Именно этим люди и занимаются — постоянно расчесывают себя и так называемую вселенную, чтобы не пропасть безо всякого следа. Граблями, телескопами, чем угодно. Прячутся от вечности, в которую не пронести ни крупицы того, чем мы когда-то были... А вот русский крестьянин не размышляет о загробном, а спокойно обустраивается в настоящем. И не надо искать ничего сверх простого народного разумения, ибо оно спасает от бездны. Когда умирает мужик, в бездну просто падать нечему. Это и есть единственное спасение, какое бывает. А вот жизнь, посвященная умствованию, как раз создает того, кто с ужасом в бездну рушится, не имея ни малейшего шанса, потому что какой тут, спрашивается, может быть шанс? Пока сохраняется тот, кто входит, оставь надежду, всяк сюда входящий... Верно сказано — будьте как дети. Ибо дети в подобных обстоятельствах никуда не падают — они сами бездна...»

Ум, лишенный опоры на органы чувств и предоставленный сам себе, оказался чем-то вроде листа бумаги, стремящегося повернуться к вечности под таким углом, чтобы вся его площадь исчезла, стянувшись в неощутимо тонкую линию.

«И сразу видно, — испуганно думал Т., — что никакого мыслителя за этими спазмами нет, а все спирали колеблющихся умопостроений — просто жульническая попытка заставить существовать то, чего на самом деле никогда не было. Мало того, что не было и нет, ему даже взяться неоткуда. Однако, хоть попытка совершенно жульническая, она все же какое-то время работала... Вот это и была жизнь».

Мысли приходилось вызывать насильно, словно рвоту — собственно, существование и казалось теперь подобием такой насильно вызываемой рвоты.

«Я думаю — следовательно, я существую, — вспомнил Т. — Кто это сказал? Картезий. Поразительно, какие головокружительные прыжки над безднами ухитряются совершать эти французы, выпив красненького. Или они этих бездн не видят? «Я думаю...» А вдруг думает кто-то другой? Кто-то вроде Ариэля? Ну откуда он, дурашка, знает, что это он сам? Впрочем, Картезий прав в том смысле, что это его «я» существует только до тех пор, пока он про него думает. Французу надо было говорить не «я думаю», а «думаю «я». А само это «я» ни думать, ни существовать не может, потому что исчезает сразу, как только Картезий перестает о нем размышлять, решив выпить красненького...»

Додумав эту мысль, Т. с ужасом понял, что за ней не заготовлено следующей — и с размаху исчез.

Чудовищным усилием воли он заставил себя вновь появиться из ниоткуда. Было очень страшно, потому что он не понимал, как он это сделал — и не знал, получится ли еще раз.

«Думать только о простом и конкретном, — решил он. — Просто вспоминать, что было раньше. И за это держаться...»

Т. вспомнил, как выглядела белая усадьба на холме из окна поезда. Потом он заставил себя во всех подробностях увидеть купе, Кнопфа у окна, реку, мост и корабль княгини Таракановой.

Это действительно позволяло держаться на плаву.

Чем сильнее Т. сосредотачивался на воспоминаниях, тем вещественней они делались — и постепенно ему стало казаться, что он видит подобие сна наяву. Кое-что было осознано и замечено только сейчас: например, у одного из спутников Кнопфа на пиджаке был значок общества Михаила Архангела, а в столовой корабля княгини Таракановой еле заметно пахло пачулями.

Вспомнился еще господин в котелке, с сигарой во рту, в коляске проехавший мимо Т. по улице в Коврове: господин, явно уверенный в надежности своего места в мире и незыблемости самого этого мира. И еще очень отчетливо нарисовалась трогательная девочка в розовом платье, пробежавшая по коридору гостиницы «Дворянская».

Однако воспоминания были подобны керосину в лампе: они постепенно выгорали. Неизвестно, сколько прошло времени, но, когда память стукнулась в последнее доступное — взрыв у заброшенной лодочной станции, — весь контур только что отшумевшей жизни обрел окончательную завершенность. На ее последней странице уже стояла точка; теперь нельзя было поменять ни единого знака. Воспоминания кончились, и Т. с тоской догадался, что вот-вот вновь провалится в несуществование опять: пища, позволявшая рассудку существовать, подошла к концу.

«Может быть, — подумал Т., — это даже не я сам вспоминал? Может, кто-то меня на начало перематывал? Что теперь делать-то? Как задержаться? Будить желанья? Пусть самые темные и низменные... А они у меня есть? Вот Аксинья... Хороша, да... Любил ли я ее на самом деле? И помнит ли она обо мне? Не тяготится ли разлукой? Впрочем, найдет себе кого-нибудь другого... Не говоря уже о том, что это все равно не она, а чертов Митенька...»

Но Аксинья все равно вспомнилась так ослепительно-ярко, что на миг заслонила собой нависающее со всех сторон небытие.

«А жизнь ведь и правда подобие текста, который мы непрерывно создаем, пока дышим. Как это Ариэль говорил, машина Тьюринга? Нам кажется, мы что-то делаем, решаем, говорим, а на деле просто каретка бежит над бумагой, считывает один значок и печатает другой. Это и есть человек...»

Сделав усилие, Т. вспомнил слова Ариэля в точности:

«А потом этот непонятно кем написанный текст пытается сам что-то такое сочинять и придумывать — ведь просто уму непостижимо. Дедушка говорил, человек настолько призрачное существо, что для него вдвойне греховно плодить вокруг себя новых призраков...»

«Греховно? — подумал Т. с надеждой. — Грех? Вот это уже интересно. Ведь если будет грех, тогда будет и грешник. Тут никаких сомнений. Может, хоть за это зацепимся? Вот только как нагрешить без тела? Проблема... Богохульство? Вряд ли. Кому оно тут нужно... Разве действительно новых призраков наплодить. Что для этого делает Ариэль? Берет и пишет. А тут ни пера, ни руки, ни стола, ни бумаги...»

Т. попробовал представить себе гусиное перо.

Это получилось.

Тогда Т. вообразил деревянный письменный стол со стопкой бумаги.

Это тоже вышло сразу, и очень удачно — стол получился таким отчетливым, что на его рабочей поверхности виден был рисунок косо пройденных годовых колец, складывающихся в подобие женской фигуры с преувеличенно толстыми ногами и множественным ожерельем на длинной шее. Бумага тоже получилась отлично, видна была даже фактура. А рядом с бумагой без особых усилий возникла горящая свеча и бронзовая чернильница в виде лебедя, у которого между крыльями поблескивало маленькое черное озеро.

Но после этого исчезло перо. А когда удалось вернуть перо, исчезли стол, бумага и чернильница.

«Вот стол, — подумал Т., усилием воли возвращая стол на место. — Где он стоит? Стол должен стоять в комнате...»

Однако вместо комнаты вокруг возникла совершенно отчетливая брезентовая палатка вроде армейской. Но Т. не успел испугаться — палатка сразу исчезла.

На миг он почувствовал такое безграничное одиночество, что оно показалось ему физической болью.

«Не сдаваться. У комнаты должны быть стены. Хотя бы одна стена».

Он посмотрел туда, где следовало быть стене, и действительно ее увидел — не столько увидел, сколько создал своим взглядом. Потом он точно так же увидел остальные стены. Комната словно появлялась вслед за перемещением его внимания — вернее, пока еще не комната, а четыре поочередно возникающие стены, покрыте дубовыми панелями. На одной из них висела импрессионистская зарисовка Елисейских Полей в золоченой раме: приблизительные лошадиные крупы, а над ними — желтые и красные пятна огней, размытые вечерним туманом.

Т. поднял взгляд, затем опустил его, и у комнаты появились пол и потолок — но исчезли стены. Когда он перевел взгляд на стену, она послушно возникла, но теперь без картины. И еще исчез потолок.

Через несколько минут ему все-таки удалось собрать комнату воедино. Она напоминала гостиничный номер, чисто убранный и вполне обычный — только без окон и дверей, как в детской загадке.

«И хорошо, — решил Т. — Не нужны никакие двери и окна. Кто его знает, что за ними...»

Думать об оставшемся за стенами не следовало — бездна могла ворваться внутрь. Меньше всего Т. хотелось снова исчезнуть без всякой гарантии, что удастся вернуться назад.

«Впрочем, — подумал он, — почему бездна? Я ведь «бездну» вообразил точно так же, как эту комнату, чтобы хоть во что-то упереть взгляд. Потому что на самом деле... Даже не знаю, как сказать... Впрочем, я опять думаю не о том, о чем надо...»

Т. торопливо осмотрел комнату, желая убедиться, что в силах поддерживать ее существование. Усилие оказалось чрезмерным — комната мгновенно наполнилась множеством предметов, которых секунду назад не было. Теперь на стенах висели тирольская шляпа с пером, рога оленя, двустволка, красные бархатные шторы (окон за ними так и не появилось), и еще две керосиновые лампы, дававшие яркий до белизны свет. Двери по-прежнему не было.

Т. перевел взгляд на стол.

«Перо не может просто висеть в воздухе, — подумал он. — И само бегать по бумаге. Нужна рука...»

Представить собственную ладонь оказалось сложнее всего. Выяснилось, что Т. совершенно не помнит, как она выглядела: все прошедшие перед его мысленным взором руки — пухло-короткопалые, красные, бледно-тонкие, смуглые, тронутые азиатской желтизной, — явно принадлежали другим. В конце концов Т. вообразил кисть в белой лайковой перчатке.

Рука в перчатке после некоторой неловкой паузы подняла перо, макнула его в чернильницу и провела по бумаге короткую черту.

Перо бросало на бумагу двойную тень. В ярком керосиновом свете лист был четко виден; различимы были даже мелкие поры бумаги и тончайшие, почти невидимые черные волоски вокруг оставленной пером линии — наивные попытки чернил вырваться на свободу, ускользнув в капилляры бумаги. Т. усмехнулся.

«Вот так и человек, — подумал он. — Куда бежать? Действительно, куда бежать, если все на свете — просто текст, а лист, перо и чернила у того, кто чертит буквы? Впрочем, сейчас их черчу я сам... Но кто тогда я сам? Уж не Ариэль ли?»

Эта мысль показалась невозможно жуткой.

«Работать. Русскому крестьянину были бы смешны проблемы праздного барского ума, застрявшего в бесконечности. Потому что русский крестьянин знает только работу с утра до вечера. Вот и мы будем работать не отвлекаясь. Попробуем-ка что-нибудь написать...»

Перо коснулось бумаги и вывело:

РЕКА

Т. сразу же увидел эту реку — она была изумрудно-зеленой и неслась мимо рыжих каменных уступов, над которыми поднимались черепичные крыши приземистых белых домов. Кажется, это было где-то в Италии.

«Интересно, — подумал Т. — Откуда взялось остальное — берега, дома? И можно ли все это изменить?»

Обмакнув перо в чернильницу, он дописал:

РЕКА, СКОВАННАЯ ЛЬДОМ

И река стала другой. Вместо изумрудной ленты перед Т. возникло бескрайнее ледяное поле — река сделалась очень широкой. Рыжие камни берегов исчезли. Все вокруг теперь покрывал снег. Стоял зимний вечер; в просвете желто-синих облаков горел красный глаз заходящего солнца.

Т. почувствовал, что его переполняет веселая сверкающая сила, похожая на тот солнечный изумрудный поток, который явился ему в самом начале.

«Значит, я и правда все могу, — подумал он. — И нет ни Ариэля, ни его подручных. Кто теперь мой создатель? Я сам! Наконец... Можно придумать себя заново. Впрочем, второпях ничего менять не будем. Для начала вполне сгодится граф Т. Первым делом следует выбраться из этого лимбо... Хотя бы туда же, откуда мы сюда попали. Попробуем-ка самый короткий маршрут...»

Перчатка приблизилась к листу и быстро застрочила:

Река, скованная льдом, несомненно, была Стиксом, отделявшим мир живых от того, для чего в человеческом языке нет слов. Трехглавый Кербер, страж загробных врат, был где-то рядом — это делалось ясно по тоскливому ужасу, волнами проходившему сквозь душу. Но граф Т. пока что не видел стража. Он шел по берегу, направляясь к заснеженным руинам, виднеющимся на краю ледяного поля. Берег, по которому он шел, был берегом смерти...

Грозные цвета заката ворвались в сознание с такой силой, что рука в перчатке исчезла. Было непонятно, откуда возник целый мир, реальный и ослепительно-яркий: Т. никогда в жизни не видел ничего подобного.

Огни заката постепенно померкли, и Т. опять стал видеть вокруг комнату. Она изменилась. Тирольская шляпа и оленьи рога исчезли, бархатные шторы тоже — зато появилась целая коллекция изображений кошек.

Самым большим была черная африканская маска с загадочно чернеющими провалами глаз и усами из жгутов соломы. Под ней на стене висела полка, на которой стояли самые разнообразные коты из терракоты, крашеной глины и фаянса — особенно выделялся среди них благородный ориентальный зверь желтого цвета с колотушкой в одной руке и веером в другой.

Почему-то одна из стоящих на полке кошек — небольшая египетская статуэтка черного цвета, очень древняя по виду, — показалась Т. невыразимо жуткой. В ее темно-зеленых миндалевидных глазах было что-то засасывающее: Т. почудилось, что он может стечь в них, как дождевой ручей в канализационную решетку, и он быстро отвел взгляд.

«Однако тут неуютно, — подумал он. — Но зачем мне теперь эта комната? Главное помнить, откуда берется мир. Раньше его создавала чужая воля, а сейчас... Посмотрим, на что я способен сам...»

Вокруг тем временем появилось еще несколько полок с кошками. Избегая смотреть на них, Т. перенес внимание на руку в белой перчатке. Рука обмакнула

165

перо в чернильницу и поднесла его к бумажному листу. С пера на бумагу упала капля чернил и превратилась в аккуратную круглую кляксу. Мокрая поверхность кляксы, отразив огонек лампы, стала на миг совсем белой — и Т. почудилось, что на бумаге перед ним лежит серебряная монета.

XV

Т. не думал о том, откуда он идет и почему в его руке зажата серебряная монета. Он знал, что ничего не следует бояться. Что было раньше, совсем его не тревожило. Он был уверен — вспомнить все можно в любой момент, достаточно остановиться и как следует сосредоточиться. Вот только останавливаться было нельзя: успеть следовало до заката.

Копаться в памяти, впрочем, и не хотелось. Сознание просто отражало реальность, отмечая, что в мире свистит ветер, хрустит под ногами снег и растекается по горизонту красный огонь заходящего солнца. На душе было бы совсем спокойно, если бы не волны внезапного страха, налетавшие время от времени на несколько секунд. Страх словно приносило ветром.

Т. знал, что монету следует отдать паромщику в полуразрушенном здании у кромки льда.

«Только какой тут может быть паром? — подумал он. — Здесь ведь лед... Ничего, сейчас узнаем».

Вскоре здание оказалось рядом. В нем было два этажа — верхние окна глядели пустыми глазницами, а нижние кто-то грубо заделал кирпичом. Крыши не было — похоже, она рухнула внутрь давным-давно.

В стене, повернутой к ледяному полю, была высокая дверь с маленьким окошком, в котором зиял крохотный глазок. Напротив двери надо льдом поднимался продолговатый снежный бархан. Приглядевшись, Т. различил в нем контуры парома, накренившегося и наполовину ушедшего под лед.

Подойдя к двери, Т. постучал.

Прошла минута. Т. померещилось, что в глазке что-то мелькнуло, но это мог быть просто случайный блик света.

Вдруг окошко с резким стуком раскрылось. Из него высунулась рука в грязном сером рукаве. Т. замешкался, и тогда рука нетерпеливо щелкнула пальцами.

Вспомнив, что от него требуется, Т. положил в нее монету. Рука исчезла в окне и тут же вынырнула снова. Теперь она держала за кожаные ремни пару грубых железных коньков. Т. еле успел подхватить их, и окошко захлопнулось.

Т. осмотрел коньки. Они были очень старыми, из почерневшего металла в трещинах и выбоинах. Формой они напоминали ладьи викингов; сходство подчеркивали головы драконов на загнутых вверх носах.

Тут что-то ударило в дверь изнутри, и раздался противный скрежет, будто по металлу скребли острым. «Кербер!» — понял Т.

Надо было спешить. Приблизившись к кромке льда, он сел в снег и быстро приладил коньки к ногам — кожаные ремни держали лезвия прочно и надежно. Встав, он вышел на лед, глянул на кирпичную руину и покатил к залитому огнем горизонту.

Он успел только несколько раз оттолкнуться ото льда, приноравливаясь к конькам, когда сзади донесся скрип ржавых петель. Т. обернулся на звук.

Дверь отворилась. Т. увидел фигуру в серой хламиде с надвинутым капюшоном и странную собаку — вроде большого волкодава, только с уродливыми грыжеподобными мешками по бокам от морды. Эти мешки зашевелились, повернулись, и Т. с омерзением понял, что это еще две головы. Неизвестный в сером отпустил трехголовую собаку, и та проворно побежала к границе льда.

«Если это Кербер, — вспомнил наконец Т., — значит, передо мной Стикс... Теперь только на тот берег... Переправиться на тот берег...»

Больше не оглядываясь, он начал разбег по бесконечному ледяному зеркалу. Это выходило плохо, словно во сне, где никогда не удается бежать так же быстро, как наяву, а ноги постоянно заплетаются друг за друга.

Кербер залаял — не так, как лают собаки, а совершенно беззвучно. Но его лай был хорошо ощутим — волнами ужаса он давил на солнечное сплетение, и Т. вспомнил, что впервые почувствовал эти спазмы тогда, когда приближался к дому паромщика, просто не понял их природы.

Вдруг он заметил впереди лежащего на льду человека. Это был полный мужчина в служебном фраке с гербовыми пуговицами, золотым шитьем на воротнике и крестом на шее. Он, несомненно, был мертв. Его треуголка с пушистым белым пером валялась на льду в нескольких метрах от тела, а у разорванного горла темнела смерзшаяся кровь.

Затем Т. увидел еще один труп: женщину в шелковой ночной рубашке. Ее тело было изорвано собачьими зубами.

«Кербер — это сторож, — вспомнил Т. — Только что именно он сторожит? Загробный мир вряд ли надо охранять от живых, которые хотят туда попасть. Скорее наоборот...»

Собака была уже близко. Как Т. ни пытался взять себя в руки, это не получалось — к горлу подступали спазмы страха.

«Ведь было ручательство, что все кончится хорошо, — подумал он. — Но какое именно? Да. Белая перчатка. Только не забыть — белая перчатка...»

Эти слова странным образом помогли.

Т. понял — он не может разогнаться, потому что рывки его тела слишком резки, а двигаться следует плавно, стараясь, чтобы взмахи рук и толчки ног выходили округлыми и неторопливыми, похожими на естественный ход маятника. Надо было не дергаться, а как бы раскачиваться навстречу набегающему льду.

Как только он начал двигаться по-новому, собака стала отставать. Вскоре у Т. отлегло от сердца. Ему даже почудилось, что он услышал где-то рядом смех — но это смеялся ветер.

Назад уплыли еще несколько причудливых трупов, лежащих на льду — дама в черных кружевах, прилично одетый господин с лошадиной головой (Т. вспомнил про говорящую лошадь) и, наконец, три несомненных Наполеона Третьих, только на разных стадиях жизни: один — худощавый и молодой, с аккуратно подстриженной бородкой и одинокой снежинкой ордена на военном мундире, другой намного старше, с острыми стрелами навощенных усов, разлетающихся далеко от лица, и совсем уже закатная версия, с проседью в волосах, в простом двубортном жилете под темным домашним халатом. Все три Наполеона лежали рядом, и, если бы не множество собачьих следов вокруг, можно было бы решить, что их положил один залп картечи.

А вслед за этим показался мертвец, которого Т. отчего-то не ожидал тут увидеть. Это был отец Варсонофий в своей темной рясе. Его лицо было изуродовано осколками близкого взрыва, но продырявленный клобук, низко надвинутый на лоб, каким-то образом удержался на голове. Если над несчастным и поработали собачьи зубы, заметно этого не было.

Следующего покойника Т. тоже узнал сразу, хоть никогда его не встречал. Это был румяный лысоватый блондин, с лица которого даже смерть не сумела смыть выражение осторожного оптимизма. Он лежал навзничь, балетным движением откинув правую руку, к которой тянулась длинная цепочка, начинавшаяся от жилетной пуговицы. На конце цепочки был маленький никелированный ключ.

«Это же директор банка, про него Кнопф говорил, — подумал Т. радостно. — А ключ — от курантов вечности... Все-таки завел, пострел».

Рядом с покойником лежал небольшой кожаный саквояж желтого цвета — он был прямо на пути, и Т.

задел его ногой, чуть об него не споткнувшись. Саквояж с неожиданной легкостью поехал прочь по льду.

«Должно быть, вся эта равнина усеяна разнообраз-
ными кадаврами, которые стремились воскреснуть, но
не смогли...»

Он оглянулся.

«А у меня, кажется, выйдет...»

Трехголовая собака была уже не видна. По телу
прошла последняя волна страха, а потом Т. заметил,
что красная полоса заката погасла.

Стало быстро темнеть. Удары ветра сделались рез-
че, вокруг понеслись хлопья снега, и вскоре разбуше-
валась самая настоящая метель.

Теперь не было видно ни зги. Напор дувшего в лицо ветра стал очень сильным, и Т. почти не продвигал-
ся вперед; оставалось только надеяться, что ветер точно так же отбрасывает назад трехголового пса, если тот
еще пытается за ним гнаться.

На секунду ветер достиг непреодолимой мощи — и
вдруг Т. буквально вылетел из снежного облака в синий летний вечер.

Он потерял равновесие и упал в траву. Коньки,
только что прочно сидевшие на ногах, сами соскочили
и уехали в снежное облако, оставшееся за спиной, после чего это облако, закрутившись, превратилось сначала в смерч, потом в узкий столб снежного праха и
исчезло без следа.

Было почти темно. Т. лежал на траве недалеко от
кирпичных развалин. Ужасно болела голова, саднила
оцарапанная пулей рука, но все же он был цел.

Бросок бомбы оказался точным — при взрыве Т.
попал в мертвую зону, и его не задело.

Монахам повезло меньше. Все чернецы были мертвы — их иссеченные осколками тела лежали вокруг Т.
по радиусу от точки взрыва, как лепестки страшного
цветка смерти, центром которого был он сам. Поодаль
валялся Варсонофий — здесь он выглядел не так, как
на льду. Кровавый след за его телом показывал, что он

пытался уползти, но сил хватило ненадолго. Под его повернутым в траву лицом натекла большая лужа крови, где размокал теперь клобук.

Т. поднялся на ноги, посмотрел туда, где исчез снежный вихрь, и вдруг заметил в траве что-то желтое. Прихрамывая, он подошел ближе и увидел тот самый саквояж, который валялся на льду возле мертвого банкира-часовщика. Саквояж не был заперт — открыв его, Т. увидел ровные столбики завернутых в бумагу монет.

«А это кстати, — подумал он, — я ведь поиздержался...»

Когда он вышел на дорогу, уже совсем стемнело. Он чувствовал страшную, неземную усталость — словно на его плечах висело коромысло со свинцовыми ведрами, полными воды из Стикса.

Вскоре на тракте появился огонек — это был керосиновый фонарик на оглоблях телеги. Т. встал в самой середине дороги, чтобы мужик увидел его издалека и не испугался. Подъехав, телега остановилась.

— Подбрось, братец, — сказал Т. — Награжу.

— Куда свезти, барин?

— В Петербург. И быстро, братец, быстро.

Мужик немного подумал и кивнул. Т. забрался в телегу и накрылся скомканной попоной, лежавшей поверх сена.

Через несколько минут езды, когда его уже морило в сон, мужик спросил:

— А в Петербурге куда, барин? Он большой.

— К Достоевскому, — ответил Т. решительно.

— Достоевскому? — удивился мужик. — Шутить изволите, барин. Достоевский уж сколько лет как померли.

— Врешь...

— Вот те крест, барин.

— Тогда в гостиницу. В самую лучшую, на Невский.

— Сделаем.

«Однако, какой-то слишком удобный и вежливый мужик, — думал Т., засыпая. — Словно он последние десять лет каждый день выезжает на дорогу в надежде подобрать барина, только что переправившегося через Стикс: Верно, толстовец... Впрочем, в русском человеке всегда есть тайна, так почему бы не найтись такому именно мужику? Следовало бы, конечно, поработать над образом. Задуматься, как он рос, как влияли на его душу великие события в жизни нашего Отечества... Или лучше просто дам ему золотой, и ну его к черту, в самом деле».

ЧАСТЬ 2
УДАР ИМПЕРАТОРА

XVI

Ариэль стоял у большой белой тумбы с какими-то черными рукоятками и жарил яичницу на сковородке, под которой пылало ожерелье из веселых голубых огоньков. На нем было исподнее фиолетового цвета и стертые кожаные шлепанцы.

Т. стоял у него за спиной. Он не знал, где находится, но понимал, что быть здесь ему не положено и Ариэль сердится на него за незваный визит. В таких обстоятельствах почти не оставалось надежды тронуть демиурга за живое, но выбора не было, поэтому Т. говорил горячо и искренне, не выбирая выражений:

— Да вы хоть представляете себе, какая это мука — знать и помнить, что ты живешь, страдаешь, мучаешься с той единственно целью, чтобы выводок темных гнид мог заработать себе денег? Быть мыслящим, все понимать, все видеть — и только для того, чтобы существо вроде вас могло набить мошну...

— Вот вы как, — не оборачиваясь, качнул головой Ариэль. — Ну, спасибо.

Некоторое время стояла тишина, нарушаемая только шипением жира на сковородке. Потом Т. пробормотал:

— Извините, я сорвался. Не следовало этого говорить.

Ариэль примирительно кивнул.

— Конечно, не следовало, — сказал он. — Вы-то хоть правду про себя знаете. А другие совсем ничего не соображают. Ныряют с мостов, скачут на лошадях, раскрывают преступления, взламывают сейфы, отдаются прекрасным незнакомцам, свергают королей, борются с добром и злом — и все без малейшего проблеска сознания. Вот, говорят, у Достоевского характеры, глубина образов. Какие к черту характеры? Разве может быть психологическая глубина в персонаже, который даже не догадывается, что он герой полицейского романа? Если он такой простой вещи про себя не понимает, кому тогда нужны его мысли о морали, нравственности, суде божьем и человеческой истории?

— Он хотя бы не страдает, как я.

— Согласен, граф, — сказал Ариэль. — Ваше положение двусмысленно и трагично — но вы его понимаете! Потому понимаете, что я дал вам такую возможность. А у других ее нет. Вспомните-ка Кнопфа. В высшей степени порядочный человек. А ничего не понял, хоть вы ему полдня объясняли. До сих пор его жалко.

— Безысходность, — прошептал Т.

— А вы думаете, мне лучше? — усмехнулся Ариэль. — Я ведь вам постоянно твержу — я от вас ничем не отличаюсь. Вот только у вас жизнь интересная, а у меня нет.

— Мне отчего-то кажется, — отозвался Т., — что вы со мной лукавите, когда это говорите. Вы свободный человек, можете, если все надоест, сесть на пароход и уплыть в Константинополь. А меня даже нельзя назвать личностью в полном смысле. Так, бирка со словом «Т.», за которой прячется то один проходимец, то другой — в зависимости от требований ваших маркитантов. У вас есть свобода воли, а у меня нет.

— Свобода воли? — хмыкнул Ариэль. — Да бросьте. Это такая же тупая церковная догма, как то, что Солнце — центр вселенной. Свободы воли нет ни у кого, наука это тихо и незаметно доказала.

— Каким образом?

— Да вот таким. Вы что думаете, у настоящего человека — у меня, или там у Митеньки — есть личность, которая принимает решения? Это в прошлом веке так считали. В действительности человеческие решения вырабатываются в таких темных углах мозга, куда никакая наука не может заглянуть, и принимаются они механически и бессознательно, как в промышленном роботе, который мерит расстояния и сверлит дырки. А то, что называется «человеческой личностью», просто ставит на этих решениях свою печать со словом «утверждаю». Причем ставит на всех без исключения.

— Не вполне понимаю, — сказал Т.

— Ну смотрите, — ответил Ариэль. — Вот, допустим, ожиревшая женщина решает никогда больше не есть сладкого, а через час проглатывает коробку шоколада — и все это она сама решила! Просто передумала. Осуществила свободу воли. На самом деле какие-то реле перещелкнулись, зашел в голову другой посетитель, и все. А эта ваша «личность», как японский император, все утвердила, потому что не утверди она происходящее хоть один раз, и выяснится, что она вообще ничего не решает. Поэтому у нас полстраны с утра бросает пить, а в обед уже стоит за пивом — и никто не мучится раздвоением личности, просто у всех такая богатая внутренняя жизнь. Вот и вся свобода воли. Вы что, хотите быть лучше своих создателей?

— Куда мне с вами спорить, — тихо сказал Т. — Я ведь просто кукла. Совсем как этот черный паяц, с которым я беседовал у цыган... Собственно, вы и не возражаете. Вы просто говорите, что и вы тоже кукла.

— Правильно, — согласился Ариэль. — Но здесь не должно быть повода для отчаяния. Мы марионетки, и все наши действия можно свести к голой механике. Но никто не способен просчитать эту механику до конца, настолько она сложна и запутана. Поэтому, хоть каждый из нас по большому счету есть механическая кукла, никому не известно, какое коленце она выкинет в следующую секунду.

— Вот видите, — сказал Т. — Вы хотя бы можете выкидывать коленца.

— Батенька, да разве эти коленца мои собственные?

— А чьи же?

— Ну подумайте. Вот если вам, к примеру, захотелось Аксинью — разве можно сказать, что это ваш собственный каприз? Просто Митенька заступил на вахту. Ну а если мне захотелось взять кредит под двенадцать процентов годовых и купить на него восьмую «Мазду», чтобы стоять потом в вонючей пробке и глядеть на щит с рекламой девятой «Мазды», это разве моя прихоть? — Ариэль выделил интонацией слово «моя». — Разница исключительно в том, что вас имеет один Митенька, а меня — сразу десять жуликов из трех контор по промыванию мозгов. И при этом они вовсе не злодеи, а такие же точно механические куклы, и любого из них окружающий мир наклоняет каждый день с тем же угнетающим равнодушием.

— Но зачем люди проделывают это друг с другом?

Ариэль погрозил кому-то пальцем и выключил огонь под своей яичницей.

— Только кажется, что это люди делают, — сказал он. — В действительности ни в одном из этих людей нельзя отыскать реального деятеля даже с самой яркой лампой. Я ведь уже объяснил — вы там найдете только гормональные реле, щелкающие во тьме подсознания, и девайс с одной пружинкой, который шлепает свое «утверждаю» на все, что под него кладут.

— Вы как-то упрощаете, — сказал Т. — В человеке есть и другое.

Ариэль пожал плечами.

— Еще есть лейка, которая поливает все это эмоциями. Ею вообще может управлять любой приблудный маркетолог... Я вот, например, много раз замечал — смотришь какой-нибудь голливудский блокбастер, унылое говно от первого до последнего кадра, плюешься, морщишься — а потом вдруг вступает патетическая музыка, суровый воин на экране отдает салют девочке с воздушным шариком, и на глаза сами собой выступают слезы, хотя продолжаешь при этом плеваться... Как будто все предписанные движения души записаны на диске вместе со звуковой дорожкой и титрами. Это ведь только Гамлет думал, что на его клапаны сложно нажимать. С тех пор в Датском королевстве многому научились.

— Но кто нажимает на клапаны?

Ариэль подвигал в воздухе растопыренными пальцами.

— А кто нажимает на клапаны в шарманке? Рычаги. Вот и здесь такая же шарманка. Неодушевленная и бессмысленная, как вулканический процесс на Луне. Открою вам страшную тайну, даже самые могучие банкиры и масоны из мирового правительства — такие же точно механические апельсины. Всех без исключения вождей человечества заводит полный песка ветер, дующий над нашей мертвой необитаемой планетой.

— Но...

— Не спорьте, — перебил Ариэль печально. — Не надо, тут спорить бесполезно.

— Как же бесполезно, — волнуясь, сказал Т. — Ведь вы упускаете самое главное. У меня же есть несомненное и точное чувство, что я есть. Я есть! Слышите? Когда я вдыхаю воздух и чувствую запах вашей яичницы, во мне каждая клеточка кричит — я! Это я ощущаю! Разве не правда?

Ариэль поглядел на свой остывающий завтрак.

— Нет, — сказал он.

— То есть вы хотите сказать, что вот это самое ясное и несомненное из всех чувств — ощущение собственного бытия — тоже обман? Иллюзия?

— Конечно. И знаете, почему?

— Почему? — спросил Т.

— Да потому, — ответил Ариэль с оттяжкой, как бы нанося точно рассчитанный удар хлыстом, — что вы про самое главное забыли. Ведь возникает это несомненное и безошибочное чувство собственного существования не у вас, граф. А у меня. Ха-ха-ха-ха!

— Нет! — закричал Т. — Нет! Мучитель!

Он хотел схватить Ариэля за горло, но непонятная сила сковала его по рукам и ногам — словно Ариэль успел незаметно скрутить его веревкой.

Т. сделал несколько яростных движений и понял, что окончательно запутался — и чем сильнее он борется, тем крепче становятся узы. Тогда он закричал.

— Ваше сиятельство? — спросил где-то рядом предупредительный жирный баритон.

— Веревку, — прохрипел Т., — веревку сними!

— Это не веревка, — сказал баритон, — вы в простыне изволили запутаться. Душит за горло-с.

Т. с усилием высвободился из свалявшейся простыни и поднялся на локтях.

— Где я? — спросил он.

— Изволите быть в своем номере, — ответил стоящий у кровати лакей в ливрее. — «Hotel d'Europe», Петербург.

Т. некоторое время вглядывался в умытое утренним светом пространство своего люкса: золотые цветы-кресты на обоях, играющие с зефирами ангелы на лепнине потолка, дрожащая от сквозняка муслиновая занавеска балдахина над кроватью, — и наконец окончательно пришел в себя.

«Снова Ариэль! — подумал он с тоской. — Но что означает его появление? Неужто он пытается вновь вторгнуться в мою жизнь? Впрочем, вряд ли. Зачем ему? Он ведь бросил меня как мусор. К тому же он никогда мне раньше не снился, а всегда приходил наяву... Видимо, я создал его сам со всеми этими сновидческими бессмыслицами, которые он плел. Не следует придавать снам значения...»

Лакей все еще стоял рядом с кроватью.

— Чего тебе? — спросил Т.

— Приказали разбудить спозаранку, ваше сиятельство. Сказали, у вас две важные встречи. Первая в десять утра.

— А сейчас сколько?

— Семь, — ответил лакей.

— Вели подать кофе и завтрак.

— Уже подано-с. На столе-с.

Т. почувствовал запах кофе.

— Ну хорошо, спасибо, любезный, — сказал он. — Иди тогда. Да возьми себе целковый, деньги на зеркале.

— Спасибо, ваше сиятельство, — отозвался лакей.

— Что-то еще? — спросил Т., заметив, что тот медлит.

— Вас уже ожидают. Тот господин, которому назначено на вечер. Кажется, нервничают. Велите отказать?

Т. сел на кровати, свесив ноги к полу.

— Что за господин? — спросил он. — Гороховый?

Лакей кивнул.

— Но почему так рано?

— Не могу знать.

— Хорошо, — сказал Т. — Вели сказать, приму за завтраком — сразу, как умоюсь.

Через четверть часа, когда Т. в золотистом шелковом халате с кистями уже сидел за кофе, в номер вошел посетитель. Это был господин в гороховом пиджаке, неуловимо похожий на покойного Кнопфа (или, скорее, на его старшего брата — он был уже в годах).

— Присаживайтесь, э-э-э, — сказал Т. и указал на стул напротив.

При прошлой встрече гороховый господин представился Серафимом, но Т. по мере возможности старался не тревожить ангелов употреблением этого псевдонима, обходясь неясными звуками и местоимениями.

Гость сел, снял с головы котелок и положил его на колено.

— Я ждал вас вечером, — сказал Т. — Что произошло?

— Вчера я заметил слежку за собой.

— Вот как, — уронил Т. равнодушно. — Что бы это могло значить?

— Ничего хорошего, — ответил гороховый. — Обер-прокурор Победоносцев, сведения о котором вы поручили мне собрать, относится к высшему слою государственной бюрократии. И я предполагаю, что происходящим заинтересовались в Третьем отделении. Возможно, они думают, нигилисты готовятся к теракту.

— Это единственная причина, поднявшая вас в такую рань? — спросил Т.

— Нет, — ответил гороховый господин. — Выяснилось одно любопытное обстоятельство, и я решился предупредить вас.

— Какое же?

— У вас на сегодняшнее утро назначена встреча с монгольским медиумом Джамбоном Тулку. Так вот, мне удалось установить, что он тоже состоит в сношениях с Победоносцевым.

— Сударь, — нахмурился Т., — я поручил вам собрать сведения о Победоносцеве, но не поручал шпионить за мной.

Гороховый господин улыбнулся.

— Иногда в нашей работе это неизбежно, — сказал он. — Мы проверяем контакты персон, сведения о которых собираем, а порой и контакты этих контактов. Я мог бы вообще не упоминать об этом факте, но подумал, что он вызовет у вас интерес. Особенно если я осведомлю вас перед встречей с медиумом.

Т. кивнул.

— Давайте по порядку, — сказал он. — Начнем с главного. Вы установили то, что я просил?

Гороховый господин вынул из пиджачного кармана сложенный в несколько раз лист кальки, развернул его и положил на стол.

— Что это? — спросил Т.

— План дома, где живет Победоносцев. Улицы подписаны, но вот здесь, в уголочке, на всякий случай еще точный адрес — если вдруг решите ехать на извозчике. Квартира в шестом этаже, отмечена крестом. Сразу учтите — черный ход заколочен, вход и выход только по главной лестнице.

— А что это за красные кружки и линии?

— Канализационные люки и схема канализации. Видите, люк прямо около подъезда. В этом районе очень разветвленная сеть тоннелей, настоящие катакомбы. Прекрасный вариант отхода после дела.

— Милостивый государь, — сказал Т., — да с чего вы взяли, что речь идет о каком-то деле?

— Извините, — смутился гороховый, — сболтнул не подумав.

— Охрана?

— Дом не охраняется. Однако сам обер-прокурор находится под защитой вооруженных чернецов, состоящих с ним в одном тайном обществе. У них что-то вроде казармы в соседнем доме — в случае тревоги он телефонирует, и через пять минут они на месте. Для этого пришлось...

— Неважно, — перебил Т. — Вам удалось выяснить, что это за тайное общество?

Гороховый господин брезгливо улыбнулся и молвил:

— Содомиты-с.

— Почему вы так полагаете?

Гороховый пожал плечами.

— Да по опыту знаю, что за тайными обществами не стоит обыкновенно никакой другой тайны, кроме этой. Зачем им иначе тихариться?

— Может быть, это маскировка другой деятельности, еще более предосудительной.

Гороховый господин покачал головой.

— Вряд ли. Давать деньги в рост в наше время можно совершенно открыто — английский король за это даже в рыцари посвящает. А скоро, думаю, будет и за содомию. Только кому они теперь нужны, эти английские рыцари? Вот в газетах писали, в прошлом году в Манчестере...

Т. прервал его движением ладони.

— Пожалуйста, не отвлекайтесь, — сказал он. — На чем конкретно вы основываетесь, делая такое однозначное предположение? На каких фактах?

Гороховый господин переложил свой котелок с колена на стол, сунул руку во внутренний карман и вынул распухший конверт такого же горохового цвета, как и его пиджак. В конверте лежал какой-то цилиндрический предмет.

— Что это? — спросил Т.

— Ответ вашего монгольского медиума на запрос, посланный ему Победоносцевым. Выкрал из почтового ящика обер-прокурора с большим риском для себя. Самого запроса не имею, но по ответу все ясно.

Т. открыл конверт. Внутри был сложенный лист бумаги и цилиндр, покрытый блестящим белым материалом.

— Валик фонографа?

— Точно, — подтвердил гороховый.

Т. развернул бумагу и прочел:

Ваше Превосходительство господин Победоносцев!

В ответ на ваш запрос спешу сообщить следующее. Насколько мне известно, учение тибетских лам никак специально не объясняет того обстоятельства, что красивые юноши часто склонны к мужеложству. Как частное лицо, однако, могу предположить следующее. При жизни большинство мужеложцев страстно устремляется к красивым мальчикам, ибо таков идеал подверженных этому пороку. Когда же порок достигает такого накала, что захватывает самую сердцевину человеческого существа, даже смерти бывает мало, чтобы охладить сей пыл, и он переносится в следующую жизнь, где обыкновенно сбывается самое сильное желание, не исполненное в прошлой — и, таким образом, грешник сам перерождается своим бывшим идолом. Однако при этом обнажается вся обреченность круговорота человеческих устремлений: тот, кто ранее усмыкался за смазливыми юношами, становится объектом нечистого интереса сам. Поистине, какова тщета — что есть краса юности, как не источник угрозы для зада? И так, Ваше Превосходительство, из жизни в жизнь.

К сему прилагается записанная на барабан фонографа тибетская старинная песня «Как согрешил я ртом, в тот год мой лама помер». Поет йогин Денис Быкососов, традиция Бон.

Примите и проч.
Урган Джамбон Тулку VI

— Валик поврежден, — сказал гороховый господин озабоченно. — Видите, эта длинная царапина? На ней щелкает, но слушать можно. Что-то очень странное — низкое мычание и шорох. Но на душе сразу делается тревожно.

Т. секунду подумал.

— Вы сказали, что этот медиум состоит в сношениях с Победоносцевым. Вы имели в виду...

— Нет, что вы, — сально улыбнулся гороховый. — Просто фигура речи. Обер-прокурор Победоносцев увлекается спиритизмом, и контакты ламы Джамбона с ним носят строго профессиональный характер. Лама ведет сеансы как спирит. Тем не менее я решил сообщить вам об их знакомстве.

— Спасибо, — помолчав, сказал Т. — А этот лама действительно хороший медиум?

— В спиритических кругах утверждают, что в Петербурге ему нет равных. Он якобы способен не только вызывать духов, но еще и читать в сердцах и видеть помыслы...

— И это так и есть, — раздался вдруг тихий, но отчетливый голос, — разумеется, в определенных пределах...

Т. и гороховый господин обернулись одновременно.

В дверях стоял невысокий плотный мужчина с обритой наголо головой, довольно молодой, в темно-красной рясе такого цвета и покроя, что, выделяя его среди одетых по-городскому людей, она в то же время не привлекала к нему слишком пристального внимания, напоминая немного вычурное и яркое летнее пальто. В одной руке он держал завернутую в газеты и перевязанную бечевкой картину приличных размеров, другой перебирал крупные деревянные четки.

— Господин Джамбон, — сказал Т. — Я не ждал вас так рано — мы, кажется, назначили на десять.

— Как вы догадались, граф, возникли новые обстоятельства.

И лама кивнул на горохового. Тот взял со стола свой котелок и напружинился, приготовившись не то к драке, не то к бегству.

— Я слышал вашу беседу с этим господином, граф, — сказал лама, — поэтому к вам претензий не имею. К вам, сударь, — лама повернулся к гороховому, — у меня тоже нет вопросов, как не может их быть к волку за то, что он крадет телят. Однако мне нужны эти материалы, поскольку их ждет клиент. Вы позволите...

Джамбон подошел к столу, взял с него валик фонографа и адресованную Победоносцеву записку, сложил их обратно в конверт и сунул в карман своей пальтообразной рясы.

— Деньги в сумке на зеркале, — сказал Т. — Там империалы — возьмите сколько нужно и ступайте...

Эти слова были адресованы гороховому господину, который успел переместиться к самой входной двери. Тот не заставил просить себя дважды — звякнув несколько раз монетами, он поклонился Т., вышел из номера и закрыл за собой дверь.

Т. повернулся к ламе и сделал виноватое лицо.

— Сударь, позвольте принести вам самые искренние извинения, я в ужасной растерянности... Поверьте, это недоразумение — я не давал никаких распоряжений касательно вас.

Лама Джамбон поставил портрет на стул и сказал:

— Пустое, граф, — я уже говорил, к вам претензий нет. Это вы должны извинить, что я беспокою вас раньше, чем было назначено. Пришлось самому нанимать шпиков, чтобы проследить за этим воришкой. Вы не передумали проводить опыт?

— Я? Нет... Если, конечно, после случившегося...

— Пока ничего не случилось, — сказал Джамбон. — Взаимоотношения моих клиентов друг с другом меня не касаются, и я никогда в них не вмешиваюсь. Итак, вы готовы?

— В общем да, — ответил Т. — Я, правда, не вполне себе представляю...

Джамбон вынул из кармана маленький ножик, перерезал стягивающую портрет бечевку, разрезал бумагу и, словно кожуру, стянул газетную упаковку на пол.

Т. увидел поясной портрет Достоевского — тот был изображен в натуральную величину, в академической и несколько официозной манере — с тем щедрым добавлением волос, подкожной мускулатуры и здорового румянца, на которые никогда не скупится благодарное потомство.

— Зачем это? — спросил Т.

— Таков мой метод работы с духами, — ответил Джамбон.

— Скажите, а как вы вообще можете вызывать дух умершего? Он ведь, по вашим верованиям, перерождается?

Джамбон посмотрел на Т.

— По моим? — спросил он с удивлением.

Т. почувствовал легкую неловкость.

— Ну вы же буддист. А в буддизме, насколько я знаю, верят в перерождения души. Там даже есть ламы-перерожденцы.

— Верно, — сказал Джамбон, — я и сам лама-перерожденец.

— Так как же вызывать дух? Вдруг он уже воплотился — например, в этого сыщика, укравшего ваше послание из ящика Победоносцева? И мы будем искать Достоевского где-то в астральном мире, не догадываясь, что он минуту назад был рядом с нами...

— Вы верите во всю эту чушь? — поднял брови Джамбон.

Т. растерялся.

— Я... Не знаю, право. Я полагал, что вы верите. Это ведь не я лама-перерожденец, а вы.

Джамбон снисходительно улыбнулся.

— Если вы не в курсе, граф, учение о перерождении лам связано исключительно с наследованием феодальной монастырской собственности.

— Вы говорите это как лама? — удивился Т.

— Я говорю это как лама, который никогда не обманывает серьезных клиентов. Потому я и беру так дорого.

— То есть, — сказал Т. с любопытством, — вы вообще не верите в реинкарнации?

— Не совсем, — ответил Джамбон. — По моим представлениям, перерождается не отдельная личность, а Абсолют. То есть не Карл после смерти становится Кларой, а одна и та же невыразимая сила становится и Карлом, и Кларой, и возвращается потом к своей природе, не затронутая ни одним из этих воплощений. Но на самом деле, конечно, про Абсолют нельзя сказать, что он перерождается или воплощается. Поэтому на эту тему лучше вообще не говорить.

— А как же быть с воспоминаниями о прошлых жизнях?

Джамбон пожал плечами.

— Остатки чужих рождений содержатся в том питательном культурном бульоне, из которого возникает наша временная земная личность. Как стебли мертвой травы в перегное. Но если к вашей подошве прилипает нарзанная этикетка, это не значит, что в прошлой жизни вы были нарзаном.

— Но ведь все ваше учение...

— Да-да, — отозвался Джамбон. — Можете не продолжать. Будда говорил в джатаках — «когда я был Бодхисаттвой, когда я был царевичем...» Как я уже сказал, один и тот же абсолютный ум был нами всеми. Поэтому тот из нас, кто сам становится этим абсолютным умом, может в воспитательных целях вспомнить все, что захочет. Или, во всяком случае, сказать все, что захочет.

— А в чем тогда заключается наказание для грешника, если он не перерождается в аду?

— Наказание в том омерзительном состоянии ума, в котором он пребывает до смерти. Оно и есть ад. Все это просто метафора происходящего с нами в жизни. Впрочем, граф, если очень постараться, можно действительно переродиться в аду. Для абсолютного ума возможно абсолютно все.

— Хм, — сказал Т., — какие интересные бывают ламы-перерожденцы. Никогда бы не подумал.

— Я не совсем обычный лама-перерожденец, — улыбнулся Джамбон. — Но это не имеет отношения к нашему опыту. Если вы, конечно, еще не раздумали.

— Отнюдь. Моя решимость тверда как никогда. Но откуда, в таком случае, мы будем вызывать дух Достоевского?

— Если угодно, — сказал Джамбон серьезно, — мы обратимся к тому самому абсолютному уму, о котором я говорил. И попросим его помыслить интересный вам аспект реальности — чем бы он ни оказался. Поскольку вас интересует контакт с Федором Достоевским, я приготовил этот портрет в качестве, так сказать, дорожного указателя.

— Интересно. А как вы думаете, абсолютный ум не рассердится, что его беспокоят за деньги?

— Не волнуйтесь, — ответил Джамбон, — даже если это произойдет, проблемы возникнут не у вас, а у меня.

— А где мы будем искать абсолютный ум? — спросил Т.

— Вы обнаружите его в себе. Но только на короткое время и с моей помощью. Ну что, начинаем?

Т. кивнул.

— Тогда слушайте внимательно. Переживания во время опыта могут быть довольно необычными. Поэтому, если вы хотите получить ответ на конкретный вопрос, сформулируйте его заранее в простой и ясной форме. Одно-два слова, максимум три. И повторите эту фразу несколько раз, чтобы не забыть.

— У меня такая фраза уже есть, — ответил Т.

— Можно ее услышать?

— Она вам ничего не скажет. Извольте — «Оптина Пустынь». Ну или «Оптина Пустынь соловьев». Это то, о чем я собираюсь спросить Достоевского, поскольку именно он употребил это выражение впервые.

— Хорошо, — сказал Джамбон, — мне действительно непонятно, но главное, чтобы понимали вы. Теперь одно условие. Я хотел бы на время опыта привязать вас к стулу.

Т. нахмурился.

— Это еще зачем?

— Дело в том, — ответил Джамбон, — что используемые мной субстанции часто действуют непредсказуемо, и случается...

— Субстанции? Какие субстанции?

— Я дам вам проглотить специальное тибетское снадобье.

— Позвольте, — сказал Т., — вы, значит, хотите накормить меня какой-то отравой, да еще и к стулу привязать?

— Вы мне не доверяете?

— Тут не в вас дело. У меня немало недоброжелателей, и полагаться приходится только на себя. Если меня застанут, извините, привязанным к стулу... Не то чтобы я ожидал подобного развития событий, но рисковать я не могу.

Джамбон погрузился в раздумья.

— Скажите, — спросил Т., — это ваше снадобье влияет на способность двигаться? Владеть своим телом?

— В том и дело, что нет. Но само ваше восприятие претерпит серьезные изменения, и для вашего блага...

— Мне лучше знать, в чем мое благо, — ответил Т. — Можете вы проделать опыт, не привязывая меня к стулу?

— Это опасно. И для вас, и для меня.

— Почему?

— Во время опыта вам, возможно, будет казаться, что вы перемещаетесь в пространстве. Чтобы ваше тело не совершало рефлекторных движений, его надо удерживать...

Сказав это, Джамбон смерил фигуру Т. оценивающим взглядом.

— Веревки, конечно, надежнее, — сказал он, — но думаю, что при одной пилюле справлюсь и так. Насколько это условие для вас важно?

— Оно решающее.

— Тогда я попрошу тройную плату. И деньги вперед.

— Приятно говорить с деловым человеком, — улыбнулся Т. — Возьмите сами, сумка с империалами на зеркале...

Пока Джамбон отсчитывал монеты (это заняло у него довольно много времени), Т. подошел к стоящему у стены серванту, встал так, чтобы Джамбон не видел его рук, и открыл ящик. Внутри лежал металлический конус с желтой кнопкой капсюля и выгравированным на плоском дне словом «Безответная». Это была вторая бомба — единственное, что осталось у Т. из снаряжения, присланного из Ясной Поляны.

«Первая, кажется, называлась «Безропотная», — подумал он, — и ведь правда, никто потом не роптал. А тут, надо полагать, никто не ответит. Кузнец де Мартиньяк постиг непротивление весьма глубоко. Жалко разбрасываться такими красивыми вещами, но если этот Джамбон предатель...»

Взяв бомбу, Т. незаметно положил ее в карман. Когда он вернулся на свое место, лама, как раз закончивший подсчет денег, спрятал кошель с монетами в недра своей рясы и улыбнулся.

— Все в порядке, — сказал он. — Процедура весьма проста по внешним формам, и мы можем начинать...

Откуда-то в его руке появился небольшой пестрый узелок. Он развязал его (мелькнул платок с мрачной религиозной вышивкой — синие трехглазые лица, языки пламени, какие-то темные горы) и поставил на стол перед Т. маленькую шкатулку-череп из серебра с бирюзой. Голубые глаза черепа посмотрели на Т. с выпученным недоумением.

— Откройте, — велел Джамбон.

Т. откинул крышку черепа.

Внутри лежали три пилюли, по форме немного похожие на бомбу в кармане у Т. — каплевидные, размером с ноготь, темно-серого цвета, с вкраплениями мелко измолотой сухой травы.

— Что это? — спросил Т., вынимая одну из пилюль и поднося ее к глазам.

— «Слезы Шукдена», — ответил Джамбон. — Шукден, если вам любопытно, это личный дух-охранитель Великого Желтошапочного Ламы из дворца Потала.

Как вы понимаете, наилучшая рекомендация из всех возможных.

— Из чего они сделаны?

— Из смеси более чем ста разных трав, корней и субстанций. Точный состав веками держится в секрете.

Т. заметил, что в дне шкатулки выбиты углубления под каждую пилюлю — слезы как бы падали в три разные стороны из общего центра.

— Почему именно три? В этом есть смысл?

— По числу глаз, — объяснил Джамбон. — Мирянам рекомендована одна пилюля, поскольку они смотрят на мир как бы одним подслеповатым глазком. Утвердившемуся на духовном пути можно проглотить две, ибо у него открыты оба глаза. А три дозволяется принимать только тому, у кого открыт глаз мудрости. Но ему никакие пилюли вообще не нужны, поэтому третья добавлена в ритуальных целях — такова традиция. Вам следует принять одну. Или, с учетом того, что мы проводим опыт без веревок, половину.

— Нет, — сказал Т., — две.

— Разве вы человек пути?

Т. кивнул.

— Можно спросить, что вы на нем постигли?

Т. пристально поглядел на Джамбона.

«Рассказать все? — подумал он. — Впрочем, времени нет...»

— К примеру, милостивый государь, — ответил он чуть надменно, — я постиг, что эту Вселенную вместе с городом Петербургом и присутствующим здесь ламой Джамбоном я сотворил сам, мистически действуя из абсолютной пустоты. Я есть отец космоса и владыка вечности, но не горжусь этим, так как отчетливо понимаю, что эти видимости суть лишь иллюзорные содрогания моего ума.

Джамбон внимательно уставился на Т. — куда-то в точку над его бровями. Он глядел туда долго, почти минуту, и на его лице постепенно проступало замешательство пополам с уважением, словно у кочевника, впервые увидевшего автомобиль.

— Интересно, — сказал он. — Я слышу подобные слова довольно часто, но люди, произносящие их, обыкновенно в глубине души сами понимают, что врут. Вы же по всем признакам говорите правду... Не знаю, граф, по какому пути вы идете, но вам определенно можно принять две пилюли. Никаких возражений. И для меня, поверьте, большая честь служить вам в качестве проводника. Вот только опыт займет много времени — препарат будет действовать до самого вечера. Поэтому я предлагаю начать незамедлительно...

Встав, он подошел к серванту, налил стакан воды из графина и вернулся к Т.

— Запейте, — сказал он, — пилюлям нужно некоторое время, чтобы подействовать. Я успею дать дальнейшие объяснения. Для вас все будет просто.

Поборов колебания (было уже непонятно, зачем он только что настоял на двух пилюлях), Т. положил серые конусы в рот и запил их водой. Они совсем не имели вкуса и казались сделанными из воска.

Джамбон развернул стул с портретом Достоевского так, чтобы тот оказался прямо напротив Т.

— Теперь, — сказал он, — смотрите ему прямо в лицо. Представьте, что это живой человек, сидящий напротив. Вслед за этим попытайтесь отбросить всякую двойственность — станьте этим человеком сами. Постарайтесь перенестись в его мир... Задайтесь вопросом, что видели эти глаза, когда были еще живы...

— У меня есть представление о том, — сказал Т., вглядываясь в портрет, — что эти глаза видят сейчас.

— Это еще лучше, — ответил Джамбон. — Что это? Река огня? Ледяная пустыня, небесный сад?

— Город, — сказал Т., не отводя глаз от зрачков Достоевского, — некий город. Отдаленно похожий на наш, но населенный ходячими мертвецами.

— Отлично! — воскликнул Джамбон с воодушевлением. — Тогда действуйте так. Сначала постарайтесь увидеть город с высоты птичьего полета. А потом плавно переместитесь на какую-нибудь из улиц.

— А каким образом это сделать?

Джамбон поглядел на Т. с недоумением.

— Посредством личной майи, — ответил он. — Как же еще?

Т. почувствовал, что, начав расспросы, можно быстро подорвать с таким трудом созданную мистическую репутацию. Но спрашивать, как оказалось, не было необходимости.

— Уже вижу, — удивленно прошептал он. — Да, вижу...

Это походило на сон наяву: Т. действительно видел Петербург Достоевского примерно с высоты крыш. Не столько, впрочем, видел, сколько представлял или вспоминал — но город воспринимался вполне отчетливо. Его можно было разглядывать, перемещая внимание от одной детали к другой.

Дома выглядели заброшенными и мрачными. На улицах не было ни прохожих, ни экипажей — один только раз вдалеке проехала повозка, похожая на морскую раковину из-за торчащих по бокам длинных железных шипов. Изредка в мостовой открывались канализационные люки, и от них к подъездам пробегали господа в измазанных побелкой сюртуках. Стены домов были покрыты пятнами грязи, ругательствами и нечитаемыми граффити, уныло однообразными в своем радужном плюрализме.

Т. почувствовал необходимость что-то сказать.

— А ведь провинция живет иначе, — пробормотал он. — Беднее — да. Но все же как-то чище, человечнее... И воздух определенно лучше.

— Не отвлекайтесь, — сказал Джамбон. — Вы должны представить какой-нибудь ориентир, возле которого произойдет встреча. Можете?

— Да, — ответил Т. — Там была поваленная елка с новогодними игрушками.

— Вы ее видите?

— Пока нет. Только какой-то туман.

Улицы действительно заполняла дымка неприятного зеленоватого оттенка.

— Не смотрите в туман ни в коем случае, — велел Джамбон. — Глядите в небо. А потом, когда дух успокоится, опять смотрите вниз. Ищите скорей свою елку, я вижу, что скоро вы окончательно перенесетесь. Повторяю, необходимо отбросить всякую двойственность.

— Постараюсь, — сказал Т. и поднял глаза в небо.

Над городом плыли два круглых облака, похожих на бугристые и преувеличенно мясистые лица с гравюры Дюрера. Одно лицо, казалось, принадлежало старому длинноволосому мужчине, другое было круглым и молодым, и оба смотрели на Т. с бесчеловечным равнодушием вечности, которое не исчезло даже тогда, когда сами лица размыл ветер.

«У них двухголовый император, — вспомнил Т. — Может, это иллюминация к празднику. Должны ведь у них тут быть какие-то праздники... Однако где эта поваленная елка? Да вот же она...»

XVII

Такого Достоевский не видел давно. А если разобраться, вообще никогда не видел.

Прямо перед окопом, всего в трех шагах, стоял неизвестно откуда взявшийся монгольский бонза в темно-красной рясе и, не отрываясь, смотрел ему прямо в глаза.

Бонза был безоружен и явно пришел не с Запада, однако Достоевский все равно разозлился.

Во-первых, непонятно было, каким образом служитель злых духов подкрался так близко к огневой позиции. Окажись на его месте, например, зомбомичман — кинул бы в окоп бескозырку со змеиными лентами, и поминай как звали.

Во-вторых, Достоевский вспомнил рассказ начальника таможни о ядах, которые перехватывали возле Окна в Европу (тот, как и многие таможенные служащие, по юности баловался Дзогченом[1], но в зрелые годы вернулся в лоно церкви).

— Рынок все человеческое в жизни убил, — жаловался начальник. — До реформы такая травка была... Всякая-разная. Иной раз зеленая, киргизская. Иногда салатовая — узбекская. Или совсем темная — с Кавказа. С Дальнего Востока тоже доходила, с такой приятной прорыжинкой. И каждая по-своему вставляла, легонько, как шампанское. Гуманитарно, солнечно... А сейчас? Вот придумали в Амстердаме эти шишки, которые на воде растут. А что до Петербурга доходит? Людям рассказать, так никто бы и не курил. Жулики в грязном подвале берут веник, опускают в ведро с синтетическим канабинолом, потом нарезают и продают как селекционный голландский продукт. Она мокрая даже, дрянь эта, и со временем как бы плесневеет — на ней такая белая пленка появляется. Только пленка эта — не плесень, а высохшая химия. Штырит как конкретная гидра. Но пуста, как природа ума в тибетском сатанизме. А уж какой для здоровья вред, про то вообще никто не знает...

И вот теперь этот сатанизм собственной персоной стоял прямо перед окопом и бесстыдно глядел в глаза.

— Ты чего здесь делаешь, косоглазый? — спросил Достоевский.

Лама не ответил, только попятился, и в его глазах появилась опаска.

— Ну, я тебе покажу, — пробормотал Достоевский и одним прыжком выскочил из окопа.

Драка, однако, не задалась. Лама оказался ловкий, как обезьяна, и все хватал за запястья, так что Достоевский со всей злобы несколько раз долбанул его лбом

---

[1] Городская фольклорная традиция в современном ламаизме (*прим. ред.*).

по бритому черепу. Тогда лама побежал. Достоевский долго гнался за ним — сначала по гранитным лестницам возле набережной, а потом по боковой улице. Лама, однако, бежал очень быстро.

Вдруг Достоевский сообразил, что весь спектакль могли затеять именно с целью выманить его из окопа. Чертыхнувшись, он так же быстро помчался назад. Вернувшись на огневую, он надел очки и припал к прицелу — и успел как раз вовремя, чтобы увидеть немыслимое.

С Запада шел человек.

То есть с Запада много кто ходил, особенно в последнее время, но бородатый мужчина в золотом шелковом халате, кажется, не был мертвой душой. Во всяком случае, желтого ореола вокруг его фигуры святоотческий визор не показал.

У Достоевского мелькнула мысль, что потеряла силу святая вода между линзами — от близости к мозгу, по греховным помыслам. Говорили, такое бывает.

Он перевел взгляд на западный берег Невы, видный в просвете между домами. Там мертвые души ходили пачками, не опасаясь. Визор работал — вокруг крохотных силуэтов дрожало размытое, но отчетливое желтое сияние. Достоевский перевел взгляд на бородача в халате. Ореола вокруг него по-прежнему не было.

«Нет, — понял Достоевский, — это не мертвяк...»

Бородач, похоже, знал, что за ним следят — улыбнувшись, он помахал рукой. Достоевский был уверен: ни его самого, ни блеска прицельной линзы нельзя заметить среди рыжих еловых веток и разноцветных стеклянных шаров. Однако бородач еще раз улыбнулся и кивнул, словно подтверждая, что Достоевский не ошибся.

«Интересно, — подумал Достоевский. — С Запада, и не мертвяк... Кто же это тогда? Может, наш разведчик возвращается?»

Заверещал дозиметр.

Достоевский глотнул теплой водки и задумался. Трупы мертвяков, лежащие на мостовой под надписью «СОТОНА ЛОХЪ», уже почти распались на элементы, превратившись в прикрытые клочками материи холмики праха, но все-таки были еще видны.

«Не, точно не мертвяк, — решил он. — Мертвяки самое раннее к вечеру пойдут — когда этих развеет... А совсем точно, когда водка кончится».

Достоевский давно заметил странную вещь — новая партия спиртного прибывала как раз тогда, когда кончалась прежняя. Это не зависело ни от количества захваченной прежде водки, ни от числа поверженных мертвых душ, ни от уровня радиации. Стоило выпивке кончиться, и на штурм огневой позиции снова брела нагруженная алкоголем компания мертвецов. Старец Федор Кузьмич полагал, что это явное доказательство бытия Божия. В качестве другого доказательства он указывал на красные бочки с бензином, всегда необъяснимо оказывающиеся в таких местах, где одним выстрелом можно было сжечь целую группу мертвяков. (Говоря об этих бочках, Федор Кузьмич всегда приходил в волнение: Сим победиши! — повторял он взволнованно. — Сим победиши!) Достоевский не знал, как тут насчет догматики, но с практической точки зрения Федор Кузьмич был прав.

Бородатый человек в халате, таким образом, появился совершенно не вовремя — однако он подходил все ближе и ближе. Судя по всему, оружия у него не было.

«Да что же это за день такой, черт его возьми? — подумал Достоевский. — Ладно. Сейчас узнаем, в чем дело...»

Сняв очки, он положил их на специальную полочку на стене окопа. Затем взял топор, неспешно вылез на бруствер, перебрался через елку и вышел на открытое пространство.

Незнакомец в халате снова помахал ему рукой и бесстрашно пошел навстречу. Достоевский поставил топор на мостовую, оперся на его рукоять и сделал непроницаемое лицо. Незнакомец остановился в десятке шагов.

— Здравствуйте, Федор Михайлович!

Достоевский выпучил глаза.

— А откуда вы знаете, милостивый государь, что я Федор Михайлович?

— Помилуйте. Такой элегантный господин с двуручным топором. Кто ж это может быть, как не знаменитый Достоевский?

— Ну, например, какой-нибудь плотник, — сказал Достоевский. — Или, хе-хе, мясник... А вы кто будете?

— Сложный вопрос, — ответил человек в халате. — Обычно меня называют графом Т.

— Вот оно что, — промолвил Достоевский с еле уловимым сарказмом. — Граф Т., значит... А я вас по-другому представлял.

— И как же?

— Да как графа Т. обычно изображают. В соломенной шляпе, с двумя револьверами.

— Это уже в прошлом, — ответил Т. — Сейчас все иначе. Можете считать, я вернулся с того света.

«Мертвяк, — подумал Достоевский и нахмурился. — Сам признается, такое редко бывает. Чего тут сомневаться».

— Вот как? — сказал он. — И какая же сила заставила вас проделать столь обременительное путешествие?

— Интерес к вам, Федор Михайлович.

— Лукавите, граф, — хмыкнул Достоевский, — наверняка у вас имеются и другие виды.

— Возможно, — согласился Т.

Достоевский стал медленно обходить Т. слева, чтобы отрезать ему путь к отступлению.

— Так вот вы, значит, какой, — проворковал он приветливо. — А знаете, хорошо, что мы встретились. Меня всегда занимал вопрос, долго ли боевое искусство графа Т. выстоит против моего топора. Вот только проверить это не было возможности...

Т. улыбнулся.

— Я ведь тоже кое-что про вас слышал, Федор Михайлович. Некоторые даже считают вас непобедимым. Возможно, в этом городишке вам действительно нет равных... К вашим услугам.

Достоевский поклонился, неторопливо расстегнул бушлат и скинул его с плеч, оставшись в черной косоворотке. Затем, заведя топор за спину, пригнулся к самой земле, словно первый поклон показался ему недостаточно глубоким.

Т. вежливо наклонил голову в ответ.

— Идиот! — выдохнул Достоевский.

— Простите? — недоуменно поднял бровь Т.

С Достоевским происходило что-то странное. Он уставился на скомканную бумажку, которую ветер катил по мостовой слева от Т., и на его лице отобразился интерес, быстро переросший в какую-то обиженную жадность. Он сделал к бумажке шаг, наклонился за ней, неловко покачнулся и взмахнул топором, чтобы сохранить равновесие — а в следующую секунду лезвие просвистело в том месте, где только что была голова Т., в последний момент успевшего пригнуться.

Достоевский проворно шагнул в сторону, прижал топор к груди, закрыл глаза и произнес:

— Бобок!

И тут же, словно деревянная статуя, плашмя упал навзничь.

Т. стал ждать, что будет дальше. Но не происходило ничего: Достоевский лежал на спине, сжимая топор и выставив в небо бороду, которую ворошил ветер.

Подождав минуту или две, Т. позвал:

— Федор Михайлович!

Достоевский не ответил.

— Вы, может быть, ударились? Если нужна помощь, дайте знать!

Достоевский не отзывался. Он был похож на древнего викинга, плывущего в вечность на погребальной ладье — только этой ладьей был весь раскинувшийся вокруг город.

Т. сделал к нему осторожный шаг.

— Федор Михайлович!

Лезвие прошелестело в том месте, где миг назад были ноги Т. — как и в прошлый раз, он еле успел убраться с траектории удара. Резкий взмах топора нарушал, казалось, все законы физики: было непонятно, как Достоевскому удалось перейти от полной неподвижности к такой ошеломляющей скорости.

Инерция взмаха помогла Достоевскому вскочить на ноги. Заведя топор за спину, он повернул в сторону Т. открытую ладонь и крикнул:

— Идиот!

И тут же его глаза снова как бы потеряли Т. из виду. Достоевский сделал несколько неуверенных шагов, поднял взгляд, и на его лице изобразился испуг, будто он заметил что-то тревожное в небе. Он обеими руками занес над головой топор и побежал в сторону Т.

«Ну довольно», — подумал Т.

Точно рассчитав момент, он подцепил носком лежащий на земле бушлат Достоевского и подбросил его вверх.

— Холстомер! — крикнул он.

Бушлат развернулся в воздухе и накрыл Достоевского темной волной — она задержала его лишь на миг, но за этот миг Т. успел уйти в низкую стойку. Освободившись, Достоевский обрушил на голову Т. страшный удар, от которого — это было уже ясно — невозможно было увернуться. За миг до удара Достоевский привычно зажмурил глаза, чтобы в них не попали брызги.

Вмявшись во что-то мягкое, топор качнулся и замер — однако треска черепной кости Достоевский не услышал. Открыв глаза, он недоуменно уставился на жертву.

Увиденное было так неправдоподобно, что мозг некоторое время отказывался утвердить это в качестве реальности, пытаясь проинтерпретировать дошедшие до него нервные стимулы иначе. Но это было невозможно.

Т. сжимал лезвие топора ладонями, удерживая острие всего в вершке от головы. Достоевский попытался вырвать топор, но его лезвие словно зажали в тисках.

— Коготок увяз, всей птичке пропасть! — прошептал Т.

Достоевский побледнел.

— Вы, похоже, и правда граф Т...

Пристально глядя Достоевскому в глаза, Т. повернул лезвие вбок, заставив Достоевского изогнуться, неловко искривив руки.

— Однако сложилась преглупая ситуация, — сказал Достоевский. — Я не могу вырвать топор, а вы... Вы не можете его отпустить. И ударить меня тоже не можете.

Т. изумленно поднял бровь.

— Почему?

— Как почему. Потому что это будет предательством вашего собственного идеала.

— Pardonnez-moi?

— Ну как же, — сказал Достоевский, постепенно краснея от усилия (он все пытался пересилить Т. и вырвать топор), — непротивления злу насилием.

— Ах вот вы о чем, — отозвался Т., тоже наливаясь темной кровью. — Да, немного есть. Только какое же вы зло, Федор Михайлович? Вы — заблудившееся добро!

Достоевский успел только заметить, как стопа Т. в легкомысленном стеганом шлепанце оторвалась от земли. В следующий миг сильнейший удар в самую середину бороды поднял его в воздух и отбросил в бархатную беззвучную темноту.

Когда Достоевский пришел в себя, он лежал на дне маскировочной ямы. Т. сидел напротив, устроившись на ящике от патронов, и внимательно изучал трофейный топор. Увидев, что Достоевский открыл глаза, он ткнул пальцем в лезвие и сказал:

— «Izh Navertell». На каком это языке? Never tell, что ли? Какой-то «пиджин инглиш»...

— Это русский, — ответил Достоевский, хмуро оглядываясь. — Просто написано латиницей. Ижевская работа, штучный. Модель «Иж навертел». В каталоге нет, сделали лично для меня из сплава дамасской стали с серебряной папиросницей. Специально на юбилей.

— Понятно, — сказал Т. и отложил топор в сторону.

— Как вы здесь очутились?

— Так я ведь прибыл по вашему пожеланию, Федор Михайлович, — ответил Т. чуть смущенно.

Достоевский выпучил глаза.

— По моему пожеланию? Вы изволите путать. Не поймите меня превратно, я ужасно рад и польщен, но вот чтобы я высказывал пожелание... Постойте, постойте... Конфуций?

Т. кивнул.

— Чистосердечный друг, который много знает? — вскричал Достоевский, и его лицо прояснилось. — Да-да, было. Но чтобы вы, граф, да еще собственной персоной... Не мог и мечтать. А я на вас с топором полез, каков дурень!

Раздалось жужжание дозиметра, и Достоевский нахмурился.

— Надо немедленно выпить, — сказал он. — Хотя бы по глотку.

— Вообще-то я избегаю, — ответил Т., принимая бутылку, — но ради такого случая... И если только по глотку. Извольте.

Допив водку, Достоевский дождался, пока дозиметр утихнет.

— Ну что, чистосердечный друг, — сказал он, — говорите теперь всю правду.

— Вам не понравится, Федор Михайлович, — махнул рукой Т. — Люди ее редко любят, по себе знаю.

— А вы попробуйте.

— О чем же вам сказать?

— Да начните с чего хочется.

— Хорошо, — согласился Т.

Встав, он подошел к стопке бумаг у стены, поднял засаленный номер «Эцуко» и повернул обложку к Достоевскому.

— Это не вы на обложке, Федор Михайлович. Это Игги Ло. Или, если полностью, Игнатий Лопес де Лойола, основатель ордена иезуитов. К годовщине со дня рождения напечатали. А бородищу вы ему сами подрисовали остро отточенным карандашом. Волосок к волоску. Кропотливейшая работа.

Достоевский смутился.

— Зачем же сразу так, — отозвался он тихо, — ниже пояса-то...

— И все эти ваши «правила смерти» никто в журнале не печатал, Федор Михайлович, — безжалостно продолжал Т. — Вы их тем же карандашиком написали, на рекламной вкладке, где пустого места много. Долго сидели, а? Печатными буковками, бисерными... А заголовок какой жирный. Целый карандаш, поди, извели.

Достоевский покраснел, а потом пересилил себя и усмехнулся.

— Спасибо за правду, — сказал он иронично. — Дождался, да. Согласен, глупо. Только мне ведь и самому смешно — думаете, я всерьез? Скучно тут. Сидишь целый день в засаде, охраняешь святые рубежи — бывает, и подурачиться тянет. Тут, знаете, кроме мертвых душ стыдиться особо некого.

— Мертвых душ? — повторил Т. — Это еще кто?

— Да вон лежат, — Достоевский кивнул в сторону надписи на стене. — На которых водка и колбаса. Только тем и живем.

— А как вы их отличаете, Федор Михайлович? У кого души мертвые?

Достоевский взял с полочки свои очки.

— Это святоотеческий визор, — сказал он. — Если кто с мертвой душой, вокруг него желтый ореол виден.

— А почему так говорят — мертвые души?

— Это как бы души, из которых Господь самоустранился. Вернее, Господь-то не устранялся, душа его сама из себя исторгла. Божий свет в такой душе угас, поэтому можно ее высосать на ману. Греха в том нет. Вот, посмотрите на набережную с той стороны, там ходят...

Т. оглядел громоздкие очки, затем надел их и выглянул из ямы.

— Да, — сказал он, осмотревшись, — действительно. Одни мертвяки. Что ж, ни одного живого там?

— Откуда же они возьмутся, — ответил Достоевский. — Сколько здесь сижу, граф, вы первый.

— А как эти очки работают?

— У них двойные стекла, а между ними святая вода. Когда загрязненный свет проходит между стеклами, частицы скверны выявляются присутствием Святаго Духа и начинают испускать постыдное мочецветное сияние.

Т. повернул к Достоевскому черные линзы и присвистнул.

— Вот так номер...

— Что? — нахмурился Достоевский.

— Вокруг вас, Федор Михайлович, тоже... Сияние.

— Вы шутить изволите?

— Вовсе нет, — сказал Т. — Вы в зеркало когда-нибудь в них гляделись?

Достоевский пристально посмотрел на Т., стараясь понять, разыгрывают его или нет.

— Нет, — ответил он.

Т. протянул ему очки. Достоевский надвинул их на глаза, порылся в куче хлама под навесом, выудил треугольный осколок зеркала, глянул в него, охнул и опустился на ящик от патронов.

— Только не паникуйте, Федор Михайлович, — сказал Т., — мы все поправим. Кто вам очки дал?

— Святой старец Федор Кузьмич, — ответил Достоевский, стирая рукавом выступивший на лбу пот. — У него таких целый ящик.

— Давайте сюда.

Достоевский повиновался. Взяв у него очки, Т. бросил их на землю и с силой вмял в нее ногой. Очки хрустнули, и из них брызнула еле заметная струйка воды.

— Что вы делаете? — наморщился Достоевский. — Это же святотатство...

— Зато мертвых душ теперь нет, — ответил Т.

Достоевский мрачно усмехнулся.

— Вы, граф, прямо как ребенок, — сказал он. — Это дети так думают — если часы разбить, то и время остановится. А что теперь, по-вашему, есть?

— Если хотите знать, Федор Михайлович, я расскажу.

Т. встал и принялся обламывать торчащие над бруствером елочные ветки, стараясь выбирать такие, на которых не было игрушек.

— Надо костер развести, — сказал он. — Рассказ будет долгий... Итак, Федор Михайлович, все началось с того, что я ехал в поезде. На мне была фиолетовая ряса, а напротив меня в купе сидел господин галантерейного вида. Я не знал, откуда я еду и куда, и даже не помнил, как оказался в купе — но это отчего-то не вызывало во мне удивления. Неожиданно мой спутник завязал со мной весьма странный разговор...

Когда Т. договорил, в просвете между домами уже синела полоса рассвета. Костер давно догорел, и Достоевский, сжимая бороду в кулаке, мрачно глядел на его серый пепел. Потом он поднял голову и сказал:

— Вот и по вашему рассказу выходит, что я мертв.

— Отчего? — удивился Т.

— Так ведь мужик, который вас в Петербург на телеге вез, объяснил вам, что я умер. Значит, точно мертвая душа.

— Вы мертвы только в том мире, откуда пришел я, Федор Михайлович. А тот, где мы сейчас находимся, существует исключительно для вас и из-за вас. Ну как вы можете быть мертвы, если солнце восходит? Посмотрите сами.

Достоевский поглядел на далекую зарю.

— Но к чему тогда защищать рубежи, думать о народном благе? Выходит, мы все — просто гладиаторы в цирке?

— Очень хорошее сравнение, — ответил Т. — Мне даже не приходило в голову. Лучше и не скажешь.

— А управляют цирком жестокие и капризные боги? И мы страдаем и боремся исключительно им на потеху?

— Хуже того, — сказал Т. — Если бы мы существовали им на потеху, в этом было бы абсурдное величие. Великолепие бессмыслицы. Нет, мы живем для того, чтобы они могли кормиться. Мы что-то вроде выращиваемых на продажу кроликов в подсобном хозяйстве отставного коллежского асессора.

— Но зачем богам подсобное хозяйство? Они же боги.

— Они боги только для нас. А в своем собственном измерении это довольно прискорбные существа. Так мне, во всяком случае, показалось.

— Но почему создатель никогда не говорит со мной? Или с остальными? Почему он говорит только с вами? Из особого предпочтения?

Т. секунду подумал.

— Не знаю, — сказал он. — Большой любви к себе я не заметил, скорее наоборот. Возможно, для наслаждения своим всемогуществом ему нужен свидетель. А со всеми остальными он никогда не говорит просто потому, что он, по большому счету, преступник. Ему стыдно появиться перед своими страдающими творениями, поскольку их жизнь и есть его преступление. Кроме того, он не один. Их целая банда, просто остальные со мной не говорят. Но я их чувствую, о, еще как...

— Жуть какая, — отозвался Достоевский.

— Хотели правды? Так не жалуйтесь. Это, во всяком случае, объясняет, почему вы живете в уродливом, жестоком, кое-как склепанном аду, о котором вам не позволяется даже связно думать.

— Это неправда, — сказал Достоевский. — Думать я волен что хочу. И решать тоже. Моя воля свободна.

— Так только кажется, — ответил Т. — То, что вы считаете своими мыслями — на самом деле голоса ваших создателей, которые постоянно раздаются у вас в голове и управляют каждым вашим шагом. Все за вас решают они.

— Но каким образом их мысли могут возникать в моей голове?

— Да вот именно таким, каким возникают, Федор Михайлович. Это ведь только формально ваша голова. А на деле — футбольный мяч, которым они играют в свои жуткие игры. И до тех пор, пока вы разрешаете их голосам звучать в своем уме и живете в нарисованном ими мире, вы существуете исключительно для их мелкой выгоды.

— Но зачем они это делают?

— Я уже сказал. Это промысел.

— Вы имеете в виду божественный промысел?

— Божественный промысел, Федор Михайлович, примерно то же самое, что отхожий. Сезонная коммерция в небольших масштабах.

— Ну и цинизм, — поежился Достоевский. — Но в таком взгляде на вещи нет новизны, граф. Да, мир создан не нами. И в нем есть бесы. Но в нем же есть и ангелы. Вы сейчас просто обозвали творца новым именем и дали понять, что придерживаетесь о нем невысокого мнения. Но не все ли равно, как мы его назовем —

Ариэль или Саваоф? Главное, он создает мир и нас. Так что же вы, собственно, открыли?

— Один важный нюанс, — сказал Т. — Хоть он создает мир и нас, мы при желании способны делать это сами. Я знаю совершенно точно.

— Откуда?

Т. ничего не ответил — но его лицо вдруг показалось Достоевскому неподвижным и суровым, будто высеченным из могильного гранита. Достоевский ощутил странный трепет.

— Вы... Вы это узнали на том свете? После того, как вас убили у лодочной станции?

Т. кивнул.

— И вы... Воскресли?

— Я бы не стал употреблять таких торжественных слов, — сказал Т. — У меня, если верить покойному Кнопфу, и без того проблемы с церковной догматикой. Скажем так, я вернулся в мир. И теперь я действительно существо иной природы, чем вы или эти бедняги, которых вы убиваете из-за колбасы.

— Иной природы? Но в чем разница?

— Она в том, — ответил Т., — что теперь я создаю себя сам. Когда Ариэль обрек меня на исчезновение, я провалился в забытье, в серое ничто, о котором ничего нельзя сказать. Возможно, я просто растворился бы в нем, но желание дойти до Оптиной Пустыни было слишком сильным. И теперь я действую из вечности. Тело мое кажется находящимся здесь, но это просто видимость. Моя истинная природа и сущность пребывают там.

— Где — там?

— Как бы во сне, — ответил Т. — Но на гораздо более глубоком уровне. Правильнее будет сказать, что я вижу сон про вас, про этот город и все остальное. Иногда мне снится и Ариэль — это, пожалуй, самое неприятное. Но теперь он тоже просто сон.

— А как вы создаете себя и мир?

— Белой перчаткой.

— Какой белой перчаткой?

— Которую я сотворил из ничего в самом начале. Это была первая зацепка. На самом деле чистейшая условность, но без нее ничего не вышло бы. Я начал создавать мир как текст, потому что надо было с чего-то начать. Но сейчас я уже не вижу перед собой никакой перчатки, пера или бумаги. Все происходит спонтанно, само собой.

— Ох, — покачал головой Достоевский, — вы, я гляжу, скатились в мистический анархизм. Я хорошую статью в свое время про это написал... Ну да ладно, а что было вторым вашим твореньем?

— Стикс.

— С какой целью вы его создали?

— Чтобы перейти его и вернуться в мир.

— Зачем? Ведь, по вашим словам, этот мир уродлив и нелеп.

— Но здесь осталось нечто такое, что я должен найти.

— Что же?

— Оптина Пустынь, — сказал Т. и со значением поглядел на Достоевского. — Вам знакомы эти слова?

— Знакомы, — ответил тот. — Но сразу припомнить не могу.

— Может быть, «Оптина Пустынь соловьев»? — спросил Т.

Достоевский хлопнул себя ладонью по лбу.

— А, вот теперь вспомнил! Я действительно сделал в свое время на квартире Константина Сергеевича Победоносцева издевательский доклад о заседании тайного мистического общества, которое я случайно посетил. Текст у меня, к сожалению, не сохранился. Доклад так и назывался — «Оптина Пустынь соловьев». Это, видите ли, игра слов. Их общество называлось просто «Оптина Пустынь».

— Так что же это такое? — спросил Т., сжав кулаки от волнения.

— Никто не знает-с. Видимо, очередное название Земли обетованной.

— Чем это общество занималось?

— Тем, что эту Оптину Пустынь искало. Под руководством господина Соловьева, который был у них за главного. Очень оригинальный господин. И теории излагал весьма похожие на ваши.

— Какие же?

Достоевский нахмурился, вспоминая.

— В общем, чистая ересь. Новый укороченный патентованный путь на небо — как всегда у подобных господ. Его учение заключалось в том, что человек, занимаясь мистическим деланьем, должен как бы делить себя на книгу и ее читателя. Книга — это все содрогания нашего духа, все порывы и метания, все наши мысли, страхи, надежды. Их Соловьев уподобил бессмысленному и страшному роману, который пишет безумец в маске, наш злой гений — и мы не можем оторваться от этих черных страниц. Но, вместо того, чтобы перелистывать их день за днем, следует найти читателя. Слиться с ним и есть высшая духовная цель.

— Подождите... подождите-ка, — сказал Т. — Надо это обдумать. Безумец в маске... Как точно.

— Мне тоже показалось сперва любопытным, — усмехнулся Достоевский. — Только на деле это пустое щелканье соловья-краснобая. Красивые слова, которые никуда не ведут, а лишь смущают душу и вводят в соблазн. Об этом я и написал.

— А где Соловьев сейчас?

— Никто точно не знает. Скорее всего, сгинул где-то там.

И Достоевский махнул рукой в сторону запада.

— Вы помните что-нибудь еще?

Достоевский отрицательно покачал головой.

— Доклад писал под свежим впечатлением, — сказал он, — а сейчас уже позабыл... Но коли вам интересно, я полагаю, что Победоносцев может знать.

— Победоносцев? — переспросил Т. изумленно. — Разве он тоже здесь?

Достоевский поглядел на Т. с недоумением.

— Где же ему быть, батенька, как не в Петербурге?

— Хотя да, — согласился Т. — А какое отношение он имеет к этому вопросу?

— Самое прямое. Он крупнейший специалист по всяким ересям, и вообще весьма неглупый человек. Единственный, кто может помочь при духовном недуге. Я в данном случае не насчет вас волнуюсь, не думайте... Я насчет своего желтого сияния. Может, если сам обер-прокурор помолится, Господь и услышит. Но вам, я думаю, он обязательно что-нибудь скажет.

— А далеко это?

— Примерно в версте, — сказал Достоевский. — Лучше пройти по канализации.

— Это зачем?

— Да мы только так и передвигаемся. На улицах ведь мертвые души.

— А как мы спустимся в канализацию?

Достоевский встал, отодвинул в сторону патронный ящик, смахнул лежавшую под ним ветошь, и Т. увидел грязный чугунный люк с выбитым на нем двуглавым орлом и какими-то цифрами.

XVIII

С Достоевским по дороге произошла странная перемена.

Сперва он был разговорчив — и рассказал Т. про святого старца Федора Кузьмича. Тот жил где-то здесь, в подземных катакомбах, но где именно — никто не ведал, и встретить его под землей почиталось великой удачей. Одни говорили, что Федор Кузьмич — простой человек из народа, мужик. Другие верили, что раньше он был двухголовым императором Петропавлом, но потом, после великой духовной брани, усек одну главу

ВИКТОР ПЕЛЕВИН

и ушел в затвор — а какую главу он усек, либеральную или силовую, не открывали, чтобы не смущать народ, и каждый верил по-своему. Учил старец тому, что Русь есть плывущая в рай льдина, на которой жиды разжигают костры и топают ногами, чтобы льдина та треснула и весь народ потонул — а жидов ждут вокруг льдины в лодках. Еще Федор Кузьмич был великий молельник — считали, если помолиться с ним вместе о чем-то, желание непременно сбудется.

Но чем дальше уводила серая зловонная труба, тем мрачнее делался Достоевский. Вскоре он совсем замолчал, ушел вперед и шагал теперь один с фонарем в руке, освещая путь. Хоть Т. не видел его лица, перемена в настроении спутника чувствовалась по его понурой спине, которая склонялась все ниже и ниже. Однако Т. не обращал на это внимания. Его слишком занимали только что услышанные слова про читателя и книгу: они постепенно доходили до сознания и начинали кружить голову.

На сырой стене каждые несколько метров повторялось одно и то же странное граффити — три строчки, написанные друг под другом разной краской и почерком, словно через трехцветный трафарет:

Бог умер. Ницше.
Ницше умер. Бог.
Оба вы педарасы. Vassya Pupkin.

Надпись про Бога была белой, про Ницше — синей, а сентенция Васи Пупкина — красной. Пробегая взглядом по этим строкам, Т. представлял себе сначала Иегову с Сикстинской фрески Микеланджело, затем усталого Ницше, похожего на облагороженного страданием Максима Горького, и, наконец, белобрысого Васю — надменного наследника мудрости веков, пугающего и одновременно прекрасного в своем равнодушном максимализме.

Но мысль, которая не давала покоя Т., была не о них.

212

«Конечно, — думал он. — Как я мог не видеть этого раньше? Нет разницы, сколько авторов. В этой надписи, например, их целых три. Но все равно — и Бога, и Ницше, и Васю создает тот, кто читает. Так же и со мной. Кто бы ни придумывал все то, что я принимаю за себя, все равно для моего появления необходим читатель. Это он ненадолго становится мной, и только благодаря ему я есть... Я есть...»

Видимо, Т. пробормотал что-то вслух — Достоевский обернулся. Т. сделал успокаивающий жест, и тот пошел дальше.

«Я есть... Стоп. Вот тут и ждет засада. Ведь сказал же Ариэль, что ясное и безошибочное чувство «я есть» возникает совсем не у меня, а у него. И я согласился, поскольку звучало вполне логично — ведь он мой автор. А теперь выясняется, что это чувство возникает даже не у него, а вообще у какого-то читателя. И тоже не поспоришь... Выходит, кем бы я на самом деле ни оказался, это все равно буду не я? Надо же... В одном Ариэль прав — самое очевидное запросто может оказаться обманом зрения...»

Под ногами изредка хрустело стекло — пол был усеян осколками бутылок.

«Так у кого же возникает чувство «я есть»? Надо с самого начала разобраться. Видимо, так: когда меня создавал Ариэль, оно возникало у Ариэля, а потом... У читателя? Вроде да. Но ведь это же всегда был я! Как такое вообще возможно, что это я есть, и я же здесь совершенно ни при чем?»

Навстречу пробежала крыса, потом еще две. Т. почудилось, что зверьков окружает слабое зеленоватое свечение, будто их натерли фосфором с часовых стрелок. Достоевский не обратил на крыс внимания.

«С другой стороны, найти читателя в себе. Как это интересно... Как необычно. И как точно, как глубоко! Замечательная метафора. Действительно, что происходит, когда я читаю это трехстишие про Ницше? Я сразу представляю себе его усталое военно-морское лицо... Военно-морское, потому что у него огромные усы — словно две волны вокруг корабельного носа, и он плывет в вечность, такой линкор духа... Однако этот Ницше, которого я в таких подробностях нарисовал своим мысленным взором, не имеет понятия о том, что я его творец... Хотя без меня его просто нет...»

— Уже недолго, — сказал, поворачиваясь, Достоевский.

Т. показалось, что лицо спутника стало совсем недружелюбным и мрачным — но это, скорей всего, были просто резкие тени от фонаря. Они повернули в боковое ответвление туннеля, где было тепло и влажно, и пошли по тонкому слою то ли плесени, то ли мха.

«Читателя невозможно увидеть, — думал Т. — Я никогда не смогу его обнаружить, как этот настенный Ницше никогда не сможет осознать меня — если я сам не заставлю его сделать это в своей фантазии... Но что тогда означает стать читателем? Непонятно. Выходит, практического смысла такое откровение в себе не несет — так, игра ума...»

— Да, все по грехам нашим, — пробормотал вдруг Достоевский, словно его коснулась напряженно работающая мысль Т. — Хоронишь мертвецов, и сам не замечаешь, как становишься одним из них. А ведь было сказано, да... Впрочем, кавалердавров не жаль. А молодые мертвячки... Иной раз взгрустнешь — совсем, право же, мальчики. Может, им помочь можно было? Вы как полагаете, граф?

— Сложный вопрос, — ответил Т., поняв, что для Достоевского это проблема давняя и мучительная. — На самом деле помочь трудно, ибо, насколько я понимаю замысел Ариэля, созданы они были исключительно для того, чтобы их застрелили и сняли с них водку с колбасой. С другой стороны, мы с вами ничем не лучше. Точно такие же гладиаторы в этом отвратительном цирке.

— Это философия, — вздохнул Достоевский. — А реальность в том, что у меня мертвая душа, а у вас живая. Вот я и думаю — может, много молодняка побил?

— Корень проблемы в другом.

— В чем?

— В том, что вы верите в живые и мертвые души. Вы с удивительной доверчивостью принимаете существующие в мире конвенции, Федор Михайлович. А ведь все они без исключения введены для чьей-то мелкой корысти.

— А вы не принимаете конвенций?

— Я был вышвырнут за их пределы. Чтобы выжить, мне пришлось собрать мир заново, уже самому... Поэтому у меня появился выбор, что брать в него, а что нет. Далеко еще идти?

— Пришли, — сказал Достоевский.

Он указал на торчащие из стены скобы, которые уходили вверх, в темный колодец шахты. Скобы были аккуратного вида, и даже покрыты кое-где никелем.

— Золотая миля, — пояснил Достоевский. — Канализационные люки прямо у подъездов. Очень удобно в смысле передвижения и вообще. Мертвяки сюда намного реже забредают. Но на улице все равно лучше не задерживаться.

Выбравшись из люка, Т. увидел перед собой серый доходный дом, стоящий на пересечении двух безлюдных улиц.

— В шестом этаже, — шепнул Достоевский, глядя вверх. — На углу, где шторы красные. Вроде дома, свет горит...

В подъезде пахло сыростью, котами и старыми газетами.

Напротив входной двери темнела забранная железными листами будка консьержа, из амбразуры которой торчало дуло двустволки. Сам консьерж так и не показался, но ствол коротко дернулся в сторону лестницы — это, видимо, было разрешением пройти. Достоевский кивнул будке, подхватил Т. под локоть и потащил по лестнице вверх.

Дойдя до шестого этажа, он остановился перед высокой коричневой дверью с золотым звоночком и решительно повернул его. Продребезжал тихий колокольчик. Минута или две прошли в тишине. Достоевский избегал глядеть на Т.; его губы еле заметно шевелились, словно он беззвучно с кем-то говорил.

«Молится», — понял Т.

Наконец дверь открылась.

В просвете стоял худой господин в проволочных очках и старомодном сюртуке, с тщательно выбритым, но дряблым лицом того нездорового оттенка, который появляется, когда кожа месяцами не видит солнца. Из коридора за его спиной доносилось тихое пение фонографа.

Господин изогнулся, приглашая гостей войти.

— Здравствуйте, Федор Михайлович, — сказал он в прихожей чуть игриво. — Кто это с вами такой элегантный?

— Позвольте представить графа Т., — произнес Достоевский.

Победоносцев на долю секунды замер, будто его заморозила вспышка магния, но тут же пришел в себя, улыбнулся самым сердечным образом и всплеснул руками.

— Ах, так это вы! Теперь вижу, да. Простите, граф, что так опростоволосился. Но в таком наряде, да еще с этим... гм... фасоном бороды — вас не узнать. Но как символично, что вы пришли ко мне именно с Достоевским! Наконец-то...

— Обер-прокурор Победоносцев, — сказал Достоевский, как бы формально представляя хозяина гостю. — Духовный светоч нашего времени.

— Весьма рад знакомству, — отозвался Т.

— Вот-с, — сказал Победоносцев, продолжая улыбаться, — как раз давеча листал книгу вашей Аксиньи Михайловны.

— Какую книгу? — оторопел Т.

— Так она целых две выпустила, — ответил Победоносцев. — «Как соблазнить аристократа» и «Как соблазнить гения». Весь Петербург зачитывается. Хотя и не верят, конечно, что она сама пишет. А скоро третья выходит, «Моя жизнь с графом Т.: взлеты, падения и катастрофа». Уже и объявления везде висят.

Т., словно в поисках опоры, взял Достоевского за рукав. Победоносцев немедленно подхватил Достоевского за другую руку, и они вместе повлекли его в гостиную — Победоносцев пятился, повернув к Т. улыбающееся лицо, и у того на миг появилось странное чувство, что они, как два грузчика, заносят торжественно молчащего Достоевского вглубь квартиры.

Гостиная выглядела просто, даже аскетично. У одной ее стены помещался диван, возле которого стоял большой овальный стол, накрытый малиновой бархатной скатертью. На скатерти поблескивали графин с водкой, граненые стаканы и тарелки с колбасой и сыром. С другой стороны к столу были придвинуты несколько стульев и кресел, и в такой расстановке мебели чудилось что-то легкомысленное и студенческое. Бросался в глаза объемистый застекленный шкаф — его содержимое было скрыто плотными белыми занавесками на стеклах. Еще у окна зачем-то был поставлен табурет, и больше никакой обстановки в комнате не было.

— Ну, присаживайтесь, — сказал Победоносцев. — Я вас на мгновение покину — мне надо телефонировать по важному делу.

Повернувшись, он вышел в коридор. Вскоре звуки фонографа стихли.

Достоевский сел на диван и покосился на Т.

— Что за Аксинья? — спросил он. — Супружница?

— Был один эпизод в Коврове, — хмуро отозвался Т., прохаживаясь по гостиной. — Я не упомянул, когда рассказывал. Только непонятно, как она здесь оказалась. Это очень подозрительно...

Достоевский не ответил.

С ним происходило что-то странное — сказав пару слов или сделав мелкое движение, он надолго замирал в неподвижности, причем лицо его становилось строго-задумчивым, словно им овладевала какая-то тайная мысль. При этом он отчего-то норовил повернуть лицо так, чтобы Т. постоянно видел его анфас — как барышня, которая знает, под каким углом она выглядит привлекательнее, и все время старается показаться именно в этом ракурсе.

Вскоре Победоносцев вернулся в гостиную.

— Присаживайтесь к столу, граф. А то вы все ходите, ходите, как-то не по себе делается...

Т. сел в одно из кресел у стола.

— Отчего такие грустные лица? — продолжал Победоносцев. — Уныние — смертный грех. Не гневите создателя.

— Граф Т. не нуждается в подобных советах, — сказал Достоевский с улыбкой. — Он, знаете ли, был лично знаком с создателем, но потерял к нему интерес. Теперь он сам творец своего мира.

— Неужели? — поднял бровь Победоносцев. — А как тогда объяснить его присутствие в этой комнате?

— Граф полагает, — пояснил Достоевский, мстительно глянув на Т., — что он в настоящий момент висит в безвидной пустоте и сам себя думает. А всех остальных придумывают разные черти. И эту комнату, и вас, Константин Петрович, и даже туман за окном.

— Вот оно как, — сказал Победоносцев. — Ну да, подобные взгляды в наше время не редкость. Я сейчас начинаю работу над вторым томом «Тщеты кипящего разумения» — это богословский трактат, к которому прилагается справочник о новейших сектах. Если во взглядах графа есть известная оригинальность, буду счастлив уделить ему место между Талмудизмом и Травославием.

— Травославие? — удивился Достоевский. — А это еще что, Константин Петрович?

— Это пришедшее из Эфиопии суеверие, распространившееся среди питерских мазуриков. Вы их наверняка видели — они носят египетский крест в форме буквы «Т», который, по их мнению, символизирует Троицу и одновременно слово «ты». Я чуть не сорвал голос, доказывая этим людям, что служение Господу и опьянение коноплей — две вещи несовместных. Но они не верят. Вы, граф, тоже учите чему-то подобному?

— Я ничему не учу, — ответил Т. сухо. — А если говорить о религии, то определенные аспекты моего личного жизненного опыта не позволяют мне поклоняться творцу этой серой мглы...

И он кивнул в сторону окна.

— Что же это за аспекты? — спросил Победоносцев, прищуриваясь.

— Граф полагает, — опять вмешался Достоевский, — что мы просто сражающиеся гладиаторы, в чьей жизни нет и тени смысла. Куклы, которых дергают за ниточки сменяющиеся кукловоды.

— Так и есть, — сказал Победоносцев. — Только ведь происходит это по нашим грехам, граф. Этого вы не станете отрицать?

Т. пожал плечами. Победоносцев внимательно глядел на него, ожидая ответа. Т. вздохнул — ввязываться в спор не хотелось, но вежливость требовала.

— Наши грехи, — сказал он, — на самом деле вовсе не наши. Их совершают те самые кукловоды, которые сперва наполняют нас страстями. А потом они же обличают нас в совершённом, притворяясь нашей совестью. То, что мы принимаем сначала за свой грех, а потом за свое раскаяние, есть две составные части одного и того же механизма, позволяющего им удерживать над нами абсолютную власть. Сначала нас вынуждают нырять в пучину мерзости, а потом заставляют лить над ошибкой слезы и считать себя негодяями. Но делают это участники одной банды, которые по очереди овладевают нашей душой. Они вовсе не противостоят друг другу, они действуют сообща.

Победоносцев сделал круглые глаза.

— Какое любопытное учение. Однако скажите, почему эти кукловоды с такой легкостью овладевают нашей душой?

— Да потому, что овладевать там совершенно нечем. Это как кабинка в общественной уборной — любой, кто туда забредет, уже ею и овладел. Без них там не было бы ничего вообще. Кроме, извиняюсь, дыры.

— А кто они, эти кукловоды? Можете рассказать?

— Если коротко, это сущности, которые создают нас своим совокупным усилием в непостижимых для нас целях. Нам не следует считать их своими врагами, потому что мы и есть они. Мы существуем только постольку, поскольку они нас одушевляют. Обвинить их в чем-то мы не можем. Вернее, мы, конечно, можем — только это бессмысленно, потому что они же сами и будут разыгрывать спектакль, обвиняя самих себя. Нас просто не бывает отдельно от них. Именно они порождают нас секунда за секундой.

— Вот как. А как же душа и свобода воли?

— Очень просто, — ответил Т. — Одна из этих сущностей спрашивает сейчас при помощи вашего рта — «а как же душа и свобода воли?» Вот все, что по этому поводу можно сказать.

— Известны ли вам имена этих сущностей?

— Да. Главного демона зовут Ариэль. Именно он формирует это жуткое пространство — и вас, его обитателей. Я знаю это совершенно точно.

— Откуда?

— Он сам мне сообщил. И в доказательство в нескольких сжатых, но точных образах обрисовал ваш мир еще до того, как я его увидел.

— Говорите, он создает наш мир? — спросил Победоносцев задумчиво.

— Во всяком случае, частично — там есть и другие творцы. Когда вам хочется выпить вина, или, например, предаться плотским удовольствиям, за работу берутся его помощники. Впрочем, возможно, что помощник как раз он. Кто в их иерархии главный, я так до конца и не понял.

— Вы ведете речь о весьма высоких материях, обычно скрытых от смертных глаз, — сказал Победоносцев. — О какой иерархии вы говорите? Не подразумеваете ли вы Церковь Небесную?

— Если вы про архимандрита Пантелеймона, — ответил Т., немного подумав, — то вынужден вас огорчить — как говорится, нет правды на земле, но нет ее и выше. Ариэль состоит с Небесной Церковью в деловых сношениях. Но договориться они пока не смогли.

Победоносцев снял очки и тщательно протер их вынутым из кармана платком.

— Понятненько, — пропел он, водружая очки обратно. — Боюсь вас огорчить, но на новую ересь это никак не тянет. Я уже слышал нечто похожее от господина Соловьева — вы ведь его знаете?

Т. отрицательно покачал головой.

— Слышал только имя.

— Поэт и философ. Он называл свое учение «умным неделанием». Символом для него он выбрал латинскую «N» с тильдой — видимо, из бессознательной любви к католичеству, хе-хе... Хотя такой значок вполне подошел бы и для вашего непротивления, граф. Вот за этим самым столом он читал, помнится, свою трагедию, называлась она еще странно, дайте вспомнить... «Пролог Канкана», кажется. Про отшельника-исихаста, живущего в пустыне.

— Какая же может быть пьеса про пустынножителя? — спросил Достоевский. — Откуда в пустыне действующие лица?

— Легион, — ответил Победоносцев, кивнув почему-то на Т. — В пьесе отшельник сражается с демонами, вторгающимися в его ум, и в конце концов его настигает мрачное озарение, что ничего кроме демонов в его уме нет вообще, и тот, кто сражается с искушениями и страстями — такой же точно демон, как и все остальные, только кривляющийся. Даже Бога лицемерно взыскует один из этих демонов, просто для потехи — а другой Бога изображает. От горя отшельник решает повеситься. И вот, когда табуретка уже вылетает из-под его ног, он понимает, что это последнее страшное решение было таким же точно демоническим наваждением, как и все предыдущие метания его духа...

— Ага, — сказал Достоевский, — начинаю вспоминать. Кажется, Соловьев называл такое состояние «умоблудием» и учил, что справиться с ним можно одним-единственным образом — научившись узнавать всех этих демонов в лицо.

— Именно об этом я и говорю, — кивнул Т. — Только не следует делать из происходящего трагедию. Эти бесконечно сменяющие друг друга наваждения и есть наша единственная природа. Во всяком случае, до тех пор, пока в нас не появляется сила, способная им противостоять.

— И какая же это сила? — спросил Победоносцев. — Некое, э-э-э, духовное знание? То, что преподобный Исихий называл «помыслом-самодержцем»?

— Нет, — ответил Т. — Все гораздо проще. Надо создавать себя самому.

— Но кто в таком случае будет это делать? — спросил Победоносцев. — Если в нас нет ничего, кроме наваждений?

— В этом как раз и состоит парадокс, — ответил Т. — Изначально в нас нет никого, кто мог бы что-то сделать. Новая сущность возникает одновременно с тем действием, через которое она себя проявляет. Понимаете ли? У этого действия нет никаких оснований, никакой обусловленности. Оно происходит самопроизвольно, совершенно спонтанно, вне закона причины и следствия — и становится опорой само для себя. Это как рождение вселенной из ничего. После этого можно говорить, что мы создаем себя сами. И мы делаемся равновелики демиургу нашего мира.

— Вы, граф, как я предполагаю, и есть такой равновеликий self-made man?[1] — спросил Победоносцев.

— Вы положительно догадливы.

— Догадаться нетрудно, — улыбнулся Победоносцев. — Но как же насчет бесов, которые владели человеком перед этим? Как насчет Ариэля и его подручных? Неужели они отпустят свою скотинку просто так?

— Они будут бессильны, — ответил Т., чуть нахмурившись.

— Вот как, — отозвался Победоносцев с иронией. — Любопытно, любопытно...

— Скажите, а где можно найти этого господина Соловьева? — спросил Т. — Я бы хотел с ним побеседовать.

— Побеседовать с ним будет затруднительно, — ответил Победоносцев, ласково глядя на Т. — Дело в том, что господин Соловьев арестован по обвинению в злоумышлении на высочайших особ. И содержится теперь в равелине Петропавловской крепости. Иногда его возят на допросы в разные места. Но вам, граф, вряд ли разрешат присутствовать при таком допросе...

В прихожей тренькнул колокольчик. Смерив Т. взглядом, Победоносцев повернулся к Достоевскому:

— Федор Михайлович, вы совсем не пьете. Отчего бы?

— Волнуюсь, Константин Петрович, — ответил Достоевский. — У меня ведь к вам важный разговор.

— Поговорим, — сказал Победоносцев. — Только вот открою дверь...

Когда Победоносцев вышел из гостиной, с Достоевским произошла прежняя трансформация — он замер, торжественно уставившись вдаль, словно никого кроме него в комнате не было.

«Видимо, — подумал Т. с грустью, — я для него просто погибшая душа, еретик... Впрочем, само это

---

[1] Человек, сделавший себя сам.

место так действует. Все дело в том влиянии, которое имеет на него Победоносцев...»

Дверь растворилась, и Т. похолодел.

В комнату вошли три чернеца. Один из них нес на плече вместительную холщовую сумку с бисерным крестом на боку — точь-в-точь такую, как была у одного из спутников покойного Варсонофия.

Из коридора послышалось жалобное мяуканье, а затем в гостиной появился Победоносцев — войдя вслед за чернецами, он плотно закрыл за собой дверь.

— Господа, — сказал он со счастливой улыбкой, — у нас сегодня непрошеные гости, которым мы, тем не менее, ужасно рады...

Т. заметил, что Победоносцев смотрит не на него, а на монахов, и догадался, что непрошеный гость — он сам.

— Позвольте представить вас друг другу, — продолжал Победоносцев. — Это братья Никодим, Иларион и Софроний — монахи. А это господин Т., он э-э-э... граф.

— Отличная профессия, — улыбнулся брат Никодим.

— Это не профессия, — ответил Т., внимательно глядя на чернецов. — Просто мирская кличка.

Иларион и Софроний были, видимо, братьями-близнецами: молодые, мрачные, как бы придавленные печатью общей тяжкой думы, с бесцветными бороденками и узко поставленными водянистыми глазами. Никодим, наоборот, походил на гофмановского студента — в нем было что-то романтическое и лихое, намекающее на полную приключений ночь и головокружительную удаль.

При виде чернецов Достоевский ожил и заулыбался. Они, однако, не обратили на него внимания, словно его вообще не было в комнате. Подойдя к столу, они сели — Иларион с Софронием в кресла, а Никодим — на краешек занятого Достоевским дивана, рядом с креслом Т.

— Мы тут говорили о господине Соловьеве, — сказал Победоносцев, как бы вводя иноков в курс дела. — Это такой философ.

— Ох уж эти философы, — с готовностью отозвался Никодим. — Хорошо их Пушкин уделал. «Движенья нет, сказал мудрец брадатый, другой смолчал и стал пред ним дрочить...» Две строчки только, а сразу полная ясность про всю корпорацию.

За столом установилось молчание. Никодим смутился и, видимо, решил загладить неловкость.

— Позвольте, — сказал он, поворачиваясь к Т., — а вы ведь тот самый граф Т.?

— Что значит — тот самый?

— Ну, я имею в виду, тот, про которого пишет Аксинья Толстая-Олсуфьева? Какого вы мнения о ее книгах?

Т. ничего не ответил, но стакан покачнулся в его руке, и немного водки пролилось на стол.

Никодим состроил сочувственную гримасу.

— Наверное, ужасно угнетает, да? В этих книжонках все выдумка от первого до последнего слова, сразу видно. Никто и не верит, конечно. Но читают все, даже лица духовного звания. Особенно отвратителен этот постоянный гомон в газетах.

— А что там пишут?

— Вы не следите? Вот это настоящий аристократизм, уважаю. Сейчас расскажу. Был огромный скандал. По словам Аксиньи Толстой-Олсуфьевой, все случилось так — учась в Смольном, она приняла близко к сердцу учение графа об опрощении, ушла с последнего курса и опростилась до полной неотличимости от крестьянской дурынды. Поэтому, встретив графа, она быстро завоевала его сердце. Но граф открылся ей с неожиданной и пугающей стороны. Во время их связи он постоянно принимал сильнейшие наркотические субстанции, которые делали его невменяемым. Несколько раз он пытался зарубить ее топором. В результате она совершенно разочаровалась в опрощении, бежала в Петербург и вернулась к светской жизни...

225

Выражая всем своим видом предельную брезгливость к обсуждаемой теме, Достоевский застыл на месте, уставившись в окно как в вечность. Победоносцев подошел к нему, приобнял за плечи, с некоторым усилием заставил подняться с дивана и повлек к окну, словно чтобы вывести его из зоны действия ядовитых слов Никодима.

— ...у нее начался роман с Олсуфьевым, — продолжал Никодим, — вы про него слышали, конечно. Это кавалергард, ставший гением сыска. Отсюда и название ее второй книги. Если верить бульварной прессе — а ей, я повторяю, не верит никто, — Т., опасаясь огласки, исчез в неизвестном направлении. За ним в погоню послали лучших сыщиков и санитаров империи, но он очень хитер и постоянно переодевается — то жандармом, то мужиком, то цыганом. По словам госпожи Толстой-Олсуфьевой, он до такой степени одурел от наркозов, что беседует с лошадьми и принимает окружающих черт знает за кого. Еще пишут, что у него провалы в памяти и оригинальное помешательство — ему кажется, будто он разговаривает с Богом. То есть с Богом в наше время кто только не говорит, но Т. положительно уверен, что Бог ему отвечает. В совсем уж бульварных газетенках писали даже, что сыщиков, посланных за ним в погоню, Т. лично зарезал или отравил тропическим ядом...

К концу тирады лицо Никодима приобрело такое выражение, словно ему больно и стыдно было слышать собственный рассказ. Он замолчал. Т. тоже сидел молча. Потом, набравшись сил, он сказал:

— Я действительно был знаком с одной крестьянской девушкой по имени Аксинья, чего уж тут скрывать... Только вряд ли она могла написать что-то подобное. Она и слов таких не знает. Уж поверьте, есть огромная разница между опростившейся курсисткой и девушкой из народа.

Никодим ухмыльнулся и панибратски хлопнул Т. ладонью по колену.

— Про это она тоже пишет! — восторженно сообщил он. — И как врет, а? Утверждает, что перед тем, как впервые показаться вам у телеги с сеном, она специально два месяца изучала сельские диалекты, а потом перестала каждый день мыться и брить подмышки, простите за скабрезную деталь... Главная мысль ее книги — даже не мысль, мыслей там нет, а тот, так сказать, sales pitch[1], из-за которого ее читают моленькие девушки — как раз в том, что пресыщенного и развратного аристократа возбуждает не изысканная утонченность, а, наоборот, предельная вульгарность и неотесанность, соединенная, конечно, с известной физической привлекательностью. Из-за этого среди столичных менад появилась мода на сарафаны, фартуки и грязные ногти... Mon Dieu, как все стонут от этого опрощения! Вы меня поражаете, граф — быть в самом центре урагана, целого поветрия, и сохранять такое великолепное равнодушие! Браво, браво!

Т. ничего не ответил. Никодим налил себе водки, отсалютовал стаканом, выпил и крякнул.

Победоносцев тем временем посадил Достоевского на табурет возле окна и принялся, гладя его по руке, говорить ему в ухо что-то ласковое. Он говорил тихо, но многое Т. все-таки слышал:

— Душа у тебя живая, Феденька, просто скорбит. Все как подвиг зачтется. А помолишься, так и желтуха пройдет... Живая она, живая, не думай даже...

Ободряюще похлопав Достоевского по плечу, Победоносцев вернулся к столу.

— Однако до чего дошло, — сказал Никодим, глядя на остальных иноков. — Газеты уверяют, что графа Т. сейчас тайно ищут — хотя никаких официальных обвинений против него не выдвинуто.

— Оставим это, — поморщился Победоносцев. — В моем доме не обсуждают газетные утки. Здесь беседуют о духовных и религиозных вопросах...

---

[1]Коммерческая подача.

Весь этот разговор сопровождался мелкими, но жутковатыми деталями в поведении монахов. Другой человек вряд ли обратил бы на них внимание, однако для Т. они имели страшное и несомненное значение — и ошибиться на их счет было невозможно.

Иларион сидел в кресле, положив свою расшитую бисером сумку на колени, и все время что-то поправлял у нее внутри, словно поглаживая сидящего там зверя, которому не терпелось вырваться на свободу — причем Т. был уверен, что слышит тишайшее дребезжание острых хрустальных граней.

Софроний держал правую руку в кармане рясы, и, когда ее ткань натягивалась на бедре во время какого-нибудь движения, становилось заметно, что там лежит продолговатый предмет — и явно не икона, а, скорей всего, револьвер.

Никодим же, хоть и не выдавал себя никак иначе, время от времени поглядывал на Т. с таким бесконечным пониманием в глазах, которое трудно было объяснить простым состраданием из-за скандала с Аксиньей.

Т. чувствовал, что чернецы ждут только знака. И, когда сгустившееся за столом напряжение стало невыносимым, он неожиданно встал с места.

Подойдя к табурету, на котором сидел окончательно ушедший в себя Достоевский, он приподнял его за плечи и повел назад к столу. Достоевский молча подчинился, и Т. усадил его на диван между собой и Никодимом.

— Давайте, Федор Михайлович, посидим рядышком... Константин Петрович нас раскритиковал, так пускай поведает истину.

Иноки заметно растерялись. Никодиму пришлось подвинуться на самый край дивана, а между мрачными близнецами и Т. теперь оказался стол.

Победоносцев, услышав слова Т., прокашлялся.

— Истина, граф? В «Критике кипящего разумения» я пишу о том, что истину не уловишь острым скептическим рассудком. Она доступна только вере. Это понимал блаженный Августин. А нынешние образованные господа полагают, будто истина рождается из рассуждения. Можете представить, братья? Властители умов считают высшим и безусловным мерилом истины силлогизм!

И он тихонько хлопнул в ладоши.

Это, видимо, и было тем знаком, которого ждали чернецы.

Софроний нахмурил брови и вытянул из кармана непристойно большой «смит-и-вессон».

— Кого? — спросил он.

— Силлогизм, — быстро повторил Победоносцев, делая вид, что ничего не замечает. — Вы ведь знаете такое понятие в логике. Это когда приводятся два суждения, а потом из них выводится третье. И на этом убожестве зиждется все здание современной человеческой мысли, можете вообразить?

— Вы что-то имеете против принципов логики? — улыбнулся Т., тоже не обращая внимания на револьвер в руках Софрония.

Победоносцев поднял палец.

— Вот потому все современные философские споры столь ничтожны, граф, — сказал он, — что спорщики доказывают истину этой вашей логикой. А между тем силлогизмы есть бессмысленная чушь.

— Отчего же? — спросил Т.

— Ну приведите пример осмысленного силлогизма.

К этому времени разговор стал, собственно говоря, совсем излишним, потому что Никодим тоже вынул из-под рясы маленький никелированный пистолет, а Иларион, более не скрываясь, достал из расшитой бисером сумки свернутую сеть, зазвеневшую кристаллическими лезвиями в ячейках. Однако Победоносцев вел себя так, словно ничего кроме спора о силлогизмах за столом не происходило.

— Приведите же пример, граф, — повторил он. — Давайте.

Т. улыбнулся и подвинулся ближе к Достоевскому.

— Ну хотя бы вот, — сказал он, запуская в карман руку, которую заслонял бок Достоевского. — Кай человек. Люди смертны. Поэтому Кай должен умереть. Разве с этим можно поспорить?

— С этим и спорить не надо, — ответил Победоносцев. — Чушь собачья, и все. Кай — никакой не человек, а просто подлежащее в предложении. Он никогда не рождался. Как же он умрет? Вот вы сами и доказали, что эти силлогизмы чушь.

В кармане у Т. тихо щелкнуло.

— Где я это доказал? — спросил Т. с искренним недоумением.

— Да как же где? — отозвался Победоносцев горячо. — Ну посмотрите сами. Кай — смертный человек из силлогизма. Умереть для него никак невозможно, потому что в силлогизмах не умирают. Следовательно, силлогизмы есть бессмысленная чушь, и делать их мерилом истины — безумие. А если вы с этим не согласны, покажите мне мертвого человека из силлогизмов. Покажите мертвое подлежащее, граф, тогда я...

Пока Победоносцев, блестя очками, произносил эту тираду, за столом произошло несколько важных событий.

Софроний навел свой огромный револьвер на Т. Никодим наклонился вперед. Иларион расправил сеть и перехватил ее так, чтобы кто-то другой из сообщников мог взять другой ее конец.

Но Т. следил только за револьвером в руке Софрония. И как только его ствол на миг отклонился в сторону, произошло нечто такое, чего никто из иноков не ждал — Т. схватил Достоевского за плечи и повалился в обнимку с ним в узкий просвет между столом и диваном.

— Поберегись! — крикнул он.

Победоносцев, как раз говоривший про мертвое подлежащее, поднял стекла очков к потолку — туда, куда взлетела подброшенная Т. бомба.

Договорить он уже не успел.

XIX

«Вот говорят — потерял сознание. Как странно... Однако ведь кто-то действительно теряет и находит. Это я наблюдаю на своем опыте. Но кто? Раз он теряет сознание, значит, он не сознание, а что-то еще? Впрочем, не следует гнаться за случайным смыслом, мерцающим в местах неловкого стыка слов. Хотя, с другой стороны, никакого другого смысла, чем тот, что возникает в местах неловкого стыка слов, вообще нет, ибо весь людской смысл и есть это мерцание... Тупик, снова тупик...»

Т. попробовал пошевелить рукой. Это получилось.

Вслед за мыслями вернулись ощущения — Т. почувствовал запах гари. Рядом били часы — именно их удары и привели его в себя. Что-то тяжелое давило на плечо. Т. повернулся и открыл глаза.

Яркое солнце в окне свидетельствовало, что на улице утро. Было, по всей видимости, девять или десять часов. Подняв руку, чтобы заслонить глаза, Т. увидел золотистый шелк рукава. На нем до сих пор был гостиничный халат с кистями — только теперь порядком извазюканный в пыли, штукатурке и еще чем-то, похожем на соус.

Однако вокруг оказался не номер «Hotel d'Europe», который Т. ожидал увидеть.

Это была квартира Победоносцева — та самая гостиная, где вчера пили чай и говорили о силлогизмах.

Т. понял, что лежит на полу, сжимая в объятиях тяжелый портрет Достоевского — словно плоское одеяло, укрывающее от стужи безвременья. Выбравшись из-под портрета, он некоторое время хмуро глядел на него.

Портрет был во многих местах поврежден — его покрывали следы столкновений и ударов, пятна и подпалины, а в районе бороды виднелся отчетливый отпечаток стопы, и холст в этом месте был порван. В двух местах рама была переломана — словно кто-то пытался сложить картину вдвое. И все же не могло быть сомнений, что это тот самый портрет, который лама Джамбон принес в гостиничный номер.

Стол опрокинуло взрывом. Занавешенный шкаф, стоявший у стены, тоже повалило на пол — внутри, как оказалось, было целое собрание икон, и теперь ими был завален весь пол.

Лик, изображенный на иконах, был странен.

Он был не человеческим, а кошачьим.

Все изображения основывались на определенном каноне. У головы были маленькие заспанные глаза, которые немного косили, словно смотрели в точку под носом — что давало ощущение хмурой сосредоточенности. Сама голова, покрытая короткой серой шерсткой, была круглой и слишком большой, а вот треугольные уши, наоборот, казались непропорционально маленькими.

Одна деталь на иконах сильно различалась — усы. Их везде было три пары, но на древних темных досках они были изломаны под острыми углами и походили на гневные черные молнии, а на иконах нового письма их форма была волнообразной, в точности повторяя знак тильды. Наверняка за этой трансформацией стояли века диспутов и убийств, о которых долго мог бы рассказывать какой-нибудь специалист по сектам и ересям. Да хоть бы и сам Победоносцев...

Вспомнив о Победоносцеве, Т. сразу же его увидел. Мертвый обер-прокурор лежал на спине рядом с опрокинутым креслом, уставив в потолок закопченные взрывом стекла очков.

Иноки тоже были мертвы — они лежали на полу в нелепых позах, в лужах загустевшей за ночь крови. Т.

опять не задело осколками; вместе с ним в мертвой зоне оказался портрет Достоевского и часть дивана.

Поднявшись, Т. скривился от боли в спине — но все кости, кажется, были целы. В гостиной уже сгущался сладковатый запах распада, и Т., чуть прихрамывая, поспешил выйти в коридор.

В дальнем конце коридора сидел на полу крохотный котенок. Увидев Т., он мяукнул и исчез за углом — там, по всей видимости, была кухня.

Ближайшая дверь вела в кабинет Победоносцева.

Это была просторная комната с массивным письменным столом, темно-синим персидским ковром на полу и стоящими вдоль стен книжными шкафами. В одном месте на стене висела белая занавеска — но окна там быть не могло. Т. отдернул ее.

Занавеска скрывала вмурованную прямо в стену мозаику в византийском духе, то ли копию, то ли перенесенный оригинал: огромный пантократический кот с круглыми сонными глазами, неприметными треугольниками ушей, архаичными молниями усов и мелкими греческими буквами по краям круглого лика. Гермафродит воздевал правую лапу вверх, а левой опирался на массивный фолиант с золотым словом «ВХГУ» на переплете.

Прямо напротив письменного стола стоял барочного вида платяной шкаф с зеркалом — похоже, он был поставлен с таким расчетом, чтобы сидящий за столом всегда видел свое отражение. Т. подумал, что шкаф вполне может скрывать какой-нибудь секрет — например, замаскированный выход из квартиры. Подойдя к шкафу, он потянул дверцу.

Внутри не было никакого тайного выхода. Зато там висело несколько пышных и безвкусных женских платьев — вроде тех, что носят состарившиеся кокотки. Пахло в шкафу как в стихах поэта Бунина — древними выветрившимися духами, от аромата которых осталась только самая тяжелая и стойкая мускусная фракция.

Закрыв дверцу, Т. подошел к окну и осторожно выглянул наружу. На улице было ясное петербургское утро — светило солнце, бежали куда-то чиновники и рабочий народ, катились коляски, кружили в небе птицы. Уже один вид этой налаженной и ловкой жизни содержал в себе упрек — он словно бы требовал от наблюдателя немедленно прекратить наблюдение, заняться делом и слиться с пейзажем.

Т. подошел к столу.

Над ним висела клетка с чучелом (как Т. сначала решил) канарейки. Однако при ближайшем рассмотрении птица оказалась живой. Но догадаться об этом можно было только по блеску ее глаз: она сидела совершенно неподвижно, окаменев от горя, или, может быть, затаившись — не зная, чего ждать от вторгшегося в квартиру завоевателя. Подмигнув ей, Т. сел в рабочее кресло.

На столе блестел никелем и сталью фонограф и торчали из проволочного стакана острые цветные карандаши. Слева от письменного прибора стоял телефонный аппарат новейшей конструкции, а справа, под модным пресс-папье в виде серебряного лаптя, лежала стопка исписанной ровным почерком бумаги (в верхнем левом углу каждого листа были вытеснены золотом буквы «ОПСС»).

Т. снял пресс-папье с бумажной стопки. В рукописи совсем не было исправлений и помарок — словно писавший копировал текст с висевшей перед его мысленным взором скрижали. Взяв первую страницу, Т. прочел:

Внешний Цикл. Пролегомены к трактату
«Содомский грех и Религиозный Опыт»

Начать: Человеку свойственно грешить и свойственно каяться. Свойственно поддаваться пороку и стремиться к избавлению от него. Ибо в чем смысл мытарств — или того, что католики в своем заблуждении полагают чистилищем? В том единственно, что греховные части души отделяются от ее света. Ежели человек в жизни сам боролся с грехом в меру своих сил, мытарства будут для него не наказанием, а благословенной помощью в победе над тем, с чем он не мог совладать при жизни.

перейти: Что же тогда есть современные секты, которые не признают мытарств, а признают содомию и разрешают содомитам совершать священство? Сей вопрос разбивается на раздельные проблемы, подлежащие рассмотрению поочередно.

первое: Может ли содомит быть религиозным человеком? Опыт истории показывает, что такая возможность есть. Можно надеяться, Господь в бесконечном своем милосердии не отвергнет молитву грешника, если его душевный порыв искренен и охватывает его существо в те минуты, когда оно свободно от греха.

второе: Возможно даже предположить, что тайный грешник может совершать священнослужение, ежели он не празднует своего греха открыто и служит Господу не как содомит, а как человек, остро сознающий, что несовершенен и удручен тяжкой болезнью. Более того, такой человек менее будет склонен судить других, помня о своем грехе.

завершить: Новейшие же сектантские веяния состоят как раз в том, что содомиты желают служить Господу не в качестве кающихся грешников, а именно в качестве содомитов. То есть они желают возносить молитву не из глубин опечаленной собственным несовершенством души, а прямо из заднего отверстия, в которое вставлен в это время рог Вельзевула... *Quo vadis?*

Увидев это «quo vadis», Т. нахмурился.

Он вдруг вспомнил лошадиное «qui pro quo». Общего, конечно, было мало. Но все же оно имелось: в обоих случаях присутствовала латынь, и оба раза она была связана с грехопадением, только в прошлый раз оно было телесным и реальным, а сейчас в его бездну заглядывал один только ум. Это сходство могло означать лишь одно...

«Митенька? — похолодел Т. — Неужели? А ведь очень может быть. Мужеложество, зад, рог Вельзевула... Это ведь его зона ответственности, Ариэль объяснял. Да и вчера эти иноки говорили про Аксинью. А за нее тоже Митенька отвечает. Значит, он? Немыслимо. Но иначе откуда ей было вынырнуть? Стоп... Но тогда выходит...»

Чтобы не дать уму зацепиться за эту невыносимую мысль, Т. стал перебирать лежащие на столе бумаги. Ему попалось несколько распечатанных писем. В двух речь шла о путаных денежных расчетах. Третье оказалось таким:

Его Превосходительству О.П.С.С.
Константину Петровичу Победоносцеву,
служебное.

Настоящим препровождаю Вашему Превосходительству перевод древнеегипетской надписи с листа сусального золота, обнаруженного в медальоне на трупе отца Варсонофия Нетребко в рамках расследования по делу графа Т.

По мнению специалистов Египетского музея, начертание иероглифов позволяет датировать текст эпохой XVIII династии или несколько более поздним временем. Надпись гласит:

«Тайное имя гермафродита с кошачьей головой, дающее над ним власть, суть АНГЦ. Если сможешь управлять гермафродитом с помощью этого имени, очень хорошо».

Переводчики отмечают, что «АНГЦ» может быть так же переведено как традиционное «БХГВ» (или иначе, в зависимости от выбора таблиц соот-

ветствий при использовании иероглифических реестров). Сам медальон, однако, не может быть передан Вашему Превосходительству несмотря на Ваше ходатайство, так как приобщен к делу графа Т. по приказу вышестоящих инстанций.

Исполнил:
Обер-экзекутор П. Сковородкин

На полях документа карандашом было написано:

Опять Олсуфьев!! Идиоты, не могли обыскать трупы!

Больше на столе ничего интересного не было. Т. решил осмотреть ящики. В центральном лежал браунинг. В двух других — всякая канцелярская мелочь. В левой тумбе оказались бумаги и папки с рукописями, и еще амбарные книги с римскими цифрами на корешке; правая тумба скрывала в себе искусно вделанный в полированное дерево сейф. Он был открыт.

На красном бархате полки лежала початая пачка сторублевых ассигнаций и два документа. Первый был сложенным вдвое листком из разлинованного блокнота:

Обер-прокурору СС
Константину Победоносцеву

Сообщаю Вашему Превосходительству данные по слежке за Петербургским домом Олсуфьева — на Фонтанке у Пантелеймоновского моста (четырнадцатый нумер).

Установлено, что господина Олсуфьева неоднократно навещали Аксинья Розенталь (с которой он состоит в связи) и агент сыскного отделения Кнопф, занятый по делу о розыске графа Т.

Из бесед с чинами сыскного отделения определено, что дело о розыске Т. инициировано самим Олсуфьевым. Цель сего, однако, продолжает быть неясной.

Кроме того, обращаю внимание Вашего Превос-
ходительства, что подтвержден факт встречи
графа Т. с Владимиром Соловьевым, которая имела
место в доме Олсуфьева годом раньше. По сведени-
ям, полученным от служившего тогда швейцара,
при встрече присутствовал и сам Олсуфьев.

Агент «Брунгильда»

«Я? Встречался с Соловьевым? — поразился Т. —
Тогда я не случайно иду в эту Оптину Пустынь, совсем
нет... Но кто такой этот Олсуфьев?»

Второй найденный в сейфе документ был по виду
обычной канцелярской бумагой, каких много ходит
между разными департаментами — ее покрывал мел-
кий черный почерк, сильно наклоненный вправо, со
множеством барочных виньеток вроде тех, какими
полковые писаря украшают свое творение, когда заду-
мываются о вечности.

Обер-прокурору СС
Константину Петровичу Победоносцеву
от схимонаха II класса,
коллежского асессора
Семена Куприянова
Конфиденциально
Во имя БХГВ, Великого, Скрытого.

Настоящим уведомляю вас, Ваше Превосходи-
тельство, об обстоятельствах Тайной Процедуры
по делу графа Т.

Как и ожидалось, граф был настигнут у забро-
шенной лодочной станции в точном соответствии
с полученными от Вашего Превосходительства
указаниями времени и места. Там же были обнару-
жены и трупы агентов сыскного отделения, пы-
тавшихся задержать графа.

Первая группа священства, посланная на пере-
хват, погибла. Все иноки при нашем появлении были
уже мертвы. Равва Вар-Соноф еще агонизировал,

238

но помочь ему не представлялось возможным. Сам граф Т., контуженный взрывом, находился в бессознательном состоянии. Жертвенный амулет на его шее отсутствовал.

Тем не менее, немедленно была начата Тайная Процедура по возгонке души Великого Льва с известной Вашему Превосходительству благой целью, для чего использовался обычный комплект Святой Утвари — Хрустальная Сеть и походный Купол Преображения на основе двух проекционных фонарей и армейской палатки из брезента.

По протоколу Тайной Процедуры веки реципиента были принудительно отверсты, а глаза обращены к брезентовой крыше, выполнявшей роль экрана для фонарей. Правый проекционный фонарь устрашал спящее сознание образами «Великой Пропасти», «Безжалостного Ветра», «Немыслимой Тяжести», «Неукротимого Пламени» и пр., а левый должен был утишать душу изображениями Лика, открывая таким образом канал для установления контакта с БХГВ, Великим, Вечным, и последующего всасывания души. В качестве фонографической записи, вызывающей в возгоняемой душе острое чувство одиночества, использовалась пьеса Бенджамина Персела «O Solitude» на стихи Сент-Амана.

Во время Процедуры, однако, произошла оплошность, вину за которую несет покойный инок Пересвет. Как выяснилось при служебном расследовании, за три дня до этого Пересвет использовал один из проекционных фонарей для демонстрации картинок светского содержания знакомой мещанке в г. Коврове, после чего перепутал комплект фотографических диапозитивов.

В результате путаницы левый проекционный фонарь вместо лика БХГВ показал случайную последовательность изображений: виды итальянской реки Бренты, закат над зимним Енисеем, различные образы из греческой и скандинавской мифологии, панорамы Парижа в исполнении французских художников, портреты Луи-Наполеона и пр. Когда же оплошность была исправлена и левый фонарь подал на крышу палатки изображения Лика, с момента смерти жертвенного котенка прошло уже более часа, и из Хрустальной Сети окончательно изошла благодать. По сей причине, а также в связи с отсутствием Жертвенного Амулета, всасывания души не произошло.

Памятуя об особой важности дела, граф был оставлен на месте в бессознательном состоянии. Следы неудавшейся Тайной Процедуры были тщательнейше скрыты. Тела иноков оставлены на месте их гибели, чтобы не вызвать у графа подозрений.

Полагаю, что следует подготовиться к появлению графа в Петербурге и надлежащему проведению ритуала.

Иакин,
Равва Раф-Куприян

Снизу была сделанная карандашом Победоносцева пометка:

Чую, страшна и непредсказуема будет последняя встреча. Однако не избежать. Господи, укрепи.

Т. закрыл глаза — и ему вдруг представился Достоевский. Он был не такой, как на портрете — прежним осталось только лицо, а тело, сотканное из голубоватого огня, было неземным и прозрачным. За спиной Достоевского видны были два ослепительно-белых ангельских силуэта.

— А знаете, граф, — сказал Достоевский тихо, — похоже, что вас до сих пор Ариэль создает. Со всеми вашими белыми перчатками. Просто он вас для своего шутера приспособил-с...

Т. не ответил ничего — слов у него не нашлось, и мерцающая фигура Достоевского в сопровождении двух ангельских огней торжественно поплыла ввысь.

Услышанное было несомненной слуховой галлюцинацией. И несомненной правдой. В любом случае, из квартиры Победоносцева следовало уйти как можно быстрее.

На лестничной клетке было пусто. В доме стояла прохладная летняя тишина, которую нарушал только скрип качающейся под ветром ставни.

«Значит, снова Ариэль со своей бандой, — думал Т., спускаясь по ступеням. — Опять меня обдурил... Сколько теперь будет новой мерзости и крови, представляю. И уже понятно, что дальше. Две сумки с оружием из Ясной Поляны, пакетик спорыньи от Гоши Пиворылова, потом ночью появится Аксинья, закосит пурпурным глазом и шепнет что-нибудь на латыни...»

Дойдя до нижнего этажа, он заметил, как переменился подъезд. Железной будки консьержа теперь не было — зато у входной двери стоял гнутый венский стул, на котором посапывал швейцар в фуражке с желтым околышем.

Каким-то шестым швейцарским чувством ощутив приближение Т., он, не открывая глаз, приложил руку к околышу. Т. молча прошел мимо.

Выйдя на улицу, он некоторое время разглядывал канализационный люк прямо напротив подъезда. Было непонятно, как в него пролезла картина — хотя, с другой стороны, Ариэлю по плечу было и не такое. Потом рядом остановилась извозчичья пролетка, когда-то покрашенная в желтый цвет, а теперь от грязи ставшая почти коричневой.

Извозчик был обычным питерским ванькой, безбородым молодым мужиком, судя по всему — приехавшим на заработки из окрестной деревни.

— А подвезу, барин...

Усевшись сзади, Т. сказал:

— Гостиница «Европейская». Только ты, братец, поезжай по Фонтанке. И покажи, где там четырнадцатый нумер — дом Олсуфьева.

«И еще хорошо, если Аксинья, — думал он, глядя на спешащих по делам людей, — а не какой-нибудь морячок или кучер. Такое ведь тоже может случиться, если маркитанты велят. И опять будет казаться, что это я, просто такой вот разнообразный и многосторонний, внутренне глубоко противоречивый — и тем более грандиозный человечище...»

Эти мысли вызвали приступ острой тоски, переходящей в чувство физической невыносимости бытия.

«А не исчезнуть ли совсем?»

Это была даже не столько мысль, сколько чувство, возникшее в солнечном сплетении — но такое сильное и дезориентирующее, что Т. пришлось откинуться на сиденье пролетки, чтобы спокойно дышать.

Пролетка затормозила.

— Вот дом Олсуфьева, — сказал ванька.

В настроении Т. вдруг произошла перемена — на смену унынию пришла отстраненная холодная решимость.

«Отчего же сразу исчезнуть, — подумал он, оглядывая указанный извозчиком дом. — Это мы всегда успеем. А тут много нового выясняется...»

Здание было ему совершенно незнакомо. Подвальные окна, два ажурных балкона в середине фасада, ложная арка, крутой борт крыши с окнами в парижской манере — память не могла зацепиться ни за что. Т. тяжело вздохнул.

«Кто такой этот Олсуфьев? Не помню, ничего не помню... Вот завтра рано с утра и займемся...»

Еще раз внимательно посмотрев на крышу дома, он сделал знак извозчику. Ванька чмокнул и покатил дальше.

Через четверть часа Т. вошел в холл «Hotel d'Europe» и приблизился к отделанной темным камнем стойке.

У сидящего за ней рецепциониста волосы были смазаны маслом и разделены точно посередине головы аккуратным пробором, из-за чего он напоминал молодого прусского офицера. Рецепционист так странно поглядел на Т., что тот почувствовал необходимость заговорить.

— Скажи-ка, братец, а этот лама, ну, бонза в монгольских ризах, который меня навещал, больше не приходил?

Лицо гостиничного служащего расплылось в улыбке.

— Да где же, ваше сиятельство, — сказал он восторженно. — Где же ему прийти. Вы его вчера так портретом отмутузили, что он теперь не скоро придет.

— Портретом? — нахмурился Т.

— Он его вам перед тем принес. Где бородатый господин нарисован. Ох, как вас этот бонза разозлил, ваше сиятельство! Вы ж за ним по Невскому полверсты бежали. Кричали «поберегись», и портретом, портретом...

Рецепционист поднял вверх обе руки, показывая, как именно, и улыбнулся еще шире. Т. смерил его неодобрительным взглядом.

— Так значит, не приходил, — констатировал он. — Тогда вели разбудить меня завтра в пять. Только не забудь, у меня важное дело.

Рецепционист посерьезнел и сделал пометку карандашом в лежащей перед ним конторской книге.

— Кушать прикажете в номер? — спросил он. — Все вегетарианское?

Т. кивнул.

— И еще, братец, — сказал он, — пошли кого-нибудь в лавку, пока не закрылась. Нужна пара газет и бутылка клея.

Рецепционист понимающе улыбнулся в ответ — хотя Т. даже представить себе не мог, что именно тот понял.

XX

С крыши олсуфьевского дома Петербург выглядел безотрадно. Серая траншея близкой реки, государственные сиськи куполов, скаты крыш, подобные ступеням ведущей на эшафот лестницы — поражало число человеческих судеб, вовлеченных в работу этого огромного бессмысленного механизма.

«Города похожи на часы, — думал Т., — только они не измеряют время, а вырабатывают. И каждый большой город производит свое особое время, которое знают лишь те, кто в нем живет. По утрам люди, как шестеренки, приходят в зацепление и тащат друг друга из своих норок, и каждая шестеренка крутится на своем месте до полного износа, свято веря, что движется таким образом к счастью. Никто не знает, кто заводит пружину. Но когда она ломается, город сразу превращается в руины, и поглазеть на них приезжают люди, живущие совсем по другим часам. Время Афин, время Рима — где оно? А Петербург еще тикает — шесть утра. Как пишет молодежь — «что ж, пора приниматься за дело, за старинное дело свое...»

Взявшись за привязанную к каминной трубе веревку, он перелез через край крыши и легко соскользнул по стене на балкон. Его дальнейшие действия были быстрыми и точными и заняли всего несколько секунд: плеснув на газету клея из бутылки, он налепил ее на дверное стекло, коротко стукнул по нему локтем, наморщился на приглушенный звон осколков, сунул руку в дыру, повернул ручку, отворил балконную дверь, проскользнул внутрь и закрыл ее за собой.

«Кажется, никто не заметил. Что теперь?»

Он стоял в курительной комнате, пропитанной запахом сигарного дыма. На столике у стены поблескивали бутылки с разноцветными напитками; сигарные коробки из легкой бальсы звали в далекую Гавану. Людей не было.

Открыв дверь, Т. вышел в украшенный портретами коридор. Со стен загадочно глядели екатерининские кавалеры в париках и дамы в декольтированных платьях.

Рядом с дверью в курительную оказался вход в спальню, где пахло тонкими женскими духами. Там тоже никого не было. Вокруг стояла какая-то особая неодушевленная тишина, по которой чувствовалось, что пуст весь дом. Догадку, однако, следовало проверить.

Один конец коридора упирался в запертую двустворчатую дверь — за ней, судя по всему, помещалась гостиная. Другой вел к мраморной лестнице, спускавшейся в первый этаж. Сойдя вниз, Т. оказался в прихожей, украшенной итальянскими пейзажами и мрамором. На тумбах по сторонам от ведущей на улицу двери помещались огромная китайская ваза с нарисованным водопадом и высокие часы.

Т. подошел к вазе рассмотреть рисунок, и вдруг ему почудилось, что в воздухе пахнуло спиртным. А потом за его спиной раздался шорох.

Обернувшись, он увидел толстого рыжего кота, сидящего на мраморном изваянии Паллады. Было непонятно, как он там очутился — разве что прыгнул с гардины. Коту было неудобно сидеть на маленькой круглой голове, но мизансцена так явно намекала на стихотворение Эдгара По о вороне-судьбе, севшем на бюст греческой богини, что Т. сразу понял, кого он перед собой видит. Ни слова не говоря, он подошел к коту, схватил его за шкирку, тряхнул в воздухе и поднес к своему лицу.

— Ну, Ариэль Эдмундович? Сами покажетесь, или хвост прищемить?

Видимо, он стянул шкуру на шее слишком сильно, потому что кот даже не смог мяукнуть. Ответ животного прозвучал сипло и сдавленно:

— Тяжело смотреть, как вы опустились, граф. Или вы полагаете, непротивление злу означает, что нельзя противиться мраку, струящемуся из собственной души? Какой позор! Шли в Оптину Пустынь, а кончили таким вот...

— Ага, — отозвался Т. — Прибыли, Ариэль Эдмундович? Прекрасно. Пора, наконец, объясниться...

— Извольте, — ответил кот, — давайте поговорим. Только позвольте мне... Ну пустите, пустите — не убегу.

Т. отпустил кота. Приземлившись, кот, словно воздушный шарик, стал расти, меняя очертания — и вскоре перед Т. стоял Ариэль.

В этот раз он выглядел очень затейливо. На нем была расшитая золотом восточная хламида, похожая по цвету на кошачью шерсть, а верхнюю половину лица скрывала рыжая кошачья маска из папье-маше, подобранная так, что торчавшие из-под нее усы выглядели ее естественным продолжением.

С первого взгляда было видно, что демиург сильно пьян.

— А вы, батенька, не такой уж оригинал, — дружелюбно сообщил Ариэль и пихнул Т. в плечо. — Призывать внимание создателя при помощи мучений, причиняемых созданному — весьма распространенный вид богоискательства. Взять Чингисхана, или Наполеона, или любого другого крупного завоевателя... Но чаще всего так проявляется стихийная детская религиозность. Именно этим, а не фрейдистской мерзостью, следует объяснять стрельбу из рогаток по воробьям. Вы согласны?

— Нет, — ответил Т. сухо.

— Ну, пойдемте говорить, — сказал Ариэль. — Большая гостиная, думаю, как раз подойдет. А не подойдет, так мы ее улучшим, хе-хе...

Поднявшись по лестнице, Ариэль прошел по коридору и толчком ладони отворил двойную дверь, которая минуту назад была заперта на замок.

За дверью оказалась просторная зала, обставленная мебелью из карельской березы, среди которой выделялся драгоценный секретер в виде огромной раковины-жемчужницы. В центре залы был круглый стол, окруженный стульями — словно для собрания рыцарей короля Артура.

Стену напротив окон украшал портрет в тяжелой музейной раме. На нем была изображена молодая дама в темном платье с закрытой грудью — почти совсем еще девочка. У нее была странно короткая прическа с мелкими кудряшками. Она держала двумя пальцами за черенок маленький желто-коричневый мандарин и улыбалась — и в этом была такая бездна порока, что Т. невольно нахмурился. Сначала он решил, что это какая-то средневековая испанская грандесса, но по широкой небрежности мазка догадался — перед ним не старинная работа, а стилизация. И только потом он узнал в женщине на портрете Аксинью.

Т. сразу же отвернулся.

Между выходящими на Фонтанку окнами — там, куда глядела улыбающаяся грандесса, — стену украшала коллекция дорогого охотничьего оружия: усыпанные камнями кинжалы и сабли висели вокруг отделанной слоновой костью двустволки, которая была так густо покрыта инкрустациями, что больше походила на яйцо Фаберже, чем на ружье.

— Присаживайтесь, — развязно сказал Ариэль. — Как вам? Годится помещение для беседы с творцом?

Т. сел к столу.

— Скажите, а эта зала существовала, когда дверь была заперта? — спросил он. — Я имею в виду, портрет, оружие, вся обстановка?

— Сложный вопрос, — ухмыльнулся Ариэль. — И да, и нет.

— Как так?

— Ваш мир создается энергией моего внимания. Я проявляю интерес к детали, и эта деталь возникает. Поэтому можно сказать, что до нашей встречи комнаты не было. С другой стороны, все составляющие ее элементы присутствовали в моем божественном разуме. Поэтому в некотором предвосхитительном смысле эта комната существовала уже тогда, когда вы начали мучить бедное животное. Но оставьте это теологам...

Ариэль подошел к буфету, открыл дверцу и достал поднос, на который поставил бутылку водки — причем Т. показалось, что в этом движении было какое-то фокусничество и подмена, словно Ариэль на самом деле принес водку с собой, и теперь просто ловко вытащил ее из-под хламиды.

— Что будете пить? — спросил Ариэль. — Тут есть ликеры, коньяк.

— А можно без этого?

— Нельзя.

— Тогда давайте коньяк, — сказал Т. — Федор Михайлович говорил, помогает от радиации.

Ариэль поставил на поднос еще одну бутылку и пару хрустальных стопок, вернулся к столу и сел напротив Т.

— От радиации в самый раз, — подтвердил он, наливая себе водки. — Должен вам сказать, граф, что вы доставили мне немало интересных переживаний... Скажите, в те минуты, когда вы торжествовали свое освобождение из моих, хе-хе, лап, — неужели вам не пришло в голову, что все эти белые перчатки и прочие атрибуты вашей свободы придуманы мной?

Т. опустил голову.

— Нет, — честно сознался он.

Ариэль довольно захихикал.

— А как вам вообще такой сюжетный поворот? По-моему, сделано с большим размахом — и, не побоюсь сказать, тонко. Да что там, просто шикарно сделано. Особенно эта переправа через Стикс. Подтырил, конечно, у других — но ведь сейчас все тырят. Зато как гладко получилось, а? Сам граф Т. не догадался!

— Потому единственно не догадался, — мрачно сказал Т., — что вы не вложили этой догадки мне в голову.

— Понимаете, — кивнул Ариэль.

— Зато вы не можете обвинить меня в попытке богоборчества.

— А вот это могу, — хихикнул Ариэль. — Еще как могу. Вы напрасно думаете, сударь мой, что я чего-то не могу. Я все могу. А вам следовало быть повнимательней. Я же намекал. Я русским языком сказал, что унесу с собой все наработки. А кто у меня главная наработка? Вы. Несмотря на все свое богоискательство и богостроительство.

— Богоискатель у нас вы, — сказал Т. — Надо было придумать — молиться коту... Или этот гермафродит у вас тоже ценная наработка?

— Именно так. В «Петербурге Достоевского» половина перестрелок в соборах. По техзаданию пространство игровых интерьеров разрушается на сорок-шестьдесят процентов. То есть фрески осыпаются, киоты разлетаются, паникадила лопаются от пуль. А религиозный бизнес в нашем бантустане трогать нельзя, вы уже в курсе. Но ведь должно что-то быть на иконах, по которым стреляют? Вот и придумали. Зря вы Достоевского не спросили, кого он понимает под словом «бог». Он был вам объяснил.

Т. пожал плечами.

— Как-то неправдоподобно. Кот.

— Да ладно вам, — махнул Ариэль рукой, — назначил бы какой-нибудь пьяный князь богом не еврея, а кота, так и коту бы тысячу лет молились. Причем, уверяю, теологический аппарат не уступал бы нынешнему, и охранительная риторика тоже. Нашему народу свойственно удивительное доверие к решениям властей.

Он опрокинул стопку. Т. вздохнул.

— Выпейте, выпейте коньячку, — нежно сказал Ариэль. — Это не шутки насчет радиации. Сначала борода выпадет, потом язвы пойдут по лицу. Вы в Петербурге Достоевского сколько провели? Около суток? Значит, нужно минимум неделю пить. А когда там, надо каждый час бутылку водки. И не обязательно, кстати, убивать, тут Достоевский намудрил. И водку, и колбаску можно безубойно выменять на артефакты в лавке «Белые Ночи».

— На артефакты? — спросил Т., глядя в стопку с коньяком. — А что это?

— Это предметы, которые придают ироническому шутеру аспект виртуального шопинга. Таким образом мы гармонично задействуем все базовые инстинкты. Стержень Поливанова, шайба Поливанова, каштанка, муде преподобного Селифана, бенгальский слизняк, жгучее сало... Только их перед употреблением надо активировать энергией поглощенных душ.

— То есть убивать все равно придется?

Ариэль задумался.

— В принципе, получается, что да, — сказал он неуверенно. — Кто ж вам душу просто так отдаст. А души высасывать по-любому надо, на этом вся динамика строится.

— Вы хоть понимаете, до какой степени созданный вами мир похож на ад?

Ариэлю, как ни странно, эти слова доставили явное удовольствие.

— Ну уж прямо ад, — хмыкнул он. — Неправда, есть и радости. Поел колбаски, хлебнул водочки, душонку засосал — разве плохо? Это только вас сомнения терзают. Так они вас и в усадьбе мучить будут. На то вы у нас и граф Т., что в простоте даже душу высосать не можете. Обязательно будете искать во всем нравственное начало и всячески непротивляться.

— Зачем вы вообще придумали высасывание душ?

— Это не я, — ответил Ариэль, — а мировое правительство. Сегодня на этом все игры строятся. Я вообще не понимаю, почему вы так против меня настроены. Вы, кажется, считаете меня и моих коллег какими-то запредельными мучителями. А мы ничем от вас не отличаемся, я ж вам объяснял, когда снился. Такие же трагические фантомы. И Митенька, и Гриша Овнюк, и Гоша Пиворылов.

— Вы опять вместе работаете?

— А то, — улыбнулся Ариэль.

— Не пойму. Они тоже на шутер переключились? Ариэль махнул рукавом.

— Про шутер вообще забудьте.

— Почему?

— Вы свою роль в нем уже сыграли.

— То есть как? Какая же у меня в нем была роль?

— Босс-файт второго уровня. Вы появляетесь из-за поваленной елки после последнего отряда зомби — когда у Достоевского гранаты к подствольнику кончаются. Достоевский вылезает из окопа и вступает с вами в схватку. Потом вы у него вырываете топор, это кат-сцена. Вставная анимация, если непонятно. Достоевский проигрывает, потом укрепляет себя постом и молитвой и улетает на воздушном шаре в Америку, это тоже кат-сцена, но ее пока не делали. И теперь непонятно, будут делать или нет. Если и будут, то без меня — я с завтрашнего дня ухожу.

— Как уходите?

— Нефтянка больше денег не дает. Все проекты пересматривают — экономия средств. Наш шутер точно заморозят.

— А вы же хотели на Запад продать?

— Тоже не получается. Им сценарий не понравился. Особенно с того места, когда Достоевский приземляется в Нью-Йорке. Они письмо прислали, вежливое такое. Идея, мол, интересная, динамично, но в целом вынуждены отказаться. У вас, мол, в одном эпизоде хор гарлемских евреев поет песню «черный moron[1], я не твой», а в другом появляется темный властелин по имени Батрак Абрама. Вам не кажется, что тут какое-то противоречие в мировоззрении? Потребитель, мол, запутается... На самом деле никакого противоречия, а диалектика. Просто они там пугливые страшно. На словах свободные люди, а на деле каждый трясется за свой моргидж и тойоту «Кэмри». Мы им написали —

---

[1] Мудак (*англ.*).

не бойтесь, у нас все сбалансировано, в конце эпизода Батрак Абрама едет срать на офшорных медведях. А они отвечают — да кому они тут нужны, ваши медведи? Наш потребитель вашим зверинцем уже тридцать лет не интересуется... Зассали, короче.

— И что теперь будет?

— Вернемся к изначальной концепции. Будем роман доклепывать.

— Что, вернетесь к Сулейману?

— Да вы что, господь с вами. Ни за какие деньги.

— Так ведь издательство ваше у него?

— Уже нет, — ответил Ариэль. — Сулейману генерал Шмыга знаете что посоветовал? Ты, говорит, с Макраудовым про издательство ничего отдельно не подписывал? Так зачем тебе этот геморрой — скинь всю эту херь назад, прежнему владельцу на баланс. Там все равно только учредительные документы, три компьютера и долг. На фиг тебе кредит отдавать, пускай Макраудов в своем Лондоне жопу чешет, или что там у него вместо головы.

Т. опрокинул стопку коньяку.

— А Макраудов? — спросил он.

— А что Макраудов, что он может. Контракты наши на нем. Так что мы теперь опять под него легли. Зато все в сборе. Митенька вернулся — его как раз с телевидения выгнали. Даже шестого автора наняли, православного реалиста — такой, знаете, духовный паровоз типа «спасу за копейки». Так что из кризиса понемногу вылазим.

— Зачем вам шестой автор?

— Хотим одну реалистическую главку забабахать. Но говорить про это пока рано... Так что, граф, повисели в серой пустоте, побыли отцом пространства, а теперь велкам, как говорится, бэк.

Т. поднял на Ариэля потемневшие глаза и прошептал:

— Глумитесь? Ну что ж... Наслаждайтесь. Вы, может быть, и правда мой создатель — но есть создатель и у вас. И он все видит. Он не допустит, чтобы... Все не так, как вы говорите... Мир не может быть таким на самом деле! И вообще, снимите эту чертову маску!!!

Говоря, Т. постепенно повышал голос и к концу фразы уже кричал; одновременно он поднялся со стула, перегнулся через стол и дерзко сорвал с лица не успевшего отшатнуться Ариэля кошачью личину.

Под глазом Ариэля оказался огромный, в пол-лица, синяк.

Секунду они глядели друг на друга, потом Т. выронил маску и повалился обратно на свой стул.

— Ого, — выдохнул он, — извините... Я решил, вы ее носите из издевательства. Я не знал, что у вас такой...

— Фингал, — мрачно договорил Ариэль. — Ну почему издевательство? Что я, по-вашему, изверг? Для меня, если хотите знать, каждая наша встреча — это отдых. Сами знаете от чего, я вам постоянно жалуюсь. И маску я специально надел, чтобы настроение вам своим видом не портить. А вы говорите — издевательство...

— Извините, — повторил Т. смущенно, — неправильно понял. В прошлый раз, однако, синяк у вас был много меньше. Сколько времени прошло. Отчего так?

— Сам пальцем растер заново. Чтоб больше стал и темнее. Видите, у глаза прямо черный.

— Да зачем же?

— Макраудов велел побои снять. Чтобы через суд наехать на Сулеймана и его крышу. Это ведь она в Москве чекистская крыша, а из Лондона на нее запросто и поссать можно — по такой длинной параболе. Раз они, говорит, тебя перед камерой били, видеозапись мы купим. А справку получи обязательно. Я говорю, уже месяц прошел — а он отвечает, ну и что. Скажешь, били сильно, никак не заживает. Мы их, говорит, во всех рукоподаваемых газетах приложим, они у нас будут изгои приличного общества... Но у меня, если честно, подозрение есть, что либеральные чекисты отмашку получили по силовым долбануть, просто совпало так. Потому что парабола параболой, а Армен Вагитович и в Лондоне под полковником Уркинсом ходит.

— Ужас, — сказал Т. сочувственно. — А что же вы — взяли бы револьвер да и отомстили этому Сулейману... Или вы тоже непротивленец?

— Да какой к черту непротивленец. Только я ведь не зверек, кто мне по людям стрелять позволит. Вы прямо как ребенок в некоторых вопросах. И все думаете, что я с вами хитрю. А я вам всю подноготную выкладываю.

— Не совсем так, — ответил Т. — Вы говорите правду только о пустяках. Но о главном вы молчите.

— О чем же именно? — округлил глаза Ариэль.

— А врать не будете?

— Клянусь, — сказал Ариэль и приложил ладонь к груди.

— Скажите, кто такой Соловьев?

— Соловьев? Я что, упоминал? Ха-ха-ха... Это тот самый перец, из-за которого Митеньку с телевиденья поперли. На самом деле Митенька сам виноват. Я вам не говорил, он во всех своих эпизодах постоянно с кем-то счеты сводит. То с корешами по литературным курсам, то с критиками, то с глобальным потеплением, в общем, кто у него в текущий момент главный враг.

— А при чем тут Соловьев?

— При том, что у Митеньки с ним счеты. У Соловьева этого уже и программу закрыли давно, а он все равно решил ему каку подложить, потому что злопамятный очень. Митенька, если помните, работал на сериале «Старуха Изергиль». Они в это время делали серию «Могила Мандельштама», это такой поэт был, писал стихи типа «власть омерзительна, как руки брадобрея». Никто даже не знает, где он похоронен, поэтому такое название. На телевидении, значит, придумали увлекательный сюжет, старались всей бригадой. А Митенька остался после работы, залез в сценарий и в том месте, где старуха впадает в транс и начинает глаголить духом, поменял ключевую реплику. Вместо «власть омерзительна, как член официанта» написал «власть омерзительна, как пейсы Соловьева». Так в эфир и пошло. Представляете? Мало того, что офицеру нахамил, так еще и вся интрига пропала. Потому что раньше у зрителя возникал вопрос, кто в могиле похоронен — Мандельштам или официант, а теперь он вообще неизвестно о чем думать начнет...

— Вы про какого Соловьева говорите? — спросил Т.

— Известно про какого. Теледиктор такой был, человек будущего. Днем брехал из утюга, а ночью спам рассылал.

Т. терпеливо улыбнулся.

— А я, — сказал он, — говорю про того Соловьева, который учил искать в себе читателя. И придумал Оптину Пустынь, куда я иду.

Ариэль недоверчиво поднял брови. Потом на его лице изобразилось легкое смущение.

— А откуда вам про него известно?

— Достоевский рассказал. Выходит, снова врете?

— Да не вру я. Просто вы про того Соловьева вообще ничего знать не должны... Похоже, сам маху дал. Не все куски еще причесал. Ну да, был такой персонаж. В параллельной сюжетной линии из первоначальной версии. Только мы его давно убрали.

— А почему?

— Почему, почему. У нас же кризис, сколько раз вам повторять. А консенсусная идея элит какая? Сокращать издержки. Ладно, не злитесь. Расскажу в двух словах.

Ариэль налил себе еще стопку.

— Таки да, — сказал он, выпив. — Был такой Соловьев. Мы ведь, когда начинали под Арменом Вагитовичем, на серьезный бюджет рассчитывали. Поэтому хотели сделать в книге две параллельные истории. Ваша планировалась как рассказ о возвращении гения-вольнодумца в лоно матери-церкви. А история Соловьева, наоборот, должна была рассказать о духовной катастрофе, к которой тонкого философа и поэта привело увлечение восточным панмонголизмом и языческим неоплатонизмом, переросшее затем в неудержимую страсть к католичеству и завершившееся падением в темную бездну экуменизма...

— И что дальше?

— Дальше вы хорошо знаете. Сняли финансирование, продали зверькам и пустили на самоокупаемость.

— Я имею в виду, что дальше было с Соловьевым?

— Сперва хотели приспособить его драться двумя паникадилами. Гриша Овнюк предложил. Он все время что-то новое старается придумать, чтобы самоповторов не было. Потом погуглили, что это такое, и решили поменять на хлебные ножи. Думали даже ввести учеников Соловьева — Андрея Белого, который сливается с потолком, и Александра Блока, который не пропускает ни одного удара. И поначалу неплохо пошло. Начинал Соловьев примерно как вы — только ехал не в поезде, а в дилижансе, и вместо рясы на нем была католическая сутана. Ну и, понятно, хлебный нож вместо револьвера. А потом начались проблемы.

— Какие?

— Дело в том, — сказал Ариэль, — что за Соловьева отвечал другой автор, не буду говорить кто. И когда мы стали думать, как выйти на самоокупаемость, он и предложил эту мысль. Мол, Соловьев объясняет другим героям, что внутри них есть читатель. Писатели смертны, а читатель вечен, или наоборот, уже не помню. Сам до конца не понял. А маркетологи тем более не поняли. Но как услышали, сразу стали плеваться.

— А что их не устроило? — спросил Т.

— У них, чтоб вам понятно было, есть специальные таблицы для машины Тьюринга, где просчитано, сколько на чем можно наварить. Так вот, маркетологи сказали, что любая попытка ввести читателя в ткань повествования будет неинтересна широкой массе и неудачна в коммерческом плане. Им говорят, поймите — «читатель» здесь просто метафора. А они отвечают — это вы поймите, кредит у нас в валюте. И метафоры такие должны быть, чтобы не только проценты отбить, но рост курса. Когда доллар стоил двадцать два рубля, можно было читателя в текст вводить. А сейчас нельзя, потому что нарушится иллюзия вовлеченности в происходящее. Читателя, говорят, уже много раз в мировой литературе делали героем текста, и всегда с негативным для продаж результатом...

— Вы постоянно уводите разговор в сторону, — сказал Т. — Я вас спросил про Соловьева, а вы мне про своих маркитантов рассказываете. Вы определенно крутите.

Ариэль надменно оттопырил губу.

— Вы меня как будто все время хотите на чем-то поймать. Да хотите, я этого Соловьева назад верну?

— Конечно хочу, — сказал Т. — А вы не шутите?

— Нет, — ответил Ариэль. — Мне не жалко. У нас такой поворот в сюжете назревает, что он еще и пригодиться может.

— Какой поворот?

— А такой. Армен Вагитович придумал, как бабло отбить. Умнейший человек, надо сказать. Гений, я считаю. Только способ этот, граф, вряд ли вам понравится...

И Ариэль снова пьяно захихикал.

— Что еще за способ? — спросил Т. тревожно.

— А мы под архимандрита Пантелеймона ляжем. Который у этих, — Ариэль сотворил в воздухе крестное знамение, — за пиар отвечает. Помните?

— Помню. Но зачем?

— А вот слушайте. Мы ведь, когда начинали историю про ваше покаяние, с духовными властями ничего не согласовывали, потому что бабло не от них шло. А теперь деньги везде кончились, а у них, наоборот, только больше стало.

— Почему?

— В кризис больше народу мрет — инфаркты там, то да се. А они в основном на жмурах поднимают. Армен Вагитович как это просчитал, сразу через своих людей вышел на архимандрита Пантелеймона — узнать, не заинтересуются ли они проектом. И выяснилась любопытная вещь. Оказывается, покаяние Толстого их ну совсем не интересует, потому что это чистая фантастика, а там люди очень конкретные. А интересно им изобразить духовные мучения графа. Передать весь ужас церковного проклятия. Показать, что бывает с душой-отступницей после извержения из церкви.

— Ох, — тихо выдохнул Т.

— А? Вот то-то и оно! Чтобы, так сказать, вознести на волне гордыни ко всяким белым перчаткам и прочей теургии, дать потрогать Бога за бороду, а потом взять так и крепенько обрушить. В полнейшую черную безнадежность внецерковной богооставленности.

Т. ощутил холодную волну ужаса — словно рядом снова залаял Кербер.

— А потом, — безжалостно продолжал Ариэль, — изобразить загробные мучения графа. Показать, что бывает с душой-отступницей после похорон без попа.

— Подождите, — воскликнул Т., — но ведь я не Толстой! Я граф Т.! Я к этому Толстому вообще никакого отношения не имею, сами говорили!

— А для чего мы, по-вашему, реалиста наняли? Разрулим вопрос, не беспокойтесь. Всех котят зачистим до блеска. Программа теперь такая — сначала бесплодные метания, а потом нераскаянная смерть и мытарства невоцерковленной души. Они нам даже скан иконы прислали, называется «Лев Толстой в аду». Нужен, говорят, литературный аналог.

— И что же, — прошептал Т., — вы теперь будете переделывать...

— А переделывать ничего не надо. Все готово, только немножко ретроспективу подправим. Пантелеймон наши наработки одобрил. Особенно его кот развеселил, которому молятся. И Петербург Достоевского с высасыванием душ тоже подошел. Так что весь этот блок остается.

— Вы шутите?

— Да какое шучу, батенька. Сами же говорили, на ад похоже. Вот и им понравилось. Только они велели этот разнородный материал объединить в один нормальный четкий сюжет. А то, говорят, все рыхлое, провисает. Непонятно, как одно связано с другим. Это мы обещали доработать — прямо с сегодняшнего дня самого Овнюка посадим, он мигом все концы подтянет... Что вы так морщитесь, вам неинтересно?

— Отчего же, весьма, — сказал Т.

— Еще они две позиции просили проработать. Во-первых, Достоевского вознести — он, говорят, заслужил. Мы под это еще денег захотели, а они ни в какую. Тогда договорились, что по бюджетному варианту сделаем, в одном абзаце. Да вы уже видели. А вот по второй позиции даже денег обещали дать, потому что тема для них важная.

— Меня коснется? — спросил Т.

— В некотором роде да — косвенно. Они просили на тибетский буддизм наехать.

— Зачем?

— Пантелеймон жалуется, что тибетские ламы зачастили — то из Нью-Йорка, то из Лондона, целыми «Боингами». Так себя ведут, словно на пустыре палатку открыли. Будто никто тут до них бизнес не вел.

— А я при чем?

— Пантелеймон высказал идею, что надо художественно отобразить всю тщету восточных сатанических культов. Сначала вывести какого-нибудь прозревшего ламу, а потом, когда вы уже на том свете будете, показать ихнее бардо как наши православные воздушные мытарства. Только без ангелов и надежды на спасение.

— Изобретательный, — пробормотал Т.

— А то. Не дурак. Он, кстати, за это время защититься успел, представляете? Теперь доктор теологических наук.

— Доктор чего?

— Их к ученым приравняли, — хохотнул Ариэль. — Они теперь научные степени могут получать, как раньше физики или математики. Пантелеймон уже диссертацию залудил, сразу докторскую — «Святое причастие как источник полного спектра здоровых протеинов». Писал не сам, конечно — нанял аспиранта из пищевого и двух пацанов из фонда эффективной философии. Иначе за месяц не успел бы.

— А кому с ламами бороться поручат? Опять вам?

— Не, — сказал Ариэль, — я не потяну. Метафизика нашего посадим. С ним уже дополнительный договор подписали.

Т. молча покачал головой.

— И вот под такой проект, — продолжал Ариэль, — они готовы дать нормальные бабки. Не напрямую, конечно, а через один банчок. Пантелеймон тридцать процентов назад хочет, но они столько дают, что и после отката все пучком: отдаем кредит, выплачиваем остатки по контрактам и выходим в зеленый плюс. И, главное, какая схема красивая, только подумайте — раньше наброски романа переносили в иронический шутер, а теперь наброски иронического шутера переносим обратно в роман, все перемешиваем и впариваем тому самому архимандриту Пантелеймону, из-за которого у меня синяк под глазом. Прямо молодым камикадзе себя чувствуешь, хе-хе...

— Ками... кем?

— Это японизм, батенька. У него два значения — летчик, погибший при атаке на большой корабль, или министр, укравший миллиард во время реформы. Я, естественно, в позитивном смысле.

Т. мрачно усмехнулся.

— Что же во всем этом позитивного?

— Как что. Все в выигрыше — мы контракт закрываем, Армен Вагитович кредит возвращает, Пантелеймон... Кстати, смешную историю забыл рассказать. Пантелеймон этот, когда объяснял, как с ламаизмом бороться, вспоминал одного армяна из тантристов, с которым в стройбате служил. Этому армяну прапорщик-чурка каждое утро говорил на разводе: «йа ибал твой папа, твой мама и твой лама...»

— А я? — перебил Т. — Вы говорите, все в выигрыше, а я?

Ариэль развел руками, и Т. вдруг заметил, что и руки, и сам Ариэль стали прозрачными: сквозь них теперь просвечивало выходящее на Фонтанку окно.

— Сами понимать должны, — сказал Ариэль. — Чем смогу, постараюсь помочь. Только ситуация у нас объективно весьма сложная, и на каком-то этапе придется...

Он провел себя двумя пальцами по шее и, элегантно продолжив движение руки, поднес к призрачным глазам такие же призрачные часы.

— Но на этот раз никакой серой пустоты, обещаю. Все будет наполнено до краев. Как говорят в Тибете и Голливуде, смерть — это только начало, хе-хе... А сейчас, граф, мне пора. Я в ближайшее время занят — побои, заявление в суд, потом в Хургаду поеду на две недели. Так что вряд ли мы с вами скоро встретимся за коньячком. Не скучайте.

— Что будет дальше? — спросил Т.

— Сначала Гриша сюжетец подтянет, чтоб смысловых лакун не было. А как вернусь, посмотрим. Постараюсь безболезненно.

— Постойте, — сказал Т., — я не об этом. Что теперь будет? Вы специально этот пустой дом создали, чтобы со мной поговорить?

— Нет, — ответил Ариэль, — так было бы слишком расточительно. Дом пустой потому, что его хозяин, господин Олсуфьев, ждет сегодня в гости известную вам Аксинью. В такие дни он с вечера отпускает всю прислугу.

— А где тогда сам Олсуфьев?

— Вчера он задержался на службе по случаю дня рождения Государя, — сказал Ариэль. — Но в настоящую минуту он уже вышел из коляски и подходит к подъезду.

От демиурга к этому времени остался только прозрачный контур — словно он был сделан из хрусталя. Т. скорее догадался, чем увидел, что Ариэль улыбается, а потом исчез и этот контур.

Откуда-то издалека долетел тихий смешок, и у Т. мелькнула неприятная мысль, что Ариэль все это время находился совсем не там, где он его видел. Но думать было уже некогда — внизу хлопнула входная дверь.

XXI

Т. подошел к коллекции оружия на стене, снял с крючков двустволку и открыл ее. Гильзы равнодушно глянули на него холодными латунными глазами. Закрыв ружье, Т. подошел к входной двери и встал сбоку — так, чтобы не достала пущенная сквозь филенку пуля.

«Интересно, — подумал он отстраненно, — а могу я умереть по своему желанию? Встать под пулю и разрушить планы Ариэля? И почему я этого до сих пор не сделал? Наверно, потому не сделал, что какая-то моя часть считает Ариэля бредовым видением, кошмаром наяву, вызванным душевной болезнью. И это, наверно, и есть моя здоровая часть — та, благодаря которой я все еще жив...»

В коридоре послышались шаги.

«К тому же, — думал Т., — если я сейчас встану под пулю, я не разрушу планы Ариэля. Это как раз вполне с ними согласуется. Может, потому меня и посещают такие мысли? Вот черт, опять запутался. Впрочем, не время...»

Шаги в коридоре стихли у самой двери.

Прошло несколько минут. Наконец, Т. надоело это безмолвное противостояние, и он взвел оба курка. Их щелчки показались напряженному слуху громкими, как удары бича.

— Граф, — произнес мужской голос за дверью, — я знаю, что вы здесь. Я видел разбитое стекло и веревку на крыше. Не стреляйте, прошу вас.

— Да что вы, сударь, — сказал Т., — я и не собирался. Какие только мысли приходят вам в голову...

Дверь открылась, и в комнату вошел высокий человек в белом кавалергардском мундире, с золотой каской в руке. Это был блондин лет тридцати с небольшим — вернее, подумал Т., полублондин: волосы сохранились только на его висках и затылке, а вся остальная голова была лысой, причем лысина имела неправдоподобно прямые и четкие границы, словно от лба до макушки промаршировала рота военных лилипутов с косами.

Т. заметил, что кавалергард держит каску надетой на кулак — будто выставив перед собой золотой таран со стальной птицей и белой восьмиконечной звездой. Т. усмехнулся и навел ствол ему в лицо.

— Вы обещали не стрелять, — напомнил тот.

— Я и не буду, — сказал Т., — если вы отдадите мне свой пистолет.

— Пистолет?

— Да, — ответил Т. — Пистолет, который вы прячете под каской. Она выступает вперед дальше, чем если бы вы несли ее просто на руке.

Кавалергард виновато улыбнулся, снял каску с руки и отдал Т. маленький браунинг. Взяв оружие, Т. кивнул в сторону стола.

— Садитесь. Только без глупостей, предупреждаю очень серьезно.

Господин уселся на то место, где незадолго перед этим сидел демиург.

Т. нахмурился — у него мелькнула крайне неприятная мысль, что это на самом деле не Олсуфьев, а все тот же Ариэль, который выбежал за дверь, переменил грим и наряд и вошел в комнату в новом качестве.

Т. сел напротив кавалергарда и положил ружье на колени. Несколько мгновений они молча глядели друг на друга. Потом Олсуфьев нарушил молчание.

— Я знал, рано или поздно вы придете, — сказал он. — Что ж, граф, у вас есть все основания требовать удовлетворения. И я обещаю дать его в любой форме. Только прошу не впутывать в наши расчеты Аксинью. Это чистое существо не имеет никакого отношения к происходящему между нами.

— Прекрасно, — ответил Т. — Может быть, в таком случае вы объясните, что, собственно, между нами происходит? Я теряюсь в догадках.

Олсуфьев исподлобья глянул на Т., словно игрок, пытающийся понять, какие карты на руках у соперника.

— Что вы знаете?

Т. усмехнулся.

— Я знаю не все. Но кое-что мне известно. И если я хоть раз замечу ложь, я размозжу вам голову. Поэтому не лгите и не изворачивайтесь. Рассказывайте все как есть от начала до конца.

— Спрашивайте, — согласился Олсуфьев.

— Что такое Оптина Пустынь?

— Не знаю.

— Вы лжете, — сказал Т., поднимая ружье.

— Нет, не лгу. Я действительно не знаю. И сыскное отделение тоже. Ваше путешествие, граф, как раз и является попыткой найти ответ на этот вопрос.

— Не говорите со мной загадками, — сказал Т. — Мне нужны отгадки. Еще раз спрашиваю, что находится в Оптиной Пустыни?

Олсуфьев улыбнулся.

— Бог.

Т. посмотрел на него с недоумением.

— Бог?

— Это просто самое короткое известное мне слово, указывающее на то, что за пределами всяких слов. Можно притянуть сюда много других терминов, только какой смысл? Вечная жизнь, власть над миром, камень философов — все это меркнет по сравнению с тем, что находит пришедший в Оптину Пустынь.

— Подождите, — сказал Т. — Не нужно поэтических образов, прошу вас. Только факты. Вы хотите сказать, что попавший в Оптину Пустынь встречает Бога?

— Или становится Богом сам. Это знает только тот, кто туда попал. Например, Соловьев. Но поговорить с ним нет никакой возможности, потому что он находится под строжайшим арестом, и высочайшим указом ему не дозволяются разговоры даже со мной. Он на положении Железной Маски — допрашивать его может только сам император. А вопрос, как вы понимаете, представляет исключительный интерес и важность. Именно поэтому я и решил... э-э... привлечь вас на помощь.

— Почему меня?

— Соловьев сказал, что в Оптину Пустынь можете попасть только вы.

— Когда он это сказал и кому?

— Нам с вами, — ответил Олсуфьев. — В этой самой комнате, около года назад. Он говорил, что у меня ничего не получится, сколько я ни старайся. А вот вы сможете — если бросите все свои дела, заботы и планы.

— Как это связано с монахами из банды Победоносцева?

Олсуфьев посерьезнел.

— Связано самым прямым и непосредственным образом. Для них, как и для меня, вы являетесь своего рода ключом к потайной двери, ведущей к чуду — только они пробираются к нему другим маршрутом.

— Почему они хотят принести меня в жертву своему гермафродиту?

— Насколько я понимаю, они надеются таким образом открыть дверь в Оптину Пустынь. Их манит эхо того же самого знания — древнее и невероятно искаженное. Сектанты, конечно, уже давно не понимают смысла своей веры. Они просто опасные маньяки. Соловьев предупреждал — они попытаются остановить вас. Больше того, он упоминал, что преследовать вас могут не только люди, но и существа невидимого мира, своего рода стражники, старающиеся сбить с пути любого, кто начинает путешествие в Оптину Пустынь.

Т. нахмурился.

— Соловьев говорил про духов?

— Да.

— Их много?

— Он говорил про одного, который будет выдавать себя за создателя мира и требовать, чтобы вы ему подчинились. Это страж прохода, демон, обладающий невероятной оккультной мощью. Вы должны его победить, хотя это практически невозможно.

— А он не говорил, как зовут духа?

— Да, он называл имя, — сказал Олсуфьев. — Его зовут... Очень характерное слово. Астарот... Или...

— Ариэль?

— Да, кажется так.

— Но почему я ничего про это не помню?

— Именно потому, — ответил Олсуфьев, — что я решился организовать для вашего путешествия те идеальные условия, о которых говорил Соловьев. Я помог вам полностью позабыть все дела и заботы, кроме самой главной.

— Зачем?

— Я хотел проследить, куда вы в результате придете, и узнать, что такое эта Оптина Пустынь... — Олсуфьев вздохнул. — Только дорогу туда нельзя выведать обманом. Поэтому вы и пришли сейчас по мою душу. Признаться, я догадался о возможности такого развития событий слишком поздно.

— Ага, — сказал Т. — Кажется, начинаю понимать. Но как вы заставили меня все позабыть?

— Это сделал мой человек.

— Кто именно?

— Кнопф.

— Кнопф?

Олсуфьев кивнул.

— Чтобы упредить Варсонофия, он явился в Ясную Поляну и рассказал вам вашу собственную историю в чуть измененном виде. Сообщил по большому секрету, что недалеко от вашего имения петербургские ламаисты-экуменисты хотят принести человеческую жертву тантрическому идаму Рологу Гъялпо, с которым они отождествляют Спасителя. Для этого ими якобы выбрана дочь местного священника, а совершиться злодеяние должно было в сельском храме. Вы вызвались спасти девушку. Отсюда и эта ряса — вы надели ее, чтобы проникнуть в церковь не вызвав подозрений.

— Но почему...

— Подождите. Как только вы сели в поезд, Кнопф заказал чаю и добавил в ваш стакан небольшое количество секретного препарата, произведенного в Бремене химической лабораторией при германском генеральном штабе. Это открытое немецкими химиками вещество сложного состава на основе натриевой соли карбоканифолевой кислоты, которое избирательно влияет на память.

— Ага, — воскликнул Т., — так вот в чем дело! Я так и знал. Как именно действует эта немецкая дрянь?

— Препарат вызывает потерю памяти о всех знакомых человеку людях, включая самых близких. Разрушаются, если так можно сказать, мозговые образы всех социальных связей. Кроме того, человек не может вспомнить о себе ничего конкретного. Но общие знания, умственные функции, привычки и навыки при этом сохраняются. Человек сперва даже не осознает произошедшей с ним перемены. Он не понимает, что все забыл — это доходит позже. Но главное в другом. В течение первых пяти минут после потери памяти он делается подвластен любому внушению. Он превращается, так сказать, в чистый лист бумаги, на котором можно написать что угодно — и надпись останется навсегда. Немцы планировали использовать это вещество в случае войны, чтобы превращать военнопленных в солдат-смертников.

— Понятно, — сказал Т. — И вы...

— Да, — кивнул Олсуфьев. — Кнопф, фигурально выражаясь, написал на этом чистом листе слова «Оптина Пустынь», а дальше его задачей было следить за вашим продвижением, время от времени отгоняя агентов Победоносцева.

— Но почему люди Кнопфа постоянно в меня стреляли?

— Только Кнопф был посвящен в план, — ответил Олсуфьев. — Сам он никогда всерьез не пытался причинить вам вред. Остальные сыщики действительно думали, что их задача — остановить вас. Но реальной опасности для вас они не представляли.

— Вот как. Вы, значит, полагаете, что уворачиваться от пуль — это просто гимнастика... Но отчего Кнопф перед своей гибелью старался вернуть меня в Ясную Поляну?

— Он хотел предотвратить вашу фатальную встречу с агентами Победоносцева — ему не хватило всего минуты. Но если бы вы послушались и вернулись в Ясную Поляну, поверьте, вы бы там не задержались. На этот случай туда должен был отправиться другой наш агент — цыган Лойко.

Т. рассмеялся.

— Не лучший выбор, — сказал он. — Цыган Лойко — действительно безжалостный головорез, но у него в последнее время плохо с глазами.

Олсуфьев пожал плечами.

— Все они были просто загонщиками.

— Не знаю, верить вам или нет, — сказал Т. — Вы рассказываете удивительные вещи. Этак немцы всех победят, если у них есть такой препарат...

— Увы, — сказал Олсуфьев, — так только кажется. К сожалению, препарат действует описанным образом далеко не каждый раз. Иногда происходит временное помешательство, ясное восприятие мира осложняется галлюцинациями, и действия человека становятся непредсказуемыми. Германцы ставили опыты в Африке — и в тридцати процентах случаев получившие препарат туземцы обращали оружие против экспериментаторов.

— Значит, вы понимали, что я могу повредиться в рассудке, и все равно пошли на это?

Олсуфьев энергично помотал головой:

— Нет, граф, клянусь! Эти обстоятельства выяснились позже. Кнопфа смутило ваше поведение на яхте княгини Таракановой, когда вы устроили пожар в машинном отделении, а потом кидались багром в его агентов, называя их «амазонской сволочью». Он отправил нам запрос, и мы передали его в агентурную сеть, через которую был получен препарат. Только после этого все и выяснилось. Когда Кнопф угощал вас чаем, мы ничего не знали о побочном эффекте.

— Понятно, — сказал Т. — Говорить с вами о морали или сострадании к ближнему не имеет смысла, да и поздно, поэтому сбережем время. Есть ли у вас доказательство, что вы не врете?

Олсуфьев усмехнулся.

— Как вы понимаете, граф, — сказал он, — я не готовился доказывать вам правдивость своих слов... Но кое-что все же могу вам предъявить.

Он встал из-за стола, подошел к секретеру в виде раковины-жемчужницы и откинул его крышку. Т. поднял ружье, но Олсуфьев успокоил его жестом.

— У меня сохранилась фотография, сделанная давным-давно, в пору нашей юности, — сказал он. — Я тогда еще учился в университете, а Соловьев уже носил свои странные усы... Черт, сколько здесь хлама... Во время нашей последней встречи он надписал этот снимок в своей обычной бессвязной манере. Но эта надпись имеет, кажется, отношение к Оптиной Пустыни...

Вернувшись к столу, он протянул Т. фотографию и поставил на стол маленькую бутылочку синего стекла с черной резиновой пробкой.

— А здесь остатки немецкого препарата, — сказал он, садясь рядом с Т. — Именно его Кнопф налил вам в чай. Это все, граф. Других доказательств правдивости моих слов у меня нет.

Т. поглядел на фотографию. На ней были изображены три человека, сидящие на скамейке с причудливо выгнутой спинкой — кажется, в городском саду: в просвете между листьями были видны расплывающиеся белые статуи, не попавшие в фокус. Олсуфьев, с еще не утратившим юношеской округлости лицом, длинными до плеч волосами и безо всяких намеков на будущую лысину, сидел в центре. Слева от него расплывался в улыбке беззаботный гуляка с двумя винными бутылками в воздетых руках, в котором Т. с жутковатым чувством узнал себя. Справа скучал стриженный бобриком молодой человек со странными висячими усами — он смотрел не в камеру, а в сторону и вниз.

«Вот это и есть Соловьев», — понял Т.

Он перевернул фотографию. На обороте было написано:

Лёве и Алексису, который все равно не поймет. Часто говорят — «одно зеркало отражает другое». Но мало кто постигает глубину этих слов. А поняв их, сразу видишь, как устроена ловушка этого мира. Вот я гляжу на дерево в саду. Сознание смотрит на дерево. Но дерево — ветви, ствол, зеленое дрожание листвы — это ведь тоже сознание: я просто все это сознаю. Значит, сознание смотрит на сознание, притворившееся чем-то другим. Одно зеркало отражает другое. Одно прикинулось многим и смотрит само на себя, и вводит себя в гипнотический транс. Как удивительно. Владимир.

— Похоже, Соловьев вас недооценил, — пробормотал Т., поднимая глаза на Олсуфьева. — Вы поняли. Но только очень по-своему.

Олсуфьев отвел глаза.

— Судя по этому снимку, — сказал Т., — мы были когда-то дружны. Пили вместе вино. Говорили, должно быть, о таинственном и чудесном. И вы решили препарировать меня, как какой-нибудь базарный нигилист — лягушку. Вы заставили мои мышцы дергаться под ударами вашего электричества...

— Я готов дать вам любое удовлетворение, — ответил Олсуфьев. — Если вам угодна дуэль, выберите условия.

Т. поглядел на синий пузырек, стоящий на столе. Он был полон ровно наполовину.

— Дуэль? — переспросил он. — Вы, сударь, своим поступком поставили себя за пределы такого рода отношений. К тому же я не признаю дуэлей. У меня к вам совсем другое предложение.

— Какое же?

— Я предлагаю вам на выбор два варианта будущего. В первом я размозжу вам голову из ружья. Я сделаю это без особой охоты, но и без сожаления. Во втором вы примете препарат сами. И узнаете, каково быть объектом чужих экспериментов.

Олсуфьев глянул на синий пузырек и побледнел.

— Я как раз ничего не узнаю, — сказал он. — Наоборот, я все позабуду. Исчезнет тот, кому вы хотите отомстить, и ваша месть лишится всякого смысла.

— Тем лучше, сударь, — отозвался Т. — Ведь сказано — мне отмщение, и аз воздам. Не думайте об этом как о моей мести. Считайте это возможностью начать все заново.

— Ни за что.

— У вас есть и другая возможность, — сказал Т., поднимая ствол. — Выбирайте. Только быстро, иначе выбор придется сделать мне.

— Вы требуете, чтобы я, вот так запросто, прыгнул в черную яму беспамятства? — прошептал Олсуфьев, недоверчиво глядя на Т. — Дайте мне хотя бы уладить дела, сделать распоряжения...

Т. только усмехнулся в ответ.

— Я могу быть вам полезен, — продолжал Олсуфьев горячо. — Хоть я и не сумею свести вас с Соловьевым, я знаю, где собираются его последователи.

— Где?

— Они встречаются раз в неделю. В шесть вечера, в доме два по Милосердному переулку, это совсем рядом. Как раз завтра такой день. За ними следит полиция, но всерьез власти их не опасаются. Чтобы попасть на собрание, достаточно предъявить им какое-нибудь свидетельство, что вы знали Соловьева. Вот хотя бы эту фотографию. Хотите, пойдем туда вместе?

— Не хочу. Будете пить?

— Не буду, — решительно ответил Олсуфьев.

Т. качнул стволом.

— Сударь, — сказал он, — я ведь не могу драматично взвести курки, чтобы показать серьезность своих намерений. Они уже взведены. Я могу только спустить их. И я сделаю это по счету три, обещаю вам. Раз...

Олсуфьев поглядел на портрет Аксиньи.

— Могу я хотя бы написать записку?

— Два...

— Черт же с вами, — сказал Олсуфьев устало. — Прощайте и будьте прокляты.

Взяв со стола пузырек, он вынул из него пробку и одним глотком выпил остаток жидкости. Затем он поставил пузырек на стол и уставился в окно — на фасады с другой стороны реки. На его лице проступило ожидание чего-то болезненного и мучительного.

Т. внимательно следил за ним, но так и не заметил, когда препарат подействовал. Прошло около минуты, и выражение муки на лице Олсуфьева постепенно сменилось недоумением. Затем он зевнул, деликатно прикрыв рот ладонью, повернулся к Т. и произнес:

— Pardon. Так на чем мы остановились?

Т. был готов к чему угодно, но не к этому.

— А? — растерянно переспросил он.

— Совсем вылетело из головы, — сказал Олсуфьев и улыбнулся такой доверчивой улыбкой, что Т. почувствовал укор совести. Он понял, что придется импровизировать.

— Мы говорили, э-э-э, о вашем решении раздать имущество бедным и посвятить жизнь простому крестьянскому труду. Вы обратились ко мне, поскольку термин «опрощение» и имя «граф Т.» — своего рода синонимы в Петербурге, так уж вышло. Я незаслуженно слыву у людей авторитетом в этой области. Но ваша подруга Аксинья, — Т. кивнул на портрет, — достигла на этом пути гораздо большего. Когда она хочет, ее невозможно отличить от простой крестьянской девушки, поэтому она без труда обучит вас манерам сельского жителя. А работа в поле укрепит ваше тело и очистит дух.

Олсуфьев поглядел сначала на портрет Аксиньи, затем на Т. и надолго задумался.

— Позвольте, — сказал он наконец, — но если я решил посвятить себя землепашеству, надо же сначала выйти в отставку?

— Я думаю, — ответил Т., — достаточно будет дать телеграмму на Высочайшее имя. Это, в конце концов, единственная привилегия кавалергарда. Не считая права ходить в самоубийственные конные атаки — но сейчас, слава Богу, не двенадцатый год.

Олсуфьев глянул на свою каску на столе.

— Насчет телеграммы согласен, — сказал он весело. — Это будет даже свежо, пожалуй. Но вот как раздать имущество бедным? Оно ведь у меня весьма обширно, не сочтите за хвастовство. На это уйдут годы, и не видать мне труда в поле как своих ушей.

— Я полагаю, — ответил Т., — вам следует доверить дело какому-нибудь благотворительному обществу, известному своим бескорыстием. Но позвольте дать совет — действовать следует незамедлительно, пока ваше решение еще твердо. Не оставляйте себе дороги назад. Многие сильные люди на этом пути пали жертвой колебаний и нерешительности.

Олсуфьев презрительно усмехнулся.

— Плохо же вы меня знаете, если так обо мне думаете. Знаете что? Я прямо сегодня сделаю все необходимое. Найду благотворительное общество. Найму адвокатов, которым можно будет доверить всю процедуру. И до вечера подпишу все бумаги.

Его взгляд упал на ружье, лежащее на коленях Т.

— Осторожнее, граф, — сказал он, — вы взвели курки, а оно заряжено. С оружием не шутят. Дайте-ка...

После короткой внутренней борьбы Т. протянул ему ружье. «Будь что будет, — подумал он, чувствуя холодок в груди, — даже любопытно...»

Сделав серьезное лицо, Олсуфьев осторожно опустил собачки в безопасное положение, подошел к стене и повесил ружье на место.

— Не желаете ли составить мне компанию? — обернулся он к Т. — Я ведь первый раз в жизни... э-э... опрощаюсь. Вдруг там будут люди, возникнут вопросы...

— Но если с вами буду я, ваше решение будет выглядеть несамостоятельным, — ответил Т. — И потом, будет лучше, если я в это время переговорю с Аксиньей. Она скоро будет здесь. Скажу вам откровенно, как другу — великому повороту судьбы, который вы замыслили, может помешать женщина. Особенно близкая — крики, слезы... Я постараюсь ее подготовить.

— Хм, — сказал Олсуфьев, нахмурился и внимательно посмотрел на портрет. — Женщина — это всегда опасно. Яд в драгоценном бокале, сомнений нет.

Т. поднялся со стула и встал так, чтобы синий пузырек на столе не был виден за его спиной, а затем спрятал его в карман.

— Что же, граф, — продолжал Олсуфьев, отворачиваясь от портрета, — я тогда пойду выяснять, как быстрее все это проделать. Увидимся вечером, или завтра — вы ведь будете в городе?

Т. кивнул.

— Я в Петербурге надолго.

— Тогда я не прощаюсь, — сказал Олсуфьев, берясь за дверную ручку. — И вот что, граф — спасибо за духовную помощь. Вы и представить не можете, как мне сейчас легко и покойно на душе.

Когда дверь закрылась, Т. быстро подошел к секретеру, откуда Олсуфьев достал фотографию и пузырек, нашел карандаш и листок бумаги, и записал:

Соловьевцы, собрание. Завтра в шесть, второй дом по Милосердному переулку.

Спрятав записку в карман, он поглядел на двустволку, висящую на стене, зевнул и нерешительно почесал в бороде.

«Все же не следовало отпускать его одного, — подумал он, — как бы не вышло беды... Может, все же догнать?»

XXII

Улица, по которой уходил Олсуфьев, была совершенно пустой, что выглядело немного странным несмотря на ранний час. За все время преследования Т. никого не встретил — и это было хорошо, потому что двустволка в его руках наверняка смутила бы прохожих.

То, что Олсуфьев лукавит и ему нельзя верить, выяснилось на первом же перекрестке, когда к тому присоединился явно ожидавший его спутник — ливрейный лакей с объемистой сумкой на плече.

«Я ведь чертовски голоден, — понял вдруг Т., глядя на лакейскую сумку. — Нельзя жить в материальном мире и игнорировать его законы. Федор Михайлович в таких случаях охотился на мертвых душ и имел с них колбасу и водку... Мерзостно... Но как быть? When in

Rome, do as the Romans do[1], даже если этот Рим имеет неясный порядковый номер...»

Т. вспомнил, что в кармане лежат очки со святоотческим визором, вынул их и решительно надел на нос.

И Олсуфьева, и лакея окружал отчетливый желтый ореол, который сразу перевел вопрос в ту чисто практическую плоскость, которая начинается за гранью добра и зла. Сглотнув слюну, Т. взвел ружье.

«А как здесь с непротивлением? — подумал он. — Плохо... Это ведь ходячие трупы — по всем понятиям зло. Хотя, с другой стороны, что есть непротивление злу? Это отсутствие сопротивления. А сопротивляться можно только тогда, когда зло напало на тебя первым. Если же напасть самому, да еще и быстро всех укокошить, никакого противления злу не будет вообще...»

Словно почувствовав эту мысль, лакей обернулся, увидел Т. и указал на него Олсуфьеву. Тот замер на месте. Лакей потянул из кармана револьвер, и это решило дело: больше не думая, Т. вскинул ружье и два раза выстрелил.

Подойдя, он подобрал лакейскую сумку и отошел под полотняный навес, в тени которого стояли какие-то ящики и бочки. В сумке нашелся батон колбасы и бутылка водки. Остальной ее объем заполняли предметы непонятного назначения — сальные на ощупь белые стержни, похожие на свечи без фитиля, и сделанные из того же материала кольца.

«Ага, — догадался Т., — стержень Поливанова. А это шайба Поливанова... Артефакты... Наверно, надо теперь шайбу на стержень...»

Но делать этого он не стал. Сев на ящик, он съел колбасу, а потом легко, как воду, выпил водку — и полил ее остатком руки, чтобы избавиться от колбасного запаха. Это удалось не до конца — от ладоней по-прежнему исходило отчетливое чесночное амбре.

---

[1] Находясь в Риме, поступай как римляне.

Поглядев на трупы, он вздохнул.

«Нехорошо вышло... Можно, впрочем, убедительно показать, что от идеи непротивления я здесь не отошел. Ибо категории добра и зла, как боговдохновенные, существуют только для живой души, а мертвая душа становится для них чуждой — поскольку она исторгла из себя Бога, который единственно и является их мерилом... Значит... Впрочем, кому я вру? Других обману — а себя? Или с собой тоже договорюсь? Договорюсь, отчего же нет... Я ведь еще и души у них сейчас высосу... Ей-ей, высосу...»

Эта возможность, о которой он подумал сперва с самоуничтожительным сарказмом, как о примере немыслимого падения, какого с ним уж точно не могло произойти, вдруг показалась вполне допустимой. А потом даже уместной.

«А и высосу, — спокойно повторил он про себя, вставая с ящика. — Как там Федор Михайлович делал?»

Вытянув руку перед собой, еще наполовину в шутку, он легонько потянул в себя низом живота, и сразу увидел еле заметный голубой туман, какое-то растворенное в воздухе электричество, которое заструилось от трупов к его ладони, и дальше — по руке и позвоночному столбу, в самый низ живота, вызывая легкое и приятное гудение во всем теле. В сознании через миг осталось только одно желание: чтобы эта электрическая щекотка никогда не кончалась — но раздался тихий треск, и голубое сияние пропало.

Потом треск повторился снова — и Т. открыл глаза.

Стучал дверной молоток внизу.

Т. встал с кушетки, где его сморил сон, и с облегчением покосился на ружье, только что стрелявшее в сновидении. Оно по-прежнему мирно висело на месте. Подойдя к окну, он осторожно выглянул из-за шторы.

У входной двери стояла молодая женщина в красном платье, с шелковой сумочкой-ридикюлем такого же цвета в руке. Она подняла голову, словно ожидая увидеть кого-то в окне, и Т. узнал Аксинью.

Постучав еще раз, она пожала плечами, достала из ридикюля ключ и открыла дверь.

Т. опустился на тот же самый стул, где сидел во время разговора с Олсуфьевым. Он чувствовал странную нервическую бодрость, будто привидившийся кошмар действительно оставил после себя электрический заряд во всем теле.

«Вот так, — подумал он, — хотел тайну мира постичь, слиться с читателем — и чем кончил? Отчего мне такая мерзость снится? Наверно, Ариэль хочет сделать мою смерть мучительной и страшной. А когда драматург выпускает кому-то кишки, он должен убедить публику, что перед ней отвратительный тип... Чтобы никакого сочувствия...»

Т. резко обернулся, словно ожидая увидеть ряды уходящего в бесконечность зрительного зала. Но вокруг была все та же гостиная.

«Людям говорят, что они страдают, поскольку грешат. А на деле их учат грешить, чтобы оправдать их страдание. Заставляют жить по-скотски, чтобы и забить их можно было как скот. Сколько бедняг в России запивает сейчас водочкой преступление, совершенное ради колбасы. Бараны на мясобойне, которые еще не поняли, что их ждет...»

Его взгляд упал на лежащую на столе кавалергардскую каску со стальной птицей. Холодный блеск металла вдруг отрезвил его — и все представилось в абсолютно другом свете.

«Впрочем, что это я, — подумал он. — Ариэль сливает остатки шутера, а я философию развожу. И думаю — какой в этом смысл? Да такой и смысл — пожилой гой-каббалист зарабатывает себе на скудный ужин... И с Олсуфьевым тоже все ясно — это Гриша Овнюк сюжет вытягивал. Ариэль ведь предупредил... Но отчего я почти никогда не вижу все так отчетливо, как в эту секунду? И, главное, почему я все время принимаю эту свору за себя? Их мысли за свои? Их действия за свои поступки? Неужели это правда, что я —

просто все они вместе? Нет, не может быть... Тогда я не мог бы узнавать их, когда они вторгаются в мою душу. Главное — никогда не упускать этой ясности взгляда, видеть их, видеть их всегда...»

Судя по долетавшим сквозь открытую дверь звукам, Аксинья все еще была в прихожей. Оттуда доносилась какофония скрипов, шорохов и постукиваний, которая длилась так долго, что Т. пришла в голову мысль о затянувшемся обыске в мелочной лавке. Нервное напряжение еще сильнее обострило его мысль.

«Ведь правда, — думал он, — единственное, что я по-настоящему могу сделать, это постоянно возвращаться к трезвому наблюдению за собой. Моя единственная свобода в том, чтобы видеть, какой из злых духов захватил и ведет мою душу. А еще есть свобода этого не видеть, вот и все «to be or not to be». Следует постоянно напоминать себе, что я — не Ариэль, и не Митенька. И уж тем более не этот Пиворылов, хотя ему отчего-то отдают все больше места... Никто из них не я. А кто тогда я? Не знаю. Но чего бы мне это ни стоило, я найду ответ...»

Наконец легкие шаги Аксиньи послышались в коридоре — она что-то напевала. Потом она позвала:

— Алексис!

Т. промолчал.

Дверь открылась, и Аксинья вошла в гостиную.

Увидев сидящего у стола Т., она остановилась, открыла рот от изумления и выронила свой алый ридикюль на пол.

Она была неузнаваема. От смешливой девчонки, встретившейся Т. на улице провинциального города, не осталось почти ничего — только глаза сверкали прежним зеленым блеском. Перед ним стояла молодая светская женщина в летнем шелковом платье, с кулоном на низко открытой груди. Ее волосы были подвиты и приведены в тщательный поэтический беспорядок.

— Лева, — изумленно выдохнула она. — Лева... Не убивай!

Т. смущенно прокашлялся.

— Что такое ты говоришь... Кажется, до тебя дошли какие-то гнусные слухи?

— Левушка, — повторила Аксинья, — не надо!

— Все так же глупа, — сказал Т. — Однако как похорошела...

Не спуская с него глаз, Аксинья прошла через залу и села на крохотную кушетку у стены.

— Что ты здесь делаешь? — спросила она.

— У нас с Олсуфьевым был разговор. Мы ведь с ним старые знакомые — ты, верно, знаешь. В общем, вышло так, что он оставил меня здесь, а сам уехал по важному делу. Оно затянется до вечера.

— Вы устраиваете дуэль? — вскричала Аксинья, широко открыв глаза.

— Нет, — улыбнулся Т., — не надейся.

— Поклянись, Лева.

— Клясться не буду, поскольку не понимаю этого ритуала. Но обещаю, что дуэли между нами не будет. Однако к тебе есть вопросы по поводу...

— Только не надо упреков, — перебила Аксинья. — Как, по-твоему, я должна была поступить, когда ты бросил меня одну у гостиницы — в этой мужицкой телеге, без средств к существованию?

— Я... — Т. даже растерялся. — Признаться, я об этом не подумал.

— Ах, не подумали, ваше сиятельство?

— Нет, — ответил Т. — Мне отчего-то казалось, что у тебя... Ну, как бы это сказать, своя жизнь, в которую мне не следует вторгаться слишком глубоко.

Аксинья зло засмеялась.

— Вот потому я и ушла от тебя к Алексису.

— Я не спрашиваю, почему ты сблизилась с Олсуфьевым. Это твое личное дело. Но что ты говорила ему обо мне?

— Да ничего, собственно говоря, — пожала Аксинья плечами. — Его интересовала Оптина Пустынь, в которую ты порывался уехать на телеге. Я объяснила, что ты меня про нее спрашивал, а я наврала со страху, что это за лесом.

— Понятно. А что за подлый прием — переодеться крестьянской девчонкой и подкараулить пьяного человека?

— Тебя, Лева, не поймешь. Теперь уже и опрощение грех? И потом, среди мужчин высшего света считается хорошим тоном охотиться на невинных беззащитных девушек, совершенно не считаясь с тем, какова будет их судьба после соблазнения... Фаты вроде тебя даже придумали такую фразу — «в любви и на войне все позволено...» Отчего же, Левушка, когда на ваше кобелирование вам отвечают чем-то симметричным, это сразу становится подлым приемом?

На лице Т. выступили красные пятна.

— Положим, тут ты права. Но что это за книги, про которые все говорят? Особенно вот эта, я запомнил: «Моя жизнь с графом Т.: взлеты, падения и катастрофа».

— Лева, людям надо зарабатывать на жизнь, — сказала Аксинья. — Не у всех есть усадьба на холме и белая лошадь с декоративным плугом.

Т. почувствовал, что краснеет еще сильнее.

— Но где ты набрала материала на целых две книги? Какие взлеты и падения? Мы и вместе-то провели всего полчаса.

— Да, — ответила Аксинья, — это так. Но ведь все зависит от яркости индивидуального впечатления. Пророк Магомет был взят на небо только на миг, а люди помнят об этом до сих пор.

Т. недоверчиво покачал головой.

— А фамилию мою почему взяла? Кто тебе позволил?

— Это не фамилия, а литературный псевдоним. Его каждый вправе выбирать сам. Но если бы ты был порядочным человеком, Лева, то это была бы моя фамилия.

Т. почувствовал, что у него краснеет даже шея.

— И ты сама пишешь? Как такое возможно — я только до Петербурга доехал, а ты уже две книжонки тиснула? Ты бы и одной написать не успела.

— А я диктую, — сказала Аксинья. — Со мной работают две стенографистки. Потом машинистки перепечатывают, а я уже новой главой занимаюсь. Так можно книгу за неделю, и ничуть не устаешь.

Она лучезарно улыбнулась.

Т. опустил глаза, увидел всклокоченные завитки своей бороды, нервно подрагивающую на колене исцарапанную ладонь — и вдруг почувствовал невыносимое отвращение к себе. Видимо, что-то отразилось на его лице — Аксинья испуганно выдохнула:

— Лева, не злись!

— Да как не злиться, — сказал Т., — когда... Зачем ты газетам рассказала, будто я тебя топором хотел убить?

Аксинья широко раскрыла глаза.

— Затем, что это правда. Ты разве не помнишь? Как я от тебя в лес убегала?

— Помню, — ответил Т. хмуро. — Только не «убегала», а «убежала». Слово «убегала» подразумевает, что действие было многократным.

— Не обязательно, — возразила Аксинья. — Может быть, я имела в виду процесс в его растянутости. Как я встала с телеги, поправила косынку, с ужасом поглядела на твои шарящие в сене руки, затем в твои налитые наркотическим бешенством глаза...

— Каким наркотическим бешенством?

— А ты разве не помнишь? Ты же с лошадью говорил. Я до сих пор вижу ее горящий черный взгляд, уставленный куда-то поверх твоей головы, словно ей передалось твое яростное безумие.

— Понятно теперь, что ты в своих книжонках пишешь, — пробормотал Т. — Ну говорил с лошадью, да. Так это любой гусар каждый день делает, и не только это. А тебя убивать я не хотел, тут ты врешь. Я палец хотел отрубить. И не тебе, а себе.

— Ты говорил, я помню, — сказала Аксинья спокойно. — У меня в последней книге про это целых две главы.

— Две? Да про что тут две главы можно выдумать?

— Я пыталась проникнуть в твой внутренний мир. Хотела раскрыть читателю возможный смысл твоих действий.

— И что же ты раскрыла?

— Тебе правда интересно?

— Конечно.

Аксинья устроилась на кушетке удобнее и, с хорошей дикцией человека, привыкшего часто и помногу говорить на людях, начала:

— Я предположила, Лева, что тебя нравственно изувечило извержение из церкви. Ты стал принимать наркозы, увлекся восточными культами и в конце концов вошел в молитвенное общение с бесами. В наркотическом бреду эти бесы стали являться тебе в видениях, уверяя тебя, что они на самом деле являются светлыми духовными сущностями и даже подлинными создателями этого мира...

— При чем тут палец? — спросил Т.

— Погоди, — сказала Аксинья, — эти вещи взаимосвязаны. Я и пытаюсь эту связь проследить — имей терпение. Тут было одно из двух — либо бесы говорили с тобой, вселяясь в лошадь, а ты в своей гордыне думал, что приобрел дар общения с бессловесными тварями, как святые отцы-пустынники. Либо бесы вселялись непосредственно в тебя самого, вызывая у тебя наваждение, будто лошадь говорит с тобой, в то время как она мирно щипала траву.

— Это кто тебе наплел?

— Не наплел, а разъяснил. Я обсуждала этот вопрос со священником, который занимается изгнанием злых духов. Его зовут отец Эмпедокл.

— Ага, — сказал Т. — Понятно. Так все-таки при чем тут палец?

— А при том, — ответила Аксинья, — что под действием наркозов и общения с бесами ты стал некритически воспринимать багаж чужой культурно-религиозной традиции. А в этом багаже, как нам с отцом Эмпедоклом удалось установить, была одна история, которая и повлияла на твое воображение.

— Не понимаю, о чем ты.

— Это легенда о древнем китайском мудреце, который в ответ на все вопросы об устройстве мира и природе человека молча поднимал вверх палец. Понятное дело — если бы так поступал простой человек, все решили бы, что он дурак. Но все знали, что он просветленный муж, и находили в этом жесте уйму смысла. И еще при его жизни составили целые кипы комментариев — одни говорили, что он демонстрирует невыразимость высшей истины в словах, другие — что указывает на примат действия над размышлением, третьи еще что-то, и так без конца.

— Но какая связь...

— Подожди, Лева. У этого мудреца был ученик, совсем молодой человек, который во всем старался походить на учителя и мечтал со временем стать его преемником. Он много раз видел, как мастер поднимает палец, и научился точно повторять этот жест, даже с тем самым выражением лица. Единственное, он не был просветленным.

Аксинья сделала паузу и посмотрела на Т. Тот пожал плечами.

— И что?

— К его учителю приходили самые разные люди. Те, кто был богаче и влиятельней, естественно, попадали к самому мастеру. А народ попроще просто толпился вокруг его дома, без всякой надежды увидеть мудрого старца. И ученик стал понемногу принимать эту публику в своей каморке. Он выслушивал их вопросы о жизни и с умным видом поднимал палец. Довольные посетители после этого расходились по домам, радуясь, что им удалось приобрести кусочек откровения совсем недорого. Но однажды об этом узнал сам старый мастер. Тем же вечером он взял нож, накинул рваный плащ с капюшоном и постучался в каморку к ученику. Ученик решил, что пришел очередной посетитель. Мастер, изменив голос, задал ему вопрос о смысле жизни. Ученик, не задумываясь, поднял вверх палец. И тогда учитель выхватил из-под плаща нож и одним движением отсек этот палец.

— Вот как, — пробормотал Т. — И что же произошло дальше?

— А дальше, — сказал Аксинья, — учитель громким и ясным голосом повторил тот же самый вопрос, который только что задал. И ученик, не успев сообразить, что он делает, поднял вверх палец, которого уже не было.

— И?

— Вот тут начинается самое интересное, — ответила Аксинья. — Если бы ученик думал, что его учитель просто жулик, он решил бы, что тот устраняет возможного соперника и вдобавок еще издевается. Но ученик, как и все остальные люди, приходившие к дому старца, свято верил, что учитель был просветленным...

— Так чем все кончилось? — спросил Т. нетерпеливо.

— Ученик достиг просветления, вот чем, — сказала Аксинья. — Мы думали, ты эту историю знаешь.

— Кто «мы»?

— Мы с отцом Эмпедоклом. Мы думали, что к утехам плоти ты захотел добавить люциферическое духовное наслаждение, которое на Востоке называют «просветлением», и для этого решил отрубить себе палец. Отец Эмпедокл учит, что последователям восточных демонических культов мало телесных радостей, и самое страшное свое грехопадение они совершают в духе, увлекаясь тончайшими переживаниями и сверхъестественными экстазами, которыми соблазняют их погибшие сущности невидимого мира. И вот, насладясь невинной девушкой-ребенком, ты сразу же устремился...

— Ну это, положим, неправда, — перебил Т. — Насчет невинной.

— Я имею в виду, невинной духовно. В книге все понятно из контекста. Не цепляйся к мелочам.

— Наплела, — вздохнул Т. — Понятно теперь, почему на меня за столом так косились, перед тем как я бом...

Он осекся и не договорил.

— Что? — спросила Аксинья.

— Неважно. Для чего, спрашивается, надо было все это выдумывать? Ты ведь сама меня спросила, зачем я палец рубить хочу. И я тебе ясно ответил — от зла уберечься. Не помнишь?

— Помню, — ответила Аксинья.

— Ты что, своему Эмпедоклу про это не сказала?

— Сказала. А он ответил, что восточные сатанисты самым большим злом считают отсутствие тонкого духовного наслаждения, известного среди них как «просветление». Словно морфинисты, для которых самое ужасное — остаться без своего наркоза. Разве не в этом дело?

— Конечно нет, — ответил Т.

Аксинья нахмурилась.

— Так зачем же ты его тогда рубил?

Т. смущенно пожал плечами.

— Я же тебе сказал. От греха уберечься.

— От какого греха?

— Будто не знаешь, — отозвался Т. совсем тихо.

Аксинья прыснула в кулак.

— Да какой же это грех, Лева. Вот выдумал.

— Выдумал не я, а... В общем, тебе не понять. Только, прошу, не обижайся.

Но Аксинья и не думала обижаться.

Она улыбнулась, и Т. заметил в ее глазах знакомые зеленые искры. Сразу вспомнилась косынка над русой копной, хрупкая шея над застиранным красным сарафаном.

«В сущности, — подумал он, — несмотря на весь этот петербургский лоск, в ней все еще видна та смешливая деревенская девчонка, которую я встретил в Коврове...»

— Не понять? — переспросила Аксинья насмешливо. — Да уж где там. Рубить палец, чтоб от греха уберечься... Что же ты им делаешь такое, что никто уразуметь этого не может?

Т. почувствовал, как екнуло в груди сердце.

«Вот и Митенька подрулил. Хорошо хоть, узнаю сразу. Ясности взгляда не потерял. А дальше что?»

— Так скажешь аль нет? — повторила Аксинья, безукоризненно подражая простонародному деревенскому выговору.

Она глядела на него все откровеннее, с той лукавой и неизъяснимой тысячелетней загадкой в глазах, у которой, по меткому наблюдению Ницше, нет на земле иной разгадки, кроме будущей беременности.

— Хочешь знать? — спросил Т. неожиданно охрипшим голосом.

Аксинья кивнула.

— Ну идем, покажу...

— А Алексис? — прошептала Аксинья. — Вдруг он вернется?

— Нет, — таким же шепотом ответил Т. — Он ушел надолго. Практически навсегда.

— Хорошо, — еле слышно выдохнула Аксинья. — Но только, Лева...

— Что?

— Пусть это будет нашим прощаньем...

* * * * * * * * *

Лежа на спине, Т. глядел в потолок спальни. Свернувшаяся рядом Аксинья водила кончиком алого ногтя по его щеке, щекоча и наматывая бороду на палец — это и раздражало, и одновременно было приятно. Другой рукой она прижимала к груди ночную сорочку.

«Почему она стала прятать свое тело? — думал Т. — Уже увяла? Может быть, ее изуродовали роды... Какой, однако, гадкий каламбур — «изуродовали роды». Гадкий и точный. Впрочем, родить так быстро она вряд ли смогла бы даже с помощью двух стенографисток... Но раньше она вела себя иначе. Она и была другой. Безгрешной светлой частицей весны — именно это к ней и влекло. А город все украл... Или не город? Неважно, кто. Главное, что женщина в своем ослеплении думает, будто способна подменить это мимолетное цветение природы, намазавшись помадой и белилами, надушившись парижскими духами и украсив себя золотом... Смешно. Только впору не смеяться, а плакать, потому что делает она это вынужденно, на потребу мужской похоти в зловонных клоаках городов, вместо того, чтобы радостно работать в поле...»

Т. вздохнул.

«Впрочем, эту возможность Олсуфьев ей предоставит. Но почему она прикрывается? Стоп, не спать... Видимо, Ариэль не хочет терять целевую аудиторию до пятнадцати лет. Вот она титьки и прячет. Господи, и как только жить в твоем мире? Впрочем, какой еще «господи»...

Т. снова вздохнул.

— Что ты так тяжело вздыхаешь, Лева? — спросила Аксинья. — Тебя что-то гложет? Поделись, легче станет.

— Угу, — хмыкнул Т. — Материал для книжки собираешь?

— Отчего же материал, — улыбнулась Аксинья. — Просто интересно, чем ты живешь, как видишь мир.

— Да ты все равно не поймешь. А поймешь, так обидишься. Или не поверишь.

— А ты попробуй, — сказала Аксинья. — Не думай, что я глупа. Вот Алексис поверил в меня, и сам видишь результат.

— Алексис? — презрительно поднял бровь Т. — Он тут вообще ни при чем. Скорей всего, Митеньке на литературных курсах объяснили, что героиня должна эволюционировать.

— Какому Митеньке?

— Тому, кто тебя придумывает, — ответил Т. — Вернее, придумывает даже не тебя, а эротические сцены с твоим участием. Ты для него просто говорящая декорация.

Аксинья покачала головой.

— Это звучит настолько хамски, — сказала она, — что лень думать, насколько это глупо.

— Тем не менее так оно и есть. Когда ты исчезла из моей жизни, это произошло потому, что Митенька был занят и отдавал свои силы не нам, а некой омерзительной старухе, которая... Впрочем, не буду продолжать, все равно не поверишь. А сегодняшний наш союз, я думаю, был так короток и невыразителен, потому что они фильтруют контент.

— Теперь понятно, — улыбнулась Аксинья. — Не переживай, Лева. Каждого мужчину может постигнуть неудача, в этом нет ничего стыдного. Перенервничал, выпил много плохой водки. За меня не переживай, у меня для подобных занятий всегда под рукой Алексис Олсуфьев.

Т. поморщился, как от зубной боли.

— Болтай что угодно, — сказал он, — только никакого Олсуфьева в сущности нет. Вернее, это просто выцветшая виньетка, пыльный узор пустоты на обочине моей безнадежной дороги в Оптину Пустынь...

Аксинья широко раскрыла глаза, схватила с прикроватного столика блокнот с карандашом и быстро-быстро застрочила на бумаге.

— Интересно, — нахмурился Т., — что ты там пишешь?

Аксинья промолчала. Исписав две странички, она положила блокнот на место, встала и, прикрываясь скомканной ночной рубашкой, подошла к зеркальному столику. Сняв с него одну из карточек, она вернулась к кровати и протянула ее Т.

— Что это?

— Художественная фотография, — ответила Акси- нья. — Мы с Алексисом, которого, как ты утвержда- ешь, на самом деле нет. Он, кстати, стихи пишет. Кра- сивые и весьма странные для кавалергарда. «Белый день уходит прочь, omnes una манит ночь...» Это из од Горация. Там было «omnes una manet nox», всех ждет одна ночь... А он услышал как «манит»...

— Но почему же ночь, — сказал Т., — возможно, все не так мрачно...

Аксинья на фотографии была одета сестрой мило- сердия — это ей шло; правда, на ее лице присутствовал избыток косметики, придававший ей что-то южное. Она глядела вдаль с романтической мечтательностью — или так казалось из-за сильно подведенных глаз. Ол- суфьев был в белом пиджаке и папахе — судя по штам- пу над линией нарисованных гор, снимали в петер- бургском постановочном ателье.

— Он здесь похож на карточного шулера, — ска- зал Т.

Аксинья сладко улыбнулась.

— Что с тобой, Левушка? Ты ревнуешь?

— Да нет, — буркнул Т., отводя глаза. — Вот еще. Скажи, а Алексис никогда не говорил с тобой про Со- ловьева?

Аксинья задумалась.

— Упоминал один раз. Говорил, что тот в Петро- павловской крепости.

— В чем его обвиняют?

— Государственная измена, — ответила Аксинья. — Довольно странная история. Алексис сказал, Соловье- ва держат в крепости для его же блага. Но в свете ходит упорный слух, что он уже умер. А некоторые говорят, он был разбойник и убийца почище тебя, Лева...

Т. еще раз поглядел на фотографию, виновато вздохнул, отдал ее Аксинье и поднялся с кровати.

— Одевайся, — сказал он. — Я подожду тебя в гос- тиной. Хочу тебе кое-что показать.

— Что именно?

— Будет свежий литературный материал.

Через несколько минут, хмуро-недоверчивая, но с блокнотиком в руках, Аксинья появилась в гостиной и подошла к открытой балконной двери, у которой стоял Т.

— Собственно, я хотел попрощаться, — сказал Т. — Скоро вернется Алексис, и ты услышишь много интересного.

— На что ты намекаешь?

Т. вышел на балкон и повернулся к Фонтанке спиной.

— Не хочу портить тебе удовольствие, — ответил он. — Но твоя жизнь теперь изменится. С моей точки зрения — к лучшему.

— Прекрати говорить загадками.

— Больше никаких загадок, — сказал Т. и взялся за веревку. — Запомни меня таким, как видишь сейчас. Поскольку я уже имею представление о твоем стиле, могу даже надиктовать твоей стенографистке... «Помню его мускулистую фигуру, взбирающуюся по веревке на крышу. Несколько сильных и ловких движений, и нога в черном кожаном сапоге перемахнула за скат. Затем там же оказалось и все его большое, наизусть знакомое мне тело, а потом... Потом в моем окне остались только небо и солнце...»

Аксинья застрочила в блокноте, сумрачно и подозрительно поглядывая на Т., который уже карабкался по веревке вверх.

Поднявшись до самой крыши, Т. посмотрел вниз и увидел вдали Олсуфьева — тот появился на набережной во главе странной процессии, где были студенты радикального вида, священник и пара хорошо одетых господ, похожих на представителей судейского сословия. Олсуфьев что-то горячо им объяснял, на ходу размахивая руками.

Последний раз глянув на замершую на балконе Аксинью, Т. закинул ногу в кожаном сапоге за жестяной скат, подтянулся и исчез за краем крыши.

XXIII

На следующий день Т. вышел из «Hotel d'Europe» в половину шестого. До сбора соловьевского общества оставалось всего полчаса, но Милосердный переулок, как выяснилось, был в двух шагах от Невского.

Похоже, известие о гибели Победоносцева дошло до прессы только теперь. Все время, пока Т. шагал вниз по проспекту, ему казалось, что мальчишки-газетчики, выкрикивающие вечерние заголовки, целят своими звонкими голосами ему прямо в мозг, стараясь сделать так, чтобы он обернулся.

— АДСКАЯ КАТАСТРОФА В КВАРТИРЕ ПОБЕДОНОСЦЕВА!!

— ОБЕР-ПРОКУРОР ПОГИБ С ТРЕМЯ КОНФИДАНТАМИ!!

— В КВАРТИРЕ ПОБЕДОНОСЦЕВА НАЙДЕНЫ КРИСТАЛЛЫ КВАРЦА!!

— ПОПЫТКА ВЫЗВАТЬ ДУХ ДОСТОЕВСКОГО ОКОНЧИЛАСЬ КРОВАВОЙ РАСПРАВОЙ!!

«Откуда они узнали про Достоевского? — думал Т. — Скорей всего, совпадение. Обратили внимание на портрет, узнали, что Победоносцев баловался спиритизмом... Да чего они так орут... Нервы никуда...»

Однако он свернул с Невского, так и не купив газету.

Нужный дом оказался двухэтажным особняком, перед которым, словно солдаты почетного караула, стояли несколько старых тополей. Хорошенькая девчушка в белом платье прыгала по клеткам, нарисованным разноцветными мелками на тротуаре у входной двери. Она смерила Т. строгим взглядом, но не сказала ничего.

Войдя в прохладный подъезд, Т. сверился с часами. Было без десяти шесть — он пришел слишком рано.

Стоять в подъезде не хотелось, к тому же сверху доносились веселые голоса, и он решил подняться на второй этаж.

На лестничной площадке перед единственной квартирной дверью курили двое. Один из них был усатым молодым человеком неброского, но стильно-нигилистического вида, а второй...

Второй был тем самым ламой-спиритом, который принес Т. портрет Достоевского и пилюли в серебряном черепе. В этот раз он был одет не в красную рясу, а в пиджак и косоворотку, придававшие ему сходство с культурным рабочим азиатской расы — хотя глубокая царапина через все лицо делала эту культурность сомнительной.

Лама Джамбон и Т. увидели друг друга одновременно.

На лице ламы проступил ужас, и он непроизвольно качнулся назад, чуть не потеряв равновесие. Его спутник-нигилист обернулся, увидел Т. и сунул правую руку в карман.

Т. поднял перед собой ладони успокаивающим жестом.

— Господа, — сказал он, — умоляю, сохраняйте спокойствие. Я пришел на собрание соловьевского общества и не причиню никому неудобств. А вас, сударь, — Т. повернулся к переодетому ламе, — прошу извинить за случившееся между нами недоразумение. Поверьте, мне очень неловко — но вы сами в некотором роде послужили причиной. Зато теперь я понимаю, почему вы требовали тройную плату...

Лама Джамбон не поддержал этой робкой попытки пошутить — повернувшись, он исчез в квартире. Нигилист вынул руку из кармана, смерил Т. внимательным взглядом и скрылся следом, прикрыв за собой дверь.

Т. остался на лестнице один.

«Вот черт, — думал он. — До чего же неловко вышло...»

Дождавшись, когда часы покажут пять минут седьмого, он позвонил.

Открыл неожиданный в таком месте ливрейный лакей с седыми бакенбардами.

— Вам назначено? — спросил он.

— Нет, но...

— Велено впускать только господ, кому назначено, — сказал лакей.

— Позвольте, но...

— Не велено, — повторил лакей и сделал попытку закрыть дверь.

Т. поставил в проем ногу и позвал:

— Господа! Я по поводу Владимира Сергеевича Соловьева! Велите впустить!

— Открой, Филимон, — сказал женский голос в глубине квартиры, и лакей послушно отступил.

Войдя, Т. увидел в прихожей высокую стройную даму в темном платье с ювелирной брошью в виде камелии.

— Что вам угодно? — спросила она, внимательно глядя на Т.

— Видите ли, мне от знакомых стало известно, что здесь собирается соловьевское общество. Я был знаком с Владимиром Сергеевичем, и мне показалось...

Дама улыбнулась.

— Мы не афишируем наших встреч, — сказала она. — И потом, «общество» — это слишком сильно сказано. Скорее, просто собрание друзей. Чем вы можете подтвердить, что знакомы с Владимиром Сергеевичем?

Т. вынул из внутреннего кармана фотографию, полученную от Олсуфьева.

— Вот, — сказал он, — только Соловьев здесь в юности...

Дама внимательно осмотрела фотографию, потом прочла надпись на ее обороте и проговорила:

— Да, несомненно, это Владимир Сергеевич. Вы же, сударь, сильно изменились с тех пор. Как вас зовут?

— Т., — ответил Т. — Граф Т.

Дама чуть побледнела.

— Так это правда, — сказала она, — а я думала, молодежь меня разыгрывает... При всем уважении, та скандальная и страшноватая репутация, которая вас преследует, граф... Кроме того, один из наших гостей, лама Джамбон, ужасно напуган вашим появлением, так как уже имел с вами дело — мы сейчас отпаивали его каплями. Я, собственно, ничего не имею против уголовного элемента, но у нас присутствует пресса. Мы пригласили репортера, чтобы привлечь внимание прогрессивных газет к судьбе Владимира Сергеевича, и ваше появление на заседании...

— Я обещаю, что не причиню никаких неудобств, — сказал Т. смиренно. — Мне просто хочется послушать. И, может быть, задать пару вопросов.

На лице дамы изобразилось сомнение.

— Известно ли вам, — спросила она, — что наши собрания запрещены полицией? У вас могут быть дополнительные неприятности, если вас здесь обнаружат.

Т. махнул рукой.

— Уж эта малость меня совсем не смущает. Если б вы знали, как важно для меня каждое слово о Соловьеве, вы не колебались бы ни секунды.

Дама еще раз осмотрела фотографию и вернула ее Т.

— Ну хорошо, — сказала она. — В конце концов, кто я такая, чтобы вам отказать? Только не садитесь рядом с ламой Джамбоном. Можете задавать интересующие вас вопросы, но не перебивайте говорящих. Идите за мной.

В гостиной, украшенной портретными эстампами (Эпиктет, Марк Аврелий и еще кто-то бородатый), сидело около десяти человек разного вида и возраста. Т. сразу понял, что журналист, о котором говорила дама с камелией — это украшенный подусниками господин с багровой апоплексической шеей, чем-то похожий на Кнопфа (даже костюм на нем был в шоколадную клетку). Он сидел особняком от остальных.

Стулья в гостиной были обращены полукругом к одной из стен, а на стене, как бы в фокусе внимания, висел карандашный портрет Соловьева — такого же размера, как эстампы с философами. Соловьев выглядел заметно старше, чем на фотографии, которую Т. предъявил даме, и его усы были длиннее — они свисали почти до груди.

Слева от портрета к стене был прикреплен квадратный кусок картона с рукописной надписью:

Ум — это безумная обезьяна, несущаяся к пропасти. Причем мысль о том, что ум — это безумная обезьяна, несущаяся к пропасти, есть не что иное, как кокетливая попытка безумной обезьяны поправить прическу на пути к обрыву.

Соловьев

Справа от портрета был другой картон, побольше:

Ты не строка в Книге Жизни, а ее читатель. Тот свет, который делает страницу видимой. Но суть всех земных историй в том, что этот вечный свет плетется за пачкотней ничтожных авторов и не в силах возвыситься до своей настоящей судьбы — до тех пор, пока об этом не будет сказано в Книге... Впрочем, только свет может знать, в чем судьба света.

Соловьев

Под портретом висел третий картон:

Умное неделание беззаботно. Если описать его на символическом языке момента, оно таково — Ваше Величество, вспомните, что вы император, и распустите думу!

Соловьев

«Ну, это они для жандармов повесили, — подумал Т. — Хотя... Победоносцев ведь упоминал про святого

Исихия и помысел-самодержец. Жаль, что так и не успели толком поговорить...»

Дама с камелией заметила, куда он смотрит, и улыбнулась.

— Да-с, умственные построения Владимир Сергеевич не жаловал... Но его тайные последователи в высочайших сферах понимают все слишком буквально. Сколько дум уже распустили — а он совсем не о том говорил.

— А о чем? — спросил Т. — Что это за император?

— Я, если позволите, объясню после собрания, тут в двух словах не скажешь. Сейчас уже времени нет. Садитесь вот здесь, с краю...

Она легонько хлопнула в ладоши.

— Итак, начинаем. Владимир Сергеевич не хотел, чтобы мы, вспоминая его, проводили наши встречи по определенному ритуалу. Он не желал, чтобы мы уподоблялись религиозной секте — это пугало его больше всего. Он говорил примерно так — ну встретитесь, вспомните про меня, посмеетесь...

У дамы с камелией задрожал голос, она сморгнула, и Т. внезапно, безо всяких ясных оснований для такой мысли, решил, что она, скорей всего, была когда-то подругой Соловьева, а девчушка, увиденная им у подъезда — их дочь.

— Но некоторые неизбежные традиции, — продолжала дама, — у нашего маленького общества все-таки выработались, отрицать это глупо. Благодарная память о Владимире Сергеевиче уже протоптала себе, так сказать, определенные тропинки... Одна из них — это короткая медитация, с которой мы начинаем наши встречи. Суть в том, что мы тихо вглядываемся вглубь себя и пытаемся ощутить в себе Читателя — таинственную силу, создающую нас в эту самую минуту... Каждый волен делать это по своему разумению, здесь нет определенной техники или правила... Вы что-то хотите сказать?

— Я? — удивленно переспросил Т., заметив, что дама смотрит на него.

— Простите, но вы так... так подняли брови, и я решила...

— Нет-нет, — отозвался Т., — у меня никаких возражений. Просто, насколько я понимаю учение Владимира Сергеевича, пытаться увидеть в себе читателя бесполезно.

Дама с камелией слегка покраснела.

— Отчего вы так думаете?

— Оттого, — ответил Т., — что это не в нас присутствует читатель, а наоборот — мы возникаем на миг в его мысленном взоре и исчезаем, сменяя друг друга, словно осенние листья, которые ветер проносит перед чердачным окном.

— Какой поэтичный образ, — сказала дама с камелией. — Только немного мрачный. Ну тогда попытайтесь увидеть это чердачное окно — и пронеситесь перед ним сухим дубовым листом... Я же говорила, что у нас нет обязательной для всех процедуры.

— Господа, я не хотел никому перечить, — пробормотал Т. смущенно. — Просто я хотел сказать, что читатель есть принципиально трансцендентное нашему измерению присутствие, поэтому он не может быть дан нам в ощущении.

— Вы знаете, сударь, — с улыбкой вмешался похожий на вольного художника господин с широким желтым галстуком, — я однажды сказал Владимиру Сергеевичу примерно то же самое. И знаете, как он ответил? Он улыбнулся и сказал: то, что ты говоришь, сложно, а истина проста. Читатель просто смотрит. Вот и ты — просто смотри. И больше ничего не надо.

Т. не нашелся, что на это ответить, и лишь кивнул головой.

— Итак, — сказала дама с камелией, — начинаем.

Она негромко хлопнула в ладоши, и в комнате наступила тишина.

Т. решил подойти к делу честно. Зажмурясь, он вгляделся в мерцающую черноту перед глазами. В ней вспыхивали призрачные огни; косо поплыл вниз отпечатавшийся на сетчатке прямоугольник окна.

«Ну и где здесь читатель? Везде, конечно. Все это на самом деле видит он. И даже эту мою мысль думает он — отчетливее, быть может, чем я сам. С другой стороны, господин в желтом галстуке определенно прав — ведь читатель просто смотрит на страницу, да. В этом и заключена функция, делающая его читателем. Чем еще, спрашивается, ему заниматься? Ну вот, и я тоже просто смотрю... Так, а кто тогда этот «я», который смотрит? Зачем тогда вообще нужен какой-то «я», если смотреть может только читатель? Тут загадка. Надо еще много думать. Или, наоборот, не думать совсем...»

Дама с камелией снова хлопнула в ладоши, и Т. понял, что время медитации истекло.

— Ну, — сказала дама, — кого-нибудь посетили интересные переживания?

Господин в желтом галстуке поднял палец.

— Знаете, это не вполне по теме, но я вот что подумал... Читатель неощутим, бестелесен. Подобен собственному отсутствию, пустоте. Так вот, мне пришло в голову: человек — это и есть временное искривление пустоты. Чтобы он родился, папа с мамой вбивают Богу в ум маленький гвоздик, на который ветер времени наматывает всякую дрянь. Проходит лет семьдесят, и организм Бога выталкивает гвоздик к чертовой матери — вместе со всей налипшей на него дрянью. Это просто защитная реакция, как у нас бывает с занозой в пальце. Никакого человека в строгом смысле никогда не было, было просто что-то вроде стука молотка за стеной, на секунду привлекшего к себе внимание Господа. Сознание, которое человек считает своим — на самом деле сознание Бога.

— Здесь слово «Бог» лишнее, сказал бы буддист, — заметил лама Джамбон.

— А чаньский буддист сказал бы, что здесь все слова лишние, — добавил молодой человек нигилистического вида, которого Т. видел на лестнице — он сидел рядом с Джамбоном.

— Но в чем тогда смысл рождения? — спросила дама с камелией.

— Наверно, в том, что Читатель хочет на время забыться, — предположил желтый галстук. — Ведь именно в этом и состоит смысл чтения — забыть себя на время.

Нигилист энергично помотал головой.

— Я не согласен, — сказал он, — что Абсолют хочет забыть себя. Чтобы забыть себя, надо себя знать, а Абсолют себя не знает. Это Соловьев утверждал весьма определенно.

— Помилуйте, — всплеснул руками желтый галстук, — как же Абсолют может себя не знать?

— А зачем ему себя знать? Это как если бы кто-то сказал про царя царей — какой же он царь, если у него в избе своей коровы нету. Да у него, может, и избы нет.

— В каком смысле избы нет?

— В том, — ответил нигилист, — что у Абсолюта вообще нет никакого «себя», которое можно знать или не знать. Это только у нас с вами под брюхом болтается, батенька. Да и то не у всех.

Желтый галстук открыл рот, словно услышал что-то крайне возмутительное, но ничего не сказал.

— Мало того, — продолжал нигилист горячо, — самое непостижимое качество Бога состоит в том, что Бога нет. Только это, батенька, не та вещь, которую крепким университетским умом понимают. Вы думать перестаньте на эту тему, от сургуча своего казенного отмойтесь, тогда, может, увидите одним глазком...

— Господа, — перебила дама с камелией, — прошу вас, не сползайте в вульгарность. Среди нас есть люди, которые здесь впервые — не будем утомлять их этими перепалками. Постараемся сделать нашу встречу более осмысленной. Я предлагаю, чтобы те из нас, кто в настроении, рассказали что-нибудь интересное про Соловьева — каким его запомнили... Никто не возражает?

Таких в гостиной не нашлось.

— Тогда я начну с себя, — сказала дама. — Многие знают, что Соловьев мог видеть духовным зрением не только события будущего, но и тексты, которые только еще будут написаны. Иногда он мог даже цитировать их. Я часто вспоминаю в последние дни один случай... Знаете, когда он заглядывал в будущее, это было незабываемое зрелище. Создавалось впечатление, что он парит под куполом огромной небесной библиотеки, перед какой-то невидимой картотекой, ящики которой открывает взглядом. В такие минуты мне начинало казаться, что я вижу его снизу, а он возносится куда-то, хотя мы по-прежнему лежим... То есть стоим рядом. Он словно бы видел, как соотносятся фрагменты некоего универсального знания, разбитого на доставшиеся разным людям осколки. Он видел эти осколки сквозь время и пространство, и мог складывать их в целое...

— Случай, — напомнил господин с подусниками. — Вы говорили о случае, который часто вспоминаете.

— Да, — сказала дама с камелией, — спасибо. Однажды мы говорили о книгах, и он заметил, что так называемая духовная литература чаще всего бесполезна. А самые удивительные жемчужины спрятаны в совершенно не претендующих на особую духовность книгах. И в доказательство процитировал мне одну книгу будущего русского писателя, почему-то писавшего по-английски. Совсем короткий отрывок, про умирающего человека. Я запомнила сравнение умирающего с узлом, завязанным на струне. Соловьев так и перевел — «на струне», хотя там было английское слово string, оно может означать и простую веревку. Сейчас договорю, и станет понятно... Так вот, умирающий похож на узел, который можно мгновенно распутать, если опознать в узле струну — потому что самый сложный узел состоит просто из ее петель и извивов. Если вдуматься, никакого узла вообще нет, есть только струна, принявшая его форму. И когда мы распутаем ее, распутанным окажется не только сам узел, но и весь мир...

— Красиво, — сказал кто-то, — а что за писатель?

— Не помню точно, — ответила дама. — Птичья фамилия — не то Филин, не то Алконост. А потом Соловьев как бы повернулся к другому ящику своей небесной картотеки, заглянул в него, улыбнулся и сказал: физики, которые сейчас роются в животе у атома, в будущем решат, что нет никаких частиц, а есть нечто другое, некая струна, string, по которой проходят волны — вот как по длинной бельевой веревке, если дернуть ее за конец. И все, из чего состоит мир, и даже то, чем он был до своего появления — все это разные колебания одной и той же струны... И тогда я спросила его — а кто же дергает за эту струну, чтобы они появились? Он засмеялся и сказал — ну как кто? Ты! Кто же еще?

— Я не до конца понял, — напряженно улыбнулся журналист с подусниками.

— Я в то время тоже, — сказала дама с камелией. — Но вы знаете, от этих слов на меня сразу повеяло чем-то удивительным, таким... Словно мы все уже спасены, просто пока про это не знаем. Главное, его слова всегда возвращали надежду. Иногда так бывает — все плохо-плохо, и у всех мрачно на душе, а потом входит человек с хорошими новостями. Никто еще не понял, в чем дело, но проходит электрическая волна, что-то передается другим, и сразу все меняется. Вот и он был таким человеком, у которого есть хорошие новости...

— Все новости хорошие, — сказал лама Джамбон.

На него обернулись — некоторые, как показалось Т., с недоумением. Джамбон откашлялся в кулак и почему-то поглядел на Т.

— Мы с Владимиром Сергеевичем часто спорили, — начал он, — и доходило почти до драк... Но в результате он помог мне понять важную вещь. Вы слышали, наверное, что в буддизме большую роль играет понятие «пустота». Причем считается, что постигать ее надо не интеллектуально, а напрямую, что возможно только после многих лет практики. Я, когда был моложе, интересовался этим вопросом и обучался у многих лам. Потом это стало получаться и у меня самого, но меня не оставляло ощущение какой-то странной фальши от всей процедуры... Я вас не утомляю?

— Нет, что вы, — сказала дама с камелией. — Очень интересно.

— Соловьев, — продолжал Джамбон, — объяснил, что представляет собой такое прямое постижение в его тибетской версии. По его словам, оно ничем не отличается от визуализации различных божков, чьи образы ламы после многолетних упражнений умеют вызывать в сознании мгновенно и без усилий. Только в случае с пустотой это не визуализация, а, как он говорил, «ментализация». Если привести сравнение, когда вы осознаете пустотность мира по тибетскому обряду, задействуется та же функция ума, которая позволяет видеть в жирном мужике кулака-мироеда.

— Что значит «ментализация»? — спросил желтый галстук.

— Сейчас объясню, — ответил Джамбон. — Смотрите, сначала ламы объясняют ученику философскую категорию «пустотности». Потом учат видеть пустую природу преходящих вещей. Затем объясняют, что пустота ума подобна сознающему пространству, и так далее. И через некоторое время эти умственные построения настолько сжимаются во времени, что начинают напоминать непосредственное восприятие — как говорят сами ламы, «надуманное становится ненадуманным». Это у них и называется непосредственным переживанием истины.

— Не понимаю, — жалобно произнес господин с подусниками.

Джамбон на минуту задумался, подыскивая слова.

— Когда мы учимся ездить на велосипеде, — сказал он, — мы перестаем думать, куда повернуть руль, чтобы не упасть. Все происходит без усилий. Но это не значит, что мы больше не думаем, куда его повернуть. Мы просто не отдаем себе в этом отчета — действие ума больше не осознается. Здесь то же самое. Мы не отбрасываем мыслящий ум, просто мышление, без конца пробегающее по одному и тому же маршруту, становится, так сказать, незаметным само для себя. Человек ведь вообще не способен воспринимать того, чего он не знает. Он может только узнавать известные ему шаблоны — или, что то же самое, проецировать их вовне. В детстве мы учились узнавать кошку и собаку по их форме и цвету, а здесь учимся видеть сделанное из слов животное, у которого формы и цвета нет. Но по своей сути «созерцание природы ума» тибетского разлива мало чем отличается от визуализации какого-нибудь зеленого черта с ожерельем из черепов и ртом на животе.

— Почему? — спросил господин с подусниками так же жалобно.

— Потому что никакого ума на самом деле нет, — ответил Джамбон. — Точно так же, как нет зеленого черта. Ум — это только способ говорить. Какая у него может быть природа? И какая пустотность — относительно чего?

— Вы думаете, ламы всего этого не понимают? — спросил желтый галстук.

— Они, скажем так, осторожно обходят этот вопрос. Говорят, что надо видеть не выдуманную пустоту, а ту, которая есть на самом деле. Хотя в этом совете и заключен главный подлог, потому что нет никакой пустоты, пока мы не создаем ее из слова «пустота» — и точно так же из слов можно выдуть «святаго духа» или «мировую революцию». Но эту операцию в ламаизме прячут так же тщательно, как половые проявления в викторианской Англии. Вообще говоря, все религиозные секты, опирающиеся на слова-призраки, стоят друг друга. Все это просто разные формы сатанизма.

— Однако, — сказал похожий на профессора господин из последнего ряда. — Строго.

— Да... Я, конечно, разозлился и спросил, как тогда увидеть истину. А он задумался на секунду, посмотрел в этот свой небесный купол и ответил: увидеть истину нельзя, потому что на нее некому смотреть. И еще сказал, истину знает каждый, просто не знает, что знает...

Дама с камелией подняла руку:

— Если я верно поняла, — сказала она, — граф Т. имел в виду нечто подобное, когда говорил, что Читателя невозможно в себе увидеть, сколько ни пытайся. Но Соловьев добавил бы, что перестать его видеть тоже нельзя. Вы не находите здесь параллели, граф?

На Т. обернулись. Он развел руками и всем своим видом изобразил полную покорность общественному мнению. Дама с камелией повернулась к Джамбону.

— Продолжайте, прошу вас.

— А про природу Будды, — продолжил Джамбон, недружелюбно косясь на Т., — Соловьев сказал, что ему известен только один пример, когда о ней говорили, не возведя на Будду хулы — хотя внешне это выглядело чистейшим богохульством.

— Расскажите.

— В китайском буддизме была секта Чань. Ее последователи отвергали священные писания и учили не опираться на слова и знаки. Тем не менее к ним часто приходили миряне и разные искатели истины — и задавали вопросы о смысле учения Будды. Чаньские учителя отвечали обычно каким-нибудь грубым образом — или ударом палки, или руганью. Особенно отличался один из них по имени Линь-Цзы, который в ответ на вопрос, что такое Будда, говорил, что это дыра в отхожем месте.

— Фу, — сказала дама с камелией, — какая гадость.

— Обычно его ответ понимают в том смысле, — продолжал Джамбон, — что Линь-Цзи учил не привязываться к понятиям и концепциям, даже если это концепция Будды. Но Соловьев считал, что это самое точное объяснение, которое может быть дано. Представьте себе, говорил он, грязный и засранный нужник. Есть ли в нем хоть что-нибудь чистое? Есть. Это дыра в его центре. Ее ничего не может испачкать. Все просто упадет сквозь нее вниз. У дыры нет ни краев, ни границ, ни формы — все это есть только у стульчака. И вместе с тем весь храм нечистоты существует исключительно благодаря этой дыре. Эта дыра — самое главное в отхожем месте, и в то же время нечто такое, что не имеет к нему никакого отношения вообще. Больше того, дыру делает дырой не ее собственная природа, а то, что устроено вокруг нее людьми: нужник. А собственной природы у дыры просто нет — во всяком случае, до того момента, пока усевшийся на стульчак лама не начнет делить ее на три каи...[1]

— Очень похоже на то, как Соловьев определял Читателя, — заметила дама с камелией. — Просто дословное совпадение. Смотрите — Читатель, благодаря которому мы возникаем на свет, совершенно невидим и неощутим. Он как бы отделен от мира — но при этом мир возникает только благодаря ему! В сущности, есть только он, Читатель. Но он же полностью отсутствует в той реальности, которую создает! Хотя даже этот вот парадокс сознаем на самом деле не мы, а он... Но мы-то люди вольных взглядов, а вы лицо монгольской национальности. Вас не покоробил такой подход к вашей религии?

— Знаете, — сказал Джамбон, — Соловьев не спорил с Буддой. Он просто говорил, что постигать свою

---

[1] *Три Каи* — Дхармакая, Нирманакая и Самбхогокая — три источника — три составных части пустоты в научном ламаизме (*прим. ред.*).

природу, выполняя ламаистские практики — это как изучать дыру в отхожем месте, делая ежедневную визуализацию традиционного тибетского стульчака, покрытого мантрами и портретами лам в желтых и красных тибетейках. Можно всю жизнь коллекционировать такие стульчаки — чем и заняты все эти кружки тибетской вышивки, постоянно спорящие друг с другом, у кого из них настоящий стульчак из Тибета, а у кого позорный самопил. Но к дыре это никакого отношения не имеет.

— Но ведь дыра присутствует в любом из этих приспособлений, — заметил журналист с подусниками.

— Присутствует. А толку мало. Зато тулку много, хе-хе, так у нас шутят. Тулку — это лама-перерожденец вроде меня. Кстати, про лам-перерожденцев Соловьев тоже высказался — сказал, что есть две категории людей, которые в них верят: неграмотные кочевники страны снегов и европейские интеллигенты, охваченные неугасимой жаждой духовного преображения.

— Так что же, Соловьев отвергал тибетский буддизм?

— Наоборот, — ответил Джамбон, — он предсказал тибетскому буддизму самое широкое распространение, потому что эта система взглядов уже через два сеанса дает возможность любому конторскому служащему называть всех остальных людей клоунами.

— Как-то вы странно рассуждаете, — сказал журналист с подусниками, — вы же сами буддист, разве нет?

— А что вы видите в этом странного? Учение Будды заключается не в наборе прописей, которые две тысячи лет редактирует жирная монастырская бюрократия, а в том, чтобы переправиться на Другой Берег на любом доступном плавсредстве. Дальше сами разберетесь. Гате гате парагате парасамгате бодхи сваха!

— Мы, однако, отвлеклись, — вмешалась дама с камелией, кротко глянув на Т., — уже вот до санскрита дошло. Боюсь, почтенный лама Джамбон, вы говорите слишком специально для большинства присутствующих — мы же не имеем чести быть учеными монголами. Однако вы упомянули одну действительно интересную вещь. Что это за слова-призраки, на которых основаны религиозные секты?

Джамбон огляделся вокруг, словно подыскивая какой-нибудь подходящий предмет, но, судя по всему, не обнаружил ничего годного. Тогда он поднял руку и растопырил пальцы, как бы сжав ими невидимый булыжник.

— Слова — очень древний инструмент, — сказал он. — Их появление вызвано тем, что так было удобнее охотиться на крупных зверей. Я могу сказать — «рука, дубина, мамонт». И вот, пожалуйста, дубину действительно можно взять в руку и дать ей мамонту по морде. Но когда мы говорим «я», «эго», «душа», «ум», «дао», «бог», «пустота», «абсолют» — все это слова-призраки. У них нет никаких конкретных соответствий в реальности, это просто способ организовать нашу умственную энергию в вихрь определенной формы. Затем мы начинаем видеть отражение этого вихря в зеркале собственного сознания. И отражение становится так же реально, как материальные объекты, а иногда еще реальней. И дальше наша жизнь протекает в этом саду приблудных смыслов, под сенью развесистых умопостроений, которые мы окучиваем с утра до ночи, даже когда перестаем их замечать. Но если реальность физического мира не зависит от нас — во всяком случае, от большинства из нас, — то ментальные образы целиком созданы нами. Они возникают из усилия ума, поднимающего гири слов. А наша сокровенная природа не может быть выражена в словах по той самой причине, по которой тишину нельзя сыграть на балалайке.

Профессор из заднего ряда зааплодировал — но к нему никто не присоединился.

«Какие замечательно умные, ясные, удивительные люди, — подумал Т. с волнением. — Однако расскажи я им то, что я совершенно точно знаю про их мир и про них самих, так примут за психопата... Особенно если объясню, почему они сейчас обо всем этом говорят... Какая загадка наша жизнь...»

Некоторое время все молчали. Затем что-то произошло с журналистом с подусниками. Сделав несколько быстрых нервических движений, словно не в силах совладать с попавшим в кровь электричеством, он воскликнул:

— Но как же так? Я вижу одни сплошные противоречия. Выходит, одной Соловьев говорит — ты струна. Другому говорит — ты пустое место. Третьему говорит — ты вообще какой-то непонятный вихрь. Однако ведь человек не может быть одновременно и струной, и пустым местом. И потом, как ум может поднимать гири слов, если никакого ума нет?

— Он и про это говорил, — сказал Джамбон. — Слова, предназначенные для одного человека, ничего не дадут другому. Слова живут только секунду, это такая же одноразовая вещь, как, э-э-э... condom, только наоборот — condom, так сказать, на миг разъединяет, а слова на миг объединяют. Но хранить слова после того, как они услышаны, так же глупо, как сберегать использованный... Вы поняли, господа.

Джамбон произносил «condom» с французским придыханием, от которого сразу делалось ясно, что речь идет о чем-то крайне порочном и сомнительном.

— Скажите, — опять заговорил журналист, — а Соловьев верил в Бога?

— Еще как, — ответил Джамбон. — Но не факт, что он понимал под этим словом то же, что и вы.

— А в дьявола верил? Во врага человечества?

— Дьявол — это ум. «Интеллект», «разум», «сатана», «отец лжи» — просто другие его клички.

— Почему вы так полагаете?

— Я мог бы сослаться на Библию, — сказал Джамбон, — но можно и так объяснить. Во-первых, ум безобразен. Все уродство и несовершенство мира изобретены только им. Во-вторых, ум восстал против Бога, которого перед этим выдумал, чем создал себе уйму проблем. В-третьих, ум по своей природе есть только тень и не выдерживает прямого взгляда, сразу же исчезая. На деле его нет — он просто видимость в сумраке. Поэтому уму обязательно нужна полутьма, иначе ему негде будет жить.

— Да как же вы можете нападать на разум, когда это свет человечества! — возмущенно проблеял господин профессорского вида. — Сон разума порождает чудовищ!

— Верно, — согласился Джамбон. — Очень точно сказано. Разум — это разновидность сна. Бывает, например, сон смерти. А бывает сон разума, который порождает чудовищ. Но страшного в этом нет — при пробуждении все чудовища исчезают вместе с папой.

— Позвольте, — вмешался господин с желтым галстуком, — но Соловьев при мне говорил, что именно ум создает весь мир.

— За что мы его особенно не любим, — сухо заметил Джамбон.

— То есть как это ум создает мир? — встрепенулся журналист, поворачиваясь к желтому галстуку. — Ум производит мысли. А мир вокруг нас, как мы можем видеть, состоит из вещей.

— Вещи — это тоже мысли, — сказал Джамбон. — Просто они длятся дольше и общие для всех.

— Но почему вы говорите, что ум безобразен?

— Вы ведь журналист. Откройте любую газету или журнал, и пять минут почитайте.

Почему-то этот аргумент подействовал — журналист с подусниками хмуро кивнул, потом заглянул в свою записную книжечку и, видимо, вспомнил вопрос, который собирался задать.

— Скажите, господа, — начал он, — а никто не слышал истории про банкира Павла Петровича Каиля? Помните, в газетах писали, что он совершил кражу казенных сумм после того, как был месмеризирован кем-то из последователей Соловьева. Газетам, конечно, мало кто верит, но ведь дыма без огня не бывает?

Несколько человек засмеялось. Кое-кто скривился — словно эта тема была постоянным предметом шуток и уже порядком надоела.

— Да, — сказала дама с камелией, — такой директор банка действительно был. Верите ли, даже не знаешь — смеяться тут или плакать. В общем, приходил он к нам пару раз, слушал наши разговоры, а потом взял и сошел с ума. У него в банке к тому времени была растрата, но он мог бы ее еще долго скрывать. А поймали его потому, что он похитил золотую наличность из сейфа, довольно небольшую сумму, если сравнивать с остальным. Денег так и не нашли. А на допросе он сказал, что изыскал способ помочь этим золотом истине. И все время так прихохатывал, знаете. А после взял и наложил на себя руки. Никто его, понятное дело, не месмеризировал — и Владимира Сергеевича он видел только раз, мельком.

— А разве Владимира Сергеевича арестовали не из-за этой истории? — полюбопытствовал журналист.

— Нет, — ответила дама с камелией. — Вовсе нет. Его арестовали по политическому обвинению. Оскорбление высочайшей особы... Хотя никакого оскорбления там на самом деле не было.

— Расскажите, — попросил журналист.

— Да и рассказывать особенно нечего, — усмехнулась дама. — Тоже слухи. Якобы беседовал с императором. Тот спросил, в чем космическое назначение российской цивилизации. А Соловьев возьми и скажи — это, ваше величество, переработка солнечной энергии в народное горе. За это и посадили. Император, конечно, и сам все знает насчет солнечной энергии, но присутствовали послы, и все попало в заграничные газеты. Впрочем, сама я их не читала — возможно, врут.

— Врут или нет, — сказал нигилистический молодой человек, — а факт, что любая неординарная личность, видящая свою цель в чем-то кроме воровства, традиционно воспринимается нашей властью как источник опасности. И чем неординарней такая личность, тем сильнее власть ее боится.

— А почему вы не протестуете? — спросил журналист.

— Но как? — развела руками дама с камелией.

— У меня есть надежные источники в полиции, — сказал журналист. — Я точно знаю, что завтра Соловьева повезут на высочайший допрос. Тюремная карета покинет Петропавловскую крепость ровно в полдень. Почему бы вам, то есть теперь уже нам, не устроить рядом с крепостью манифестацию протеста? Пригвоздить тюремщиков к позорному столбу? Давайте изготовим... э-э-э... транспаранты, листовки — все, как полагается в таких случаях. А я со своей стороны гарантирую, что придут представители либеральной прессы. Привлечем внимание общества к гнусному произволу властей!

Вдруг распахнулась дверь, и в комнату вбежала маленькая девочка — та самая, что играла в классики на улице. Ее лицо было белым от волнения.

— Полиция! — тихо сказала она. — Городовые и филеры в штатском!

Хозяева, как оказалось, были вполне готовы к такому развитию событий. Дама с камелией сразу сняла со стены портрет Соловьева и рукописные цитаты, сложила их и спрятала, а потом легонько потрепала девочку по щеке:

— Не бойся, Анечка. Обойдется.

Все в комнате тем временем вскочили с мест, и у двери образовалось маленькое столпотворение.

— Спокойствие, господа! — восклицал господин с подусниками. — Я представитель прессы, и они не посмеют...

К Т. приблизился молодой человек нигилистического вида, которого Т. встретил на лестнице.

— Идите за мной, граф, — сказал он, — я вас выведу. Только быстрее, умоляю.

— Вы меня знаете?

Молодой человек усмехнулся.

— Не лучше ли защитить собравшихся? — спросил Т.

— Поверьте, вы защитите их гораздо лучше, если полиция не застанет их в вашем обществе. Возникнет меньше вопросов. Не отставайте...

Повернувшись, он пошел к окну. Т. последовал за ним. Распахнув окно, молодой человек вылез на крышу какой-то пристройки.

— Скорее.

Т. пробежал за ним по жестяному скату, перепрыгнул на другую крышу и, пригибаясь, добрался до ее края, уходящего в листву старого тополя.

— Здесь ветка, — сказал молодой человек. — По ней на ствол, и дальше вниз. Делайте как я.

Он прыгнул с края крыши, уцепился за ветку, в несколько движений достиг ствола и с обезьяньей ловкостью спустился на землю. Т. пришлось напрячь все силы, чтобы так же элегантно повторить за ним это упражнение.

Они оказались на тихой боковой улице. Прохожие вдалеке не обратили на них внимания.

— Теперь идем в сторону Невского, — сказал молодой нигилист. — Держитесь расслабленно. Лучше всего изображать разговор.

— Отчего же изображать, — отозвался Т., переводя дыхание. — Можно ведь и действительно поговорить. Вас как зовут?

— Василий Чапаев, — представился молодой человек. — Кстати сказать, давно мечтал с вами познакомиться, граф.

Т. молча пожал протянутую руку.

— Как вам наше маленькое общество?

— О, — ответил Т., — я в полном восхищении. Собственно, ничего особенного — таким, с моей точки зрения, и должно быть общение между нормальными людьми. Просто мне в силу ряда обстоятельств приходится иметь дело совсем с другой публикой.

— Ну, в этом вы не одиноки, — сказал Чапаев, и на его строгом лице отобразилась на миг затаенная мука.

— Но только я не согласен со многим из услышанного, — продолжал Т.

— С чем же?

— Вот, например, с этими словами про гвоздик, на время вбитый злобному Богу в голову. Который потом выпадает, и все. Это очень похоже на правду. Но слишком жестоко и глупо, чтобы быть правдой.

— А как бы вы устроили мир, если бы решали сами?

Т. задумался.

— Смысл как раз в том, что какая-то пылинка, прах — оживает, осознает себя и доходит до самого неба. Таков путь вещей... В этом и должна проявиться небесная любовь. Кого еще любить всемогущему небу, как не крохотную пылинку?

Чапаев улыбнулся.

— Да, — сказал он тихо. — Таков путь вещей. Я недавно перечитывал одну древнюю книгу, и знаете, что меня поразило? Одна простая мысль, созвучная вашим словам. Звучала она примерно так — «то, что есть, никогда не исчезнет. То, чего нет, никогда не начнет быть». Если пылинка есть, это уже значит, что она ничем не отличается от неба.

— С другой стороны, — сказал Т., — если кажется, будто пылинка есть, это еще не значит, что она действительно есть. На самом деле есть только то, что ее видит.

— Конечно, — согласился Чапаев. — Небо видит пылинку и нас всех. Но знаете что? Многие понимают, что пылинка создана небом. Но мало кто понимает, что небо создано пылинкой.

Т. кивнул.

— Вы только что сказали важную для меня вещь, — ответил он. — И я про нее буду думать...

— Только не останавливайтесь, — сказал Чапаев, — не привлекайте внимания.

Мимо пробежали двое городовых, потом еще один, отчего-то с саблей-«селедкой» в руке, и на несколько мгновений разговор стих.

— Скажите, — заговорил Т. снова, — а этот Джамбон — он что, настоящий лама-перерожденец?

— Да как вам сказать. С одной стороны, самый настоящий, какие только бывают. С другой, я бы не стал относиться к этому серьезно.

— Почему?

— Видите ли, — сказал Чапаев, — он сын богатого монгольского скотопромышленника. А титул родители купили ему во младенчестве — это у них в Монголии примерно как в России графство, никогда не помешает... Пардон, не хотел...

— Да бросьте вы, — засмеялся Т.

— Причем купили не за деньги, а выменяли на стадо свиней. А вырос Урган Джамбон в Париже. И по-французски знает значительно лучше, чем по-монгольски.

— Вы это серьезно?

— О да, — ответил Чапаев. — Он потому и взял себе в качестве второго имени слово «Джамбон» — это по-французски «ветчина». Чтобы напоминало одновременно про стадо свиней и завтраки на Монмартре.

— А буддизм?

— Буддизмом он увлекся уже в Петербурге. Сначала много общался с ламами, а потом потерял к тибетским школам интерес.

— А где он в таком случае берет это свое снадобье?

— Какое?

— Кажется, «слеза Шукдена».

Чапаев засмеялся.

— Вы и про это знаете, — сказал он. — Если строго между нами, покупает ингредиенты у голландских матросов в порту и делает сам. Остальное просто театр.

Но вещь серьезная, я пробовал... Однако вот мы и на Невском. Куда вам теперь?

— Hotel d'Europe, — ответил Т.

— Ну идемте. Немного вас провожу.

— Удивительно, — заметил Т. через несколько шагов. — Обо всем Соловьев хоть что-нибудь, но сказал...

— Самое замечательное, — отозвался Чапаев, — он ухитрился каждому сказать что-то очень простое, но полностью перевернувшее мир. Каждому. Потом было непонятно — как мы сами не догадались? Но вы, наверно, и без меня знаете про эту его особенность...

Т. ощутил потребность сменить тему.

— Кстати, — сказал он, — неужели правда, что его арестовали только за эту фразу насчет народного горя?

— Анекдот, — махнул рукой Чапаев. — Просто анекдот. Насколько я знаю, дело было иначе. Он показал императору будущее.

— И что случилось?

Чапаев усмехнулся.

— Говорят, император побледнел и спросил: «Вы это никому больше не показывали?» Соловьев сказал, что нет. Тогда его арестовали, и с тех пор никто его больше не видел. Но я не знаю, так ли это было в действительности.

— Вы пойдете завтра на эту... манифестацию протеста?

Чапаев отрицательно помотал головой.

— Мне это как-то не к лицу.

— Вы служите?

— Учусь, — ответил Чапаев. — На кавалериста.

Т. недоверчиво улыбнулся.

— Неужели? Вы первый встретившийся мне кавалерист, озабоченный вопросом о том, есть ли у Абсолюта личность.

Чапаев вздохнул.

— Знаете, граф, не могу сказать, что этот вопрос заботит меня по-настоящему. Так, поддержать разговор. А насчет моей специальности... Чувствуете этот холодный ветер на лице? Отчего-то мне кажется, что вскоре для выживания нужны будут именно те навыки, которым я учусь. И еще не помешает научиться петь революционные песни.

— А это для чего?

— Люди, и в особенности полиция, во все времена больше всего боятся непонятного. Поэтому лучшая маскировка — притвориться тем, что хорошо им известно. Впрочем, вы это знаете не хуже меня. Я слышал только, вы предпочитаете наряжаться жандармом — но ведь сути это не меняет...

— Как быстро распространяются слухи, — буркнул Т. — Скажите, Василий, а можно спросить вас об одной вещи? Я собирался задать этот вопрос на собрании, но не успел.

— Разумеется, спрашивайте.

— Что такое Оптина Пустынь?

Чапаев засмеялся.

— Чувствуется, вы близкий друг Владимира Сергеевича — вы даже задаете этот вопрос с той же интонацией, что и он. Я, разумеется, не знаю.

— Еще не знаете? — переспросил Т., нахмурясь.

— Еще не знаю, или уже не знаю.

— Вот как, — сказал Т. — Значит, не знаете...

— Разумеется, нет. И не очень переживаю в этой связи. Тех, кто это твердо знает, развелось в мире столько, что на калькуттском базаре их продают по сорок рупий за пару. У меня есть подозрение...

Чапаев замолчал.

— Какое подозрение? — спросил Т. — Говорите.

— Знаете, чем линия Соловьева радикально отличается от других известных мне традиций умного неделания?

— Чем же?

— Тем, что везде в его процессе что-то узнают, — сказал Чапаев, выделив слово «узнают». — А соловьевцы чаще всего расстаются с тем, что вчера еще знали наверняка, не получая ничего взамен. Знать, говорил Соловьев, это смертное состояние, и венцом любого знания является смерть. «Я», «Истина», «Путь» — все эти понятия имеют такую ядовитую природу, что каждый раз их приходится заново зарывать в землю. А там, где знания нет, нет и смерти. И я совсем не удивлюсь, если окажется, что Оптина Пустынь — это то самое место, где мы еще не знали, что надо идти в Оптину Пустынь... И самое интересное в этом вечном путешествии, граф, что мы заново совершаем его каждую секунду...

До следующего перекрестка дошли молча. Затем Чапаев тихо сказал:

— За нами шпик. Не оглядывайтесь.

— Что предлагаете? — спросил Т. — Застрелим добряка?

Чапаев махнул рукой.

— Он того не стоит. Лучше я уведу его за собой. Однако на этом нам придется проститься.

— Было очень приятно познакомиться, — сказал Т. — Возможно, когда-нибудь встретимся еще... И кстати, не сомневайтесь — личность у Абсолюта все же есть.

— Что же она собой представляет? — спросил Чапаев.

— Это вы, — ответил Т.

— Я?

— Или та девочка, которая играла перед домом в классики. Кажется, Аня. Или этот господин в желтом галстуке.

Чапаев на секунду остановился и открыл рот, но тут же пришел в себя.

— Как знать, как знать, — сказал он, по-военному четко приложил два пальца к виску и вдруг бросился бежать через дорогу.

Т. повернул голову. Из дефилирующей по Невскому толпы выделились двое неприметно одетых господ и кинулись за Чапаевым; один из них, добежав до середины мостовой, чуть не попал под лошадь. Чапаев к этому моменту уже скрылся из вида.

Вскоре Т. вошел в сверкающий стеклом и никелем холл «Hotel d'Europe».

«И откуда мне это только в голову пришло про личность Абсолюта, — думал он, глядя на пробор нагнувшегося за ключом рецепциониста. — Видимо, иногда сквозь нас проходит короткий и точный ответ тому, кому он действительно нужен, а мы даже не понимаем до конца только что сказанного. Быть может, этот молодой кавалерист точно так же ответил мне сегодня на мой главный вопрос, и осталось только понять его ответ до конца. А может быть, мне ответит на него сам Соловьев. Завтра — если буду жив...»

XXIV

Телега со снаряжением, пришедшая ночью из Ясной Поляны, выглядела на столичной улице жалко.

Вдруг сделались заметны невидимые прежде следы нищеты деревенского быта, его поразительной близости к дремучему лесному детству человечества: ободья колес были вымазаны в грязи и навозе, треснутые спицы кое-как подвязаны лыком, а клочья сена над серыми досками казались вихрами волос на лбу ветхого внутреннего человека, задумавшегося века назад, кто и зачем заставляет его тащить на себе этот непонятно откуда приехавший крест, да так и не нашедшего ответа.

«Вот только все наоборот, — думал Т., снимая с телеги кожаный баул (отчего-то прислали всего один), — не деревенская телега убога. Это городская улица вычурна и помпезна. В крестьянской телеге каждый элемент осмыслен и полезен, у всякой деревяшки есть простое и понятное назначение. Это как бы кратчайшая линия между двумя точками — необходимостью и возможностью. И проведена эта линия хоть коряво, но зато уверенно. А что такое город?»

Остановившись у входа в гостиницу, Т. оглядел улицу.

«Например, какие-нибудь гипсовые атланты, втроем держащие декоративный балкон — куда, что символично, даже нет выхода. Все в городе имеет такую природу. Финтифлюшки, завитушки, грим и пудра на разлагающейся личине греха. Ужас, конечно, не в самой этой вавилонской косметике, а в том, что рядом с ней все простое и настоящее начинает казаться убожеством и нищетой. А не было бы излишеств, так не было бы и нищеты... Стоп, а кто все это сейчас во мне думает? Митенька, что ли? Уж больно на его колонки похоже. Или тот, кто мои мысли клепает, метафизик? Хорошо, не сплю...»

Поднявшись в номер, Т. поставил баул на стол и раскрыл его. Внутри блеснула темная сталь. Т. опустил в баул руки, чтобы ощутить ее успокаивающий надежный холод, а потом принялся выкладывать оружие на стол.

Что-то было не так.

Нахмурясь, Т. внимательно оглядел снаряжение.

Не было лаковой шкатулки с булатом для бороды.

Правда, сама проволока, скрученная грубым пучком, все же нашлась во внутреннем карманце. Но она выглядела обгорелой и гнутой.

Это было еще не все: метательных ножей оказалось меньше половины, и на них темнели разводы копоти. Не было кольчужного жилета и метательного диска-шляпы. Зато среди снаряжения обнаружилось нечто новое — коса. Обычная крестьянская коса, мятая и местами ржавая, примотанная к короткой деревянной рукояти серой бечевкой — так что получилось диковатое подобие абордажной сабли.

Боевая одежда в этот раз тоже выглядела странно, хотя неплохо подходила для города — прислали старую, заношенную и штопаную чиновничью шинель с драной куницей на воротнике. Рядом лежала чиновничья фуражка.

Под шинелью, на самом дне баула, была записка:

Ваше сиятельство граф Лев Николаевич!

С горечью сообщаю о беде, постигшей ваше имение Ясная Поляна. Августа седьмого дня на ночлег попросился бродячий слепой цыган по имени Лойко. Зная обычную вашего сиятельства доброту к увечным и перехожим людям, отказать ему не посмели и устроили на конюшне.

Ночью слепой Лойко сначала снасильничал над молочницей Грушей, а потом поджег конюшню и дом, и после ликовал на пожаре, пока не повязали. Кричал так: «Ты, де, думал меня победить — так поужинай красным петухом, железная борода!»

Слепого цыгана доставили к становому приставу, да только горю этим не помочь. Перед тем две недели стояла засуха, а в ту ночь был ветер, и сгорело, ваше сиятельство, все — и дом, и флигель, и кузня, и пристройки. Сгорел и фехтовальный зал со всеми вашими чучелами да манекенами, хоть и стоял поодаль. И народу погорело немало, всех еще не сочли.

А когда того цыгана вязали, он, хоть слепой, а железной гирей на ремешке двинул в висок Леху Самохвалова, который ваше сиятельство перед поездами изображает. Леха следующим днем и помер, теперь к курьерскому и семичасовому никто пахать не ходит.

Потому и посылка такая скудная, ваше сиятельство — собирали, что нашли на пепелище, а шинель сосед ваш дал, отставной надворный советник Васильев, давний ваш почитатель. Револьвер вы добудете сами, насчет этого я не волнуюсь. Косу же посылаю на всякий случай, а не пригодится, так и выбросьте совсем. Еще хотели послать сеть на пескарей, набрасывать на врагов, как на картин-

ках про Римский Колизей, но Васильев сказал, что вы рассердитесь.

Простите меня, дурака грешного, недоглядел. Да и как доглядишь тут, когда Бог решит наказать.

Управляющий имением,
Семен Голубничий.

Дочитав, Т. бросил письмо на стол.

«Вот и дома нет... Бог наказал, да. Вот только какой именно? Ариэль? Перед отъездом в Хургаду нажрался и чудачит? Нет, вряд ли. Пожар, гирька на ремне — больше похоже на Овнюка... Точно, он — всегда по колено в крови бредет. Опять, наверно, вдохновение посетило. Когда ж он только кровью захлебнется, упырь проклятый — сколько людей погубил... Впрочем, чего зря горевать. Все равно никого не помню. Только Леху видел из поезда — если это он был. И фехтовальный зал тоже забыл... Хотя...»

Т. зажмурил глаза, и на миг ему показалось, что он видит странные соломенные чучела в остроконечных шляпах, кирасах из папье-маше и красных плащах — они походили на овощную армию злого цитрусового принца из итальянской сказки. Затем ему представился рыцарский доспех с мишенью вместо головы. Но это было, скорей всего, не воспоминанием, а подделкой, игрой ума, пытающегося вообразить «фехтовальный зал». Память же была пуста и безвидна, как осенняя петербургская ночь.

«С другой стороны, — думал Т., вплетая в бороду булатные проволоки, — если взглянуть на вещи трезво, истина может заключаться в том, что помнить мне вообще нечего. Отчего я так легковерен? Скорей всего, этот Семен Голубничий существует исключительно как подпись под этим письмом... Стоп, стоп. Цыган Лойко действительно есть, его я хорошо помню. Надо же, как изъясняться стал — железная борода, красный петух. Опять характер развивают...»

Закончив с бородой, он надел присланный чиновничий наряд.

«Есть, кажется, такое расхожее клише из серии петербургских ужасов, — подумал он, — мертвый чиновник, прилипший ненастной ночью к окну генеральской кареты. А Соловьева повезут именно в карете, так что вполне уместно. Но как подступиться? Ждать, когда карета появится из Петропавловской крепости? А потом — что? Рубиться косой? Даже не смешно...»

Из зеркала на него посмотрел отставной чиновник с серой растрепанной бородой. Сгорбившись, Т. сделал несколько неловких шагов по паркету. Потом попробовал изобразить хромоту. Вышло чуть карикатурно, но убедительно.

«Выгляжу подходяще. Ну а дальше? Ведь не сражаться с крепостным гарнизоном, в самом деле. Метать ножи на Невском проспекте — это какой-то mauvais genre[1]. И осточертело уже, если честно... Не говоря уже о том, что ножей практически нет. Гнаться верхом? Нельзя — видно за версту. И потом, конная погоня в городе, это что-то из Дюма. Засада? Возле крепости не устроить, особенно в одиночку. А куда Соловьева повезут, одному Богу известно...»

Эта формулировка сразу же показалась сомнительной.

«Одному богу? А может, и всем пяти. Но главное не это. Главное, что в их планы, насколько можно судить, входит, чтобы я нашел эту карету. Так чего ломать голову? Надо просто положиться на Провидение... Приведет в нужное место без всяких сомнений, раз этим гадам кредит надо отдавать. Вот только как это обставить формально?»

Он еще раз поглядел на свое отражение. Отставной чиновник в зеркале о чем-то напряженно думал.

«Тут надо неожиданное, немыслимое... Такое, чтоб и предположить никто не мог... Говорят — положиться на волю Божью означает отбросить свою... А если...»

---

[1] Дурной тон.

Мысль, пришедшая Т. в голову, в первый момент показалась страшноватой. Но уже через миг стало ясно, что лучше выхода не найти.

Подойдя к зеркалу возле двери, Т. открыл ящик подзеркального столика. Серебряная шкатулка в виде черепа лежала на том самом месте, где он оставил ее после встречи с Джамбоном.

Внутри оставалась последняя пилюля в виде серой слезы.

«Две определенно было много, — подумал Т. — А вот одна в самый раз».

Не давая себе времени на раздумья, он бросил пилюлю в рот, проглотил и только потом налил воды из графина, чтобы запить.

Раскаяние набросилось на душу немедленно.

«Ну и зачем я это сделал? — подумал он. — Почему я опять безвольно рушусь... Стоп, стоп, только без самобичевания. Не спать. Никто никуда не рушится. Просто кусок с захватом кареты дали не Овнюку, а Гоше Пиворылову. Наверно, на Овнюка денег не хватило. Экономят, гады. Или воруют... Скорей всего, кстати, именно воруют. Получили небось от Пантелеймона аванс под Овнюка, распилили между собой, а десять процентов откинули негру Гоше. И вот по моим жилам уже растекается медленный яд... Они ведь давно по этой схеме пилят, сволочи, как я только раньше не понимал...»

Взяв косу, Т. подвесил ее за петельку на рукояти на специальный крючок, пришитый к подкладке шинели. Последний раз оглядев себя в зеркало, он надвинул фуражку на глаза и вышел из номера.

На лестнице ему встретилась молодая пара — офицер в белом кителе и дама в легком муслиновом платье, сквозь которое просвечивала нежная кожа рук и плеч. Она была в самом расцвете юности — и так ослепительно хороша, что Т. проводил ее долгим взглядом.

«Митенька, — сразу же напомнил он себе, — это Митенька работает. Хорошо, не сплю...»

Оказавшись в холле, он отвернул лицо к стене и быстро прошел мимо конторки. Занятые разговором рецепционисты не обратили на него внимания. Выйдя из гостиницы, он свернул в боковую улицу и пошел прочь от Невского.

«Ну и где он, перст судьбы? Если я рассчитал верно, должен прийти какой-нибудь знак...»

Ждать пришлось недолго.

За следующим перекрестком Т. увидел в мостовой открытый канализационный люк, огражденный с двух сторон красными фанерными планшетами с надписью «Поберегись!» Восклицательный знак действительно походил на жирный указательный палец — и если даже это не был искомый перст судьбы, само слово «поберегись!» так отчетливо напоминало о принципах непротивления, что случайным совпадением все вместе быть не могло.

На краю люка стоял черный жестяной цилиндр со светящимся круглым окошком — зажженный карбидный фонарь. Рабочих вокруг не было.

«Опять под землю, к Достоевскому? — подумал Т. — Наверно, еще не весь шутер слили... Посмотрим...»

Убедившись, что никто из прохожих за ним не следит, он присел на краю люка, спустил вниз ноги, подхватил фонарь и полез во влажную теплую темноту.

О том, что препарат начал действовать, Т. догадался, когда понял, что уже не лезет вниз по скобам, а идет по серому полутемному туннелю. Точного момента, когда одно действие перетекло в другое, он не заметил — подземелье заворожило сразу.

Бледный свет фонаря странным образом преображался в зеленоватое свечение, как бы исходящее от стен — и Т. вскоре стало казаться, что он идет внутри огромной лампы. Кое-где на стенах рос мох; остальное пространство покрывали выцарапанные в штукатурке имена и граффити, большинство которых было невозможно прочесть, потому что они представляли собой нечто среднее между надписями и рисунками. Однако самая крупная надпись, повторявшаяся каждые несколько метров, была вполне удобочитаемой:

«T. TVAM ASI»

«В прошлый раз тоже что-то такое было, — припомнил Т., — и тоже повторялось. Вот только непонятно, почему в кавычках? Кажется, это изречение на санскрите. «Т. есть ты». Что и так хорошо мне известно...»

Дойдя до развилки, Т. повернул направо. Еще через сто шагов — влево. Потом еще два раза вправо. Было бы невозможно объяснить другому человеку, на чем основан такой выбор. Это было трудно объяснить даже самому себе, и вскоре Т. ощутил неуверенность.

«Туда ли я иду? — подумал он. — Вот в прошлый раз никаких сомнений не было. Потому что принял двойную дозу и тащил на себе портрет... Может, для того каждый и несет в жизни свой крест — чтобы не было неуверенности в маршруте? Ибо когда несешь крест, надо ведь знать, куда... Обыкновенно, впрочем, на кладбище».

После очередного поворота, выбранного с той же сомнамбулической легкостью, сомнения отпали: навстречу проплыло ослепительно-белое и, судя по всему, совсем недавно нанесенное на стену граффити:

ДУМАЕШЬ ТЫ ЛЕВ ТОЛСТОЙ
А НА ДЕЛЕ ХУЙ ПРОСТОЙ

Т. вздохнул.

«И чего я боюсь? — подумал он, словно приходя в себя от кошмара. — Если боюсь, значит, опять себя позабыл. Как я могу заблудиться? То есть, конечно, могу — но только если этим сволочам такое по сюжету нужно, тут все равно ничего не поделаешь. А им по сюжету нужно, чтобы я нашел карету с Соловьевым. Страниц так, думаю, через десять... Значит, куда-нибудь да выйду... Интересно другое. Кто у них за эти надписи отвечает? Пиворылов, что ли? Они вроде всегда появляются, когда его эпизод... Хотя, с другой стороны, это «T. tvam asi» наверняка метафизик написал — у него закавыченный поток сознания, а оно в кавычках было...»

Не успел он додумать, как впереди мелькнул свет.

Т. подобрался и пошел крадучись, стараясь производить меньше шума. Вскоре источник света стал ближе, и Т. различил целое созвездие свечей и лампадок в неглубоком ответвлении туннеля. Лампадки горели синим и розовым, а огоньки свечей чуть колебались в подземном сквозняке, отчего свет казался зыбким и неверным, как бы снящимся. Людей в тупичке видно не было — там был только стул, на котором лежал какой-то кургузый меховой мешок.

Еще через несколько шагов до Т. долетел благостно-скорбный запах — вроде того, что бывает на похоронах набожных старух. Он подумал, что это масло в лампадках. А потом лежавший на стуле мешок вдруг зашевелился, спустил ноги на землю, и Т. опознал в нем человека, неподвижно сидевшего перед этим в позе зародыша — поджав ноги к груди и уткнувшись лицом в колени.

Человек оказался маленьким седобородым старичком, одетым в шубу из чего-то вроде ветхих кошачьих шкурок. Его шею туго, как бинт, обматывал грязный шелковый шарф. Старичок подозрительно глядел на Т. и еле заметно перебирал губами.

— Т., — растерянно представился Т., — граф Т.

— А я Федор Кузьмич, — сказал старичок. — Фамилия у меня тоже была, да я запамятовал... Чего ищешь, мил человек?

— Карету ищу, Федор Кузьмич, — серьезно ответил Т.

— Какую карету?

— В той карете человека одного повезут. А он шибко мне нужен.

— Да что ж ты ее под землей ищешь? — удивился Федор Кузьмич. — Я бы еще понял, если б ты, к примеру, искал где светлее. А тут ведь и темно, и сыро.

— Верно говорите, — согласился Т., чувствуя привычное благоговение перед простой мужицкой мудростью (которое обычно заставляло его сбиваться на немного деланый народный говор), — да только понял я, Федор Кузьмич, что на земле мне ту карету не догнать. И решил так — коли Господь упромыслит найти, так найду и под землею. А не упромыслит, так и сверху не отыщу.

— Верно подумал, — согласился старичок. — А что за человек такой важный в той карете?

— Тот человек, — ответил Т., — учил одной премудрости.

— Так, так, — быстро проговорил старичок. — И в чем та премудрость?

— А в том, старче, — сказал Т., — что надобно научиться распознавать всех бесей, которые в душе поднимаются, и узнавать их в лицо и поименно. Еще до того, как они в силу войдут. Чтобы ни один тобой завладеть не мог. И тогда от умоблудия постепенно излечишься.

Старичок закивал.

— Верно говорил тот человек, — проговорил он. — Все верно. Так и живи. Зачем же тебе его искать, раз все уже знаешь?

— А спросить, — сказал Т., — что дальше делать. Когда на эту вершину взойдешь.

— Это ты, что ли, взошел? — спросил старичок, строго глянув на Т.

Преодолев робость, Т. кивнул.

— Верю, — согласился старичок, изучив его острым внимательным взглядом. — Верю, что взошел. Надо тебе с тем человеком опять повстречаться. Так и иди к нему. Благословляю.

— А куда идти? — спросил Т.

— Коли не знаешь, — сказал старичок, — надо у Господа спросить в молитве.

Т. вдруг обратил внимание на руки старичка. Его пальцы, торчащие из грязных обтрепанных рукавов, были холеные, с длинными, вычищенными и тщательно опиленными ногтями. К тому же эти ногти, кажется, покрывал лак — в неверном свете лампадок они глянцево блестели.

«Опрощенец, — подумал Т., — но не до конца...»

Ему стало досадно, что он с таким старанием имитировал простонародную речь. В разговоре с человеком из народа это еще могло сойти за знак уважения, а здесь выглядело чистым фарсом.

Старичок заметил, что Т. смотрит на его руки, спрятал их под шубу и смущенно молвил:

— Не осуждайте, граф. Сие просто привычка с младенчества. Быть можно дельным человеком и думать о красе ногтей...

— Это ладно, — махнул рукой Т. — Не мое дело. Вы лучше скажите, сударь, кому вы предлагаете молиться? Ариэлю Эдмундовичу Брахману? Или, может, его маме?

Услышав это «сударь», старичок перешел на «вы».

— Об этом не печальтесь, — сказал он мягко. — Молитва сама путь найдет. И не гордитесь. Гордый вы больно, вот что. Я ведь тоже такой был, да еще и похуже, пожалуй. Вы граф, а я целый император.

Т. недоверчиво уставился на старичка.

— Император? — переспросил он. — Какой император?

— Петропавел, — ответил старичок. — Только давно это было. А теперь вот стал простой молельник. Отмаливаю тех, кто наверху, чтобы льдина под ними раньше времени не треснула. Помолюсь и за вас, раз вы меня нашли. Глядишь, и отыщете того человека...

Лицо старичка стало бледным и серьезным, и эта серьезность отчасти передалась Т.

— Я отлучен, — сказал он.

— Я знаю, — кивнул старичок. — Но если молитва будет исходить от самого сердца, поверьте — дойдет куда надо. Только вы, поди, и молиться не умеете?

Старичок встал со своего стула и проворно подошел к занавешенному серой сермягой киоту (занавески были одного цвета со стеной, и Т. заметил их только сейчас — хотя расположен киот был в самом центре созвездия свечей и лампадок). Взяв со свечного столика маленькую книжечку, он протянул ее Т.

Это была даже не книжка, а просто малиновая кожаная обложка наподобие ресторанного меню, закапанная воском. На ней поблескивала вытесненная золотом волнообразная черта, как над испанской буквой «Ñ» — только без самой буквы. Т. недоуменно нахмурился.

— Смутитесь ли тильдой? — спросил внимательно следивший за ним Федор Кузьмич. — Отчего-то образованные люди всегда стараются объяснить этот знак. Интереснее всего, кстати, получилось у достопамятного господина Соловьева...

Т. вздрогнул.

— Вы знали Владимира Соловьева?

— Мельком, — ответил Федор Кузьмич, — он здесь как-то пробегал, давным-давно. Большой путаник. Он сказал, тильда похожа на волну, и смысл ее в том, что человек есть не отдельное существо, каким себя воображает, а волна, проходящая по единому океану жизни... Словно истинная вера нуждается в том, чтобы какой-то Соловьев придал ей немного смысла...

Т. секунду колебался, сказать ли Федору Кузьмичу, что в карете должны везти именно Соловьева — и решил этого не делать.

— Другие, — продолжал Федор Кузьмич, — видят смысл в том, что за духовным взлетом неизбежно следует падение, а за падением вновь последует взлет. Третьи учат, тильда есть тайный знак Господень, разорванная бесконечность, и смысл ее в том, что дурная бесконечность есть наша цепь, окова, разбить которую может лишь божество. А по мне, лучше не мучить себя умствованием, а просто принять обряд как он до нас дошел...

Федор Кузьмич повернулся к киоту, откинул с него занавески, и Т., хоть и догадывался, что увидит, вздрогнул.

На него с закопченной доски глядело плоское кошачье лицо (назвать его мордой было невозможно). В этом лике чудилось что-то насмешливое и хитро-татарское, а усы нового письма походили не столько на тильды, сколько на шесть знаков параграфа. Глаза у кота были невыразительные и мелкие.

— Помолимся! — возгласил Федор Кузьмич и сделал перед грудью волнообразное движение рукой, как бы рисуя тильду в воздухе. После этого он поклонился иконе и забубнил себе под нос, сначала тихо, а потом все громче и громче.

Т. открыл красную книжечку. Внутри оказался темный от свечного сала лист бумаги. На нем курсивом было вытеснено:

~

god
give_health
give_ammo
give_armor
noclip
notarget
jump_height 128
timescale .25

~

Судя по доносившимся до Т. звукам, Федор Кузьмич читал именно этот текст, только со странным произношением, замысловато подвывая в самых неожиданных местах, так что эти простые слова действительно начинали звучать как таинственные древние заклятия, полные силы и тайны: «гиваммой! гивармой!» Однако, молясь, Федор Кузьмич явно пропускал смысл через сердце: на словах «no target» он присел и выставил перед собой левую руку, как бы заслонясь невидимым щитом, а на «jump height» подпрыгнул и громко хлопнул в ладоши — и Т. нескладно повторил эти движения за ним.

Закончилась молитва так же, как началась — волнообразным взмахом руки.

— А теперь идите, граф, — сказал Федор Кузьмич. — Не полагайтесь более на себя — доверьтесь провидению. Господь всю ношу мира несет — неужто не выведет к цели? Только покоритесь ему и, сердцем чую, найдете того, кого ищете... Ну, ступайте. И быстрей, быстрей — пока хоть немного веры есть...

Поклонившись старцу на прощанье, Т. быстро пошел вперед, чувствуя, что слова молитвы до сих пор перекатываются у него в ушах.

Через несколько шагов он понял, что забыл фонарь, но решил не возвращаться — туннель освещало смутное зеленоватое сияние непонятной природы, и его было как раз достаточно, чтобы различить дорогу. Два раза повернув за угол, он увидел на стене вертикальный ряд железных скоб, ведущий к кругу синего вечернего света — люк над головой был открыт.

Словно в трансе, Т. поднялся по скобам вверх и высунулся в теплый петербургский вечер, повалив стоящий у люка планшет со словом «Поберегись!» (это был тот самый люк, через который он спустился под землю).

Первым, что он увидел, была медленно едущая по другой стороне улицы тюремная карета.

Она походила на приземистого черного краба — с желтыми орлами на дверях, решетками на затемненных окнах и какими-то странными электрическими катушками на крыше. На козлах сидел одинокий кучер; охраны вокруг не было.

Одним прыжком выскочив на поверхность, Т. пошел к карете, доставая из-под испачканной подземной грязью шинели ржавое лезвие косы.

— Добрый человек! — тихонько позвал он кучера, когда до цели осталось всего несколько шагов.

Увидев всклокоченного чиновника со страшным инструментом в руке, кучер спрыгнул с козел и побежал по улице прочь. Бежал он вяло — видимо, испуг его был так силен, что подействовал паралитически и мешал передвигаться быстрее.

Дверь кареты была заперта на массивную щеколду, опечатанную свинцовой пломбой на проволоке. Т. постучал в окошко. Никто не отозвался. Т. постучал в дверь еще раз, сильнее.

— Господин Соловьев, вы живы?

Вновь никто не ответил. Тогда Т. порвал проволоку лезвием косы, откинул щеколду и распахнул дверь.

Из кареты пахнуло каким-то неприятным сладковатым запахом. В глубине, на обитом клеенкой сиденье, смутно белела неподвижная человеческая фигура, вся скрытая тканью, как мусульманская женщина или мертвый матрос.

«Наверно, — подумал Т., — у него кляп во рту...»

Он влез в карету, склонился к пассажиру, коснулся его головы и понял, что это грубо сработанный манекен.

Тут же у него за спиной раздался лязг железа. Т. кинулся к двери, ударил в нее плечом, но было уже поздно — кто-то закрыл стальную щеколду с той стороны. Затем раздался голос, показавшийся ему знакомым:

— Как вы уже догадались, граф, вы арестованы. Сопротивление бесполезно.

Как бы подтверждая эти слова, над головой Т. раздалось тихое гудение. Оно перешло в пронзительный тонкий визг, словно неизвестный электрический прибор запустили на полную мощность, и коса, вывернувшись из его рук, с глухим стуком прилипла к стене.

Затем электрический визг стал еще громче, и Т. вдруг показалось, что тысячи крохотных цепких рук впились в его бороду, рванули ее к стене и распластали по обивке рядом с косой, прижав к клеенке его лицо и расплющив щеку. Усилие было таким мощным, что стало трудно дышать.

«Гриша Овнюк, — подумал Т., — тут ошибки быть не может. Узнаю руку мастера...»

Окошко в дверце кареты распахнулось, и Т. увидел мужское лицо. Он определенно встречал этого человека раньше, но некоторое время не мог его вспомнить. Наконец по густым подусникам он узнал того самого журналиста, который призывал соловьевское общество выйти на манифестацию протеста.

— Жандармский майор Кудасов, — дружелюбно представилось лицо. — Мы немного знакомы, граф, хотя в прошлый раз я был в штатском. Однако мы целый день ждем, пока вы в этом люке оприходуетесь. Ездим по улице туда-сюда, туда-сюда, а люк-то открыт. Жители даже властям пожаловаться хотели — боялись, кто-нибудь вниз свалится. Пришлось им объяснять, что мы и есть власть...

Затянувшись папиросой, Кудасов пустил в карету облачко вонючего дыма. Затем окошко закрылось и наступила тьма.

XXV

Камера смертников Алексеевского равелина была высоким и узким помещением со стенами из темного камня и сводчатым потолком. Ее освещала горящая на столе сальная свеча, дававшая больше копоти, чем света. Тонкая перегородка отгораживала ватерклозетную чашку от остальной камеры; из мебели были только стол, скамья рядом с ним и две лежанки по углам. Воздух пах еловой хвоей или чем-то похожим.

Т. сидел на лежанке, осторожно почесывая подбородок (стальные проволоки были грубо, с волосами вырваны из бороды, и кожа в нескольких местах слегка кровоточила), и думал, что это одно из самых мрачных мест, которые ему доводилось видеть.

Причина заключалась в надписях, покрывавших стены камеры до самого потолка. Трудно было понять, как арестанты могли туда дотянуться — разве что вертикально взгромоздив лавку на придвинутый к стене стол. Да и то вряд ли хватило бы высоты.

Надписи были сделаны тюремными чернилами (приготовленными, как успел объяснить словоохотливый надзиратель, из черного хлеба, свечной сажи и крови). По смыслу все они были довольно похожи друг на друга — сообщали, когда и за что заключенного уведут на казнь: имя, дата, статья уголовного уложения и что-нибудь вроде «прощевайте, люди» или «не дрейфь, арестант!»

Удручало не столько содержание надписей, сколько их количество — рядом с этим бесконечным отчетом о насильственно прерванных жизнях любое частное существование начинало казаться пылинкой в зубцах государственного механизма. В каждой из этих строчек словно теплилась крохотная частица прерванной жизни, ее последний отзвук на земле. Никакая пирамида из мертвых черепов не дала бы подобного эффекта.

Среди надписей выделялся рисунок, отмеченный печатью запредельного метафизического вызова — повешенный за хвост кот, растопыривший лапы, с тщательно прорисованной шестеркой тильдообразных усов вокруг разинутой в неслышном мяве пасти: возможно, здесь готовился к смерти кто-то из посвященных, и терзался последним земным сомнением (рядом с котом была надпись: «Бог — пожиратель людей. Евангелие от Филиппа»).

«Не помогла твоя молитва, Федор Кузьмич», — подумал Т. и прошептал последние слова распятого Бога, всплывшие отчего-то в памяти:

— Или, или, лама савахвани...

И вдруг тихий насмешливый голос совсем рядом ответил:

— А в толпе рядили — вот, ламу зовет...

Т. вздрогнул и поднял глаза.

На лавке у стола сидел безголовый человек.

Он был одет в легкий летний сюртук, из-под которого выбивался небрежно завязанный галстук. Срез шеи не был виден — его закрывал высокий крахмальный воротничок с загнутыми углами. А говорила лежащая на столе голова с копной всклокоченных волос и длинными усами.

Т. первым делом подумал, что отрубленная голова не может говорить, поскольку отделена от органа, посылающего воздух к голосовым связкам.

Голова, однако, подмигнула и продолжила:

— Не принимайте эту мазню на стенах слишком близко к сердцу, граф.

Глаза головы весело блестели, а голос звучал умиротворяюще, и Т. решил, что все это какой-то фокус. В подтверждение его догадки безголовый человек взял голову со стола, приставил ее к плечам, чуть покрутил, как бы приспосабливая к месту, и она соединилась с телом.

Только тогда Т. узнал Соловьева — тот выглядел так же, как на своих последних изображениях.

Соловьев кивнул на стену и сказал:

— Я почему так говорю — надписи не настоящие. Это администрация упражняется.

— Откуда вы знаете? — спросил Т.

— Рассказал знакомый жандарм. Да и сами подумайте, ну кто из смертников будет тратить последние минуты на то, чтобы готовить чернила из сажи с кровью, а потом лезть по лавке аж на потолок?

Тело Соловьева выглядело вполне достоверно, но, тем не менее, было явно иной природы, чем остальные предметы в камере. Казалось, что на самом деле оно находится в каком-то другом пространстве и освещено невидимым источником света, а в темную и узкую камеру его образ проецирует таинственная система скрытых зеркал.

— Вы даже представить не можете, — сказал Т., — как я рад нашей встрече. Я столько времени пытался вас найти... Но я вижу, с вами случилось несчастье?

— В некотором роде, — ответил Соловьев с улыбкой. — Мне отрубили голову.

— Какой ужас...

— Бросьте, граф. Начиная с определенной ступени в нашем внутреннем развитии, такие вещи перестают играть роль.

— Кто это сделал? — спросил Т.

— Ариэль. Ну, конечно, не сам — как-то обставил через своих фантомов. Но мы ведь понимаем, как в этом мире обстоят дела...

Т. от напряжения приподнялся с места.

— Вы знаете Арэиля?

— О да.

— Скажите, то, что он говорит о природе и цели нашего существования — правда?

— Частично. Но крупицы правды в его словах рассыпаны среди целых гор лжи. И потом, истина всегда зависит от смотрящего. Для кого-то Ариэль действительно Бог. Ну а для меня это скорее нечистый дух.

— Он настоящий демиург?

— Это вопрос интерпретации, — ответил Соловьев. — С моей точки зрения, нет. Он, скорее, нечто вроде надсмотрщика над гребцами на галере. Раб обстоятельств, поставленный над другими рабами обстоятельств в качестве дополнительного порабощающего фактора...

— Он вас тоже недолюбливает, — сказал Т.

— Ничего удивительного. Не сомневаюсь также, что вы слышали обо мне много дурного в свете.

— Да, было, — согласился Т. — Как я понял, вас считают чем-то вроде городского сумасшедшего. Долго говорить про вас избегают. Смысл сводится к тому, что в молодости вы многое обещали в художественном плане, но, по мнению литературных менял, не вернули процента с выделенных под вас надежд. Кроме того, упоминали о государственной измене и аресте...

Соловьев печально улыбнулся и развел руками.

— Зато ваши ученики, — продолжал Т., — я имею в виду соловьевское общество, рассказывают про вас такие удивительные вещи, что впору спутать вас с Аполлонием Тианским или кем-нибудь еще из древних чудотворцев.

На этот раз Соловьев улыбнулся чуть смущенно.

— Одни полагают меня опасным безумцем, — сказал он, — другие, наоборот, видят во мне то, чем не решились стать сами. Второе, конечно, лестно — но так же незаслуженно, как и первое. А что вам говорил про меня Ариэль?

— Что-то невнятное, — ответил Т. — Сквозь зубы.

— Вы ведь знаете, что я тоже был частью этой истории?

— Да, Ариэль упоминал. Что-то про католическую сутану и два хлебных ножа.

— Стыдно вспомнить, — вздохнул Соловьев, — сколько я загубил безответных усачей из ведомства Кнопфа. Но потом возникли трудности.

— Какие? — спросил Т.

— Дело в том, что я раскусил Ариэля. Понял одну вещь, которая разрушила весь его замысел.

— Что же именно вы поняли?

Соловьев прищурился и смерил Т. долгим взглядом, как бы колеблясь, отвечать на этот вопрос или нет. И, видимо, решил ответить.

— Скажите, граф, не приходило ли вам в голову, что вы с самого начала были созданы не для торжественной и высокой роли, смутно упомянутой Ариэлем, а именно для той самой, какую играете? Я имею в виду, с первой минуты?

Т. нахмурился.

— А хоть и так, какая разница? Ведь происходящее от этого не изменится...

— Изменится, и еще как, — сказал Соловьев. — Дело в том, что в этом случае вы оказываетесь героем совсем другой истории, чем привыкли думать.

Т. вдруг ощутил странный холодок под ложечкой.

— То есть?

— Вы верите, что это история графа Т., пробирающегося к неизвестной цели, которая меняется в зависимости от пожеланий заказчика. Историю придумывает некий Ариэль Эдмундович Брахман и подчиненная ему бригада авторов. И этот Ариэль Эдмундович от нечего делать вступает иногда с графом Т. в каббалистическое общение, остающееся как бы за границами романа про графа Т. Верно?

— Верно, — сказал Т. — Так и есть.

— Почему вы в это верите?

— Потому что такая версия реальности была многократно подтверждена на практике.

— Но все практические подтверждения этой реальности были частью той самой реальности, которую они подтверждали. Не так ли? Тут бы умному человеку и заподозрить неладное. Вы ведь, слава Богу, не какой-нибудь физик-экспериментатор.

— А как обстоят дела на самом деле?

— Вы действительно герой романа. Но роман не только про вас. Это роман про Ариэля Эдмундовича Брахмана и его подручных, командующих големом по имени «граф Т.», которого они мягко, но настойчиво уводят от поиска вечной истины к высасыванию душ в консольном шутере, мотивируя это требованиями кризиса и рынка. Романом является описание этого процесса во всей полноте.

— Но что при этом меняется?

— Самое главное. Ариэль никакой не бог-творец. А такое же точно действующее лицо, как мы с вами. В нужный момент он просто появляется на сцене и произносит свои реплики.

Т. вскочил на ноги и заходил взад-вперед по камере.

— Вы хотите сказать... Но он ведь совершенно точно может... Влиять на события. Совершать чудеса.

— Ну и что? Это просто герой с такой способностью. Для кого-то, возможно, ваше умение ловить топор за лезвие — тоже чудо. А для вас это самая обыкновенная вещь на свете.

— Вы хотите сказать, Ариэль лжет? Он в действительности не автор?

— Нет. Он автор. Но это герой, чья роль в том, чтобы быть автором. Понимаете ли? В истинном пространстве Книги он не демиург, а такой же персонаж, как и мы с вами. И это касается не только его самого, но и всех его подручных.

— Над этим следует подумать, — сказал Т. — Не стану отрицать, сильно зашли. Голова кружится.

Соловьев засмеялся, отошел в угол камеры и присел на пустую лежанку.

— Что вы смеетесь? — спросил Т. тревожно.

— Рано она у вас кружится. Все это только предисловие.

Т. облизнул губы.

— К чему? — спросил он.

— Вам известно, каким способом существует весь мир и мы с вами?

— Да, — сказал Т., — я имею некоторое представление о вашем учении. И считаю даже, что достиг в его практическом применении определенного прогресса.

— О чем вы?

— Я имею в виду распознавание демонов, вторгающихся в ум. Я больше не путаю их с собой. Всех их, — Т. брезгливо мотнул головой куда-то в сторону ватерклозетной чашки, — узнаю с первой секунды. Особенно Митеньку и этого Гришу Овнюка.

— Вы уверены, что всех? — прищурился Соловьев.

— Да, — ответил Т. — Я даже понял, что само это узнавание есть действие пятого демона — того, который отвечает за поток моего сознания. Видите, я узнаю даже узнающего, хотя такому меня никто никогда не учил.

— Замечательно, — сказал Соловьев. — Но научились ли вы видеть самое главное?

— Вы говорите о читателе, в сознании которого мы возникаем?

Соловьев кивнул.

— А вот это, — сказал Т., — с моей точки зрения чистый софизм. Читатель никак и никогда себя не проявляет в нашей реальности. Зачем нам вообще о нем думать? Такое же бесполезное допущение, как мировой эфир.

— Тогда еще один намек. Прямо в этой камере, на стене... Нет, вы не туда смотрите. Я имею в виду не изображение повешенного за хвост котяры, а надписи, подделанные тюремной администрацией. Давайте поверим на секунду, что они подлинные. Прочтите любую на выбор.

Т. встал и подошел к стене.

— Темновато, — пробормотал он. — Впрочем, видно. Вот: «Пишет раб божий Федька Пятак с Москвы. Зарезал трех солдат за сапоги, завтра сутрева повесят. Прими господе душу...»

— И что вам по этому поводу приходит в голову?

— Во-первых, — сказал Т., — непонятно, как Федька ухитрился зарезать за сапоги сразу трех солдат. То ли он резал их спящими, имея виды на три пары, то ли просто стянул сапоги, а убийцей стал, отбиваясь от преследователей... Он как-то очень скомканно описал. Видно, волновался.

— Что-нибудь еще?

— Во-вторых, неясно, что именно Господь будет делать с этой душой, когда примет. Стирать, гладить?

— Еще какие-нибудь мысли?

Т. подумал.

— Ну, можно еще поразмыслить, почему его так звали — Федька Пятак. Возможно, дело было в том, что он оказывал за пятак какую-нибудь низменную услугу — например, подносил крендель с водкой или топил котят. Он пишет, что он из Москвы — в трущобах вокруг Хитровского рынка действительно встречаются пропащие души, которые на такое способны. А может быть, он был похож лицом на поросенка. Отлично представляю, кстати — такой драный картуз на голове, непременно коричневый, маленькие хитрые глазки, бегающие из стороны в сторону, и вздернутый носик-пятачок с открытыми ноздрями... И сам невелик ростом.

— Вот, — сказал Соловьев, — уже почти добрались. Ведь прямо как живой. Вы его сейчас увидели в своем воображении, да?

— Пожалуй.

— Очень хорошо. Теперь представьте, что предсмертная запись Федьки Пятака — короткий роман. А сам Федька Пятак — его герой. Кем вы являетесь по отношению к этому роману?

— Читателем.

— Вот именно. Только что читателем были вы сами. Но вы знаете, что возникаете в сознании читателя, верно? То, что вы принимаете за свое сознание, есть на самом деле сознание читателя. Это не вы прочли сейчас про Федьку Пятака. Это читатель, в воображении которого мы с вами возникаем, увидел его драный коричневый картуз и свиной пятачок. Увидел сквозь вас.

— Допустим. И что?

Соловьев выдержал паузу.

— А то, — сказал он тихо, — что читатель, читающий сейчас эту книгу — такой же призрачный фантом, как и мы с вами. В истинной реальности его нет. Он — такая же промежуточная оптика, какой были вы сами при чтении истории про Федьку.

— Но кто тогда есть?

— Только непостижимость, которая видит вас сквозь читателя — так же, как читатель только что видел Федьку Пятака сквозь вас, граф.

Т. молчал.

— Читатель во Вселенной всего один, — продолжал Соловьев. — Но на носу у него может быть сколько угодно пар разноцветных очков. Отражаясь друг в друге, они порождают черт знает какие отблески — мировые войны, финансовые кризисы, всемирные катастрофы и прочие аттракционы. Однако сквозь все это проходит только один взгляд, только один луч ясного сознающего света — тот же самый, который проходит в эту секунду через вас, меня и любого, кто видит нас с вами. Потому что этот луч вообще только один во всем мироздании и, так сказать, самотождествен во всех своих бесчисленных проявлениях. Причем называть его лучом — это большая ошибка. Но не большая, конечно, чем полагать дырой в отхожем месте.

— А кто создает то, что этот взгляд видит?

— То, что он видит, не создано кем-то другим. Он создает то, что видит, сам.

— Каким образом?

— Тем, что он это видит.

— Хорошо, — сказал Т., — тогда спрошу иначе. Кто этим взглядом смотрит?

— Вы.

— Я?

— Конечно. Вы и есть этот взгляд, граф. Вы и есть эта непостижимость.

— То есть вы хотите сказать, что я создатель мира?

Соловьев развел руками, будто не понимая, какие тут могут быть сомнения.

— Но если я создатель мира, почему мне в нем так неуютно?

Соловьев засмеялся.

— Это все равно как спросить — если я создатель кошмара, почему мне в нем так страшно?

— Понятно, — сказал Т. — Но почему именно я? В чем моя исключительность?

— Такой же точно исключительностью обладаю и я, и эта муха под потолком, и любой другой оптический элемент. И вы, и я, и кто угодно другой — это од-

но и то же присутствие, просто, как говорят техничес-
кие специалисты, в разных фазах. Один и тот же
окончательный наблюдатель, который никогда ни от
кого не прячется, потому что прятаться ему не от кого.
Кроме него, никого нет. И вы хорошо знаете, какой
он, потому что вы и есть он. Главная тайна мира совершенно открыта, и она ничем не отличается от вас
самого. Если вы поняли, о чем я говорил, вы только
что видели отблеск самого большого чуда во Вселенной... Понять это и означает увидеть Читателя.

— Но почему вы говорите, что луч всего один?

— Будь там два разных луча, они никогда не поняли бы друг друга и не встретились. Текст, написанный
одним человеком, был бы непонятен для другого. Вы
ведь знаете, иногда бывает такое чувство при чтении
книг — словно кто-то в вас вспоминает то, что он всегда знал. Вспоминает именно эта сила. И мы с вами
понимаем друг друга просто потому, что она понимает
и меня, и вас. Это и есть то Око, которое пытались
уничтожить гоббиты в главном мифе Запада. Однако
добились они не того, что Око ослепло, как утверждает
их военная пропаганда, а только того, что они сами
перестали его видеть.

Т. молчал. На его сосредоточенном лице появилось
странное выражение — будто он слышит далекую, еле
слышную, исчезающую на границе тишины музыку.
Потом он улыбнулся.

— Да, — сказал он наконец. — Красиво. Но все же
я по-прежнему склонен думать, что это относится к
области отвлеченной метафизики и никакого влияния
на наши обстоятельства не окажет.

— Напрасно вы так полагаете, — отозвался Соловьев. — Именно здесь и открывается дорога в Оптину Пустынь.

— А что такое Оптина Пустынь? Я ведь, собственно говоря, искал вас только для того, чтобы задать этот
вопрос. Куда я иду?

Соловьев улыбнулся.

— Я не знаю, — сказал он.

Т. вытаращил глаза.

— Как же так? Я понимаю, Чапаев не знает — у него на этот счет целая философия. Но вы? Вы ведь ее сами придумали!

— Кто ее придумал, неважно. Важно только то, во что вы ее превратите своим путешествием. Ответить на этот вопрос сумеете только вы.

— А может быть, — сказал Т., — Ариэль по-прежнему морочит мне голову, притворяясь вами. Такое ведь уже бывало. Мне кажется, наваждение никогда не кончится.

— Оно кончится, — ответил Соловьев, — когда вы окончательно поймете, что он и вся его банда существуют на равных правах с вами, мной и лавкой, на которой вы сидите. А до этой поры Ариэль Эдмундович будет дурить вам голову, утверждая, что единственный приемлемый вариант эволюции — это развитие вашего мира в сторону клерикально-консольного шутера в условиях нарастающего экономического кризиса с элементами мягкой эротики и ограниченного ядерного конфликта...

— Кстати сказать, — заметил Т., — он ведь предупреждал, что вернет вас в повествование.

Соловьев кивнул.

— Я знаю. В его планы входило использовать меня в качестве приманки. Что, в общем, и произошло.

— А этого разговора он не видит? — подозрительно спросил Т.

— Нет, — ответил Соловьев, — не видит. По сюжету он сейчас в отъезде. Но он вернется, и может случиться так, что все услышанное и понятое вами сегодня вылетит при редактировании. Если, конечно, вы оставите ему такую возможность.

— Куда он уехал?

— В Хургаду, Египет.

— Да, я припоминаю, — сказал Т. — Это как-то связано с обелиском Эхнатона?

Соловьев замахал руками.

— Какой еще к черту обелиск Эхнатона. Еще скажите, пирамида Кнопфа... Хургада — это просто место отдыха небогатых демиургов. Как для нас с вами Баден-Баден.

Т. немного подумал.

— Тогда еще один вопрос, — сказал он. — Скажите, если Ариэль и все его подручные — просто действующие лица, кто же тогда настоящий автор? Истинный и окончательный?

— А это вам предстоит выяснить лично.

— Но как?

— Встретившись с ним лицом к лицу.

— Почему вы думаете, что он окажется лучше Ариэля?

— Видите ли, — сказал Соловьев, — у него другое представление о назначении Книги. С его точки зрения, оно в том, чтобы спасти героя. Особенно такого, которого вообще невозможно спасти. Вроде вас...

— Но зачем тогда он выдумал Ариэля и его мир?

Соловьев пожал плечами.

— Я думаю, исключительно в насмешку над самой идеей того, что такой мир действительно может существовать. Его кажущееся существование и есть эта насмешка.

— А зачем был создан я?

— Я уже сказал, граф — исключительно для того, чтобы сквозь все это прийти к спасению. Спастись из такого места, где нет никакой надежды, где спасения нет и быть не может. Что может быть занятнее такого приключения?

— Ну хорошо, — сказал Т., — отчего же вы не спаслись? Вам ведь отрубили голову.

— Граф, я уже говорил, что подобные вещи имели бы значение, будь я каким-нибудь сенатором-казнокрадом. Меня это совершенно не тяготит, поверьте. Скорее наоборот...

— Так значит, спасение — небытие?

— Ну что такое вы говорите? Какое небытие? Где вы вообще его видели? Чтобы «не быть», мало того, что надо быть, надо еще и подмалевать к бытию слово «не». Подумайте, с кем или с чем это небытие случается?

— С тем, кого нет... Постойте-ка... Я помню, Чапаев говорил... Самое непостижимое качество Бога в том, что Бога нет. Я тогда подумал, это претенциозный софизм, а сейчас, кажется, начинаю... Так что же такое спасение?

— Проблема спасения на самом деле нереальна, граф. Она возникает у ложной личности, появляющейся, когда ум вовлечен в лихорадку мышления. Такие ложные личности рождаются и исчезают много раз в день. Они все время разные. И если такой личности не мешать, через секунду-другую она навсегда себя позабудет. А кроме нее спасать больше некого. Вот именно для успокоения этого нервничающего фантома и выдуманы все духовные учения на свете.

— Возможно, — сказал Т. задумчиво. — Это, во всяком случае, объясняет, почему проблема спасения так мало занимает широкую крестьянскую массу. Но в таком случае вы сами себе противоречите. Кого тогда хочет спасти окончательный автор?

Соловьев улыбнулся.

— Вас. И больше не спрашивайте, как, зачем и почему. Вы поймете это, когда встретите его. Вы подошли к границе, за которой кончаются слова. Остальную дорогу вы должны проделать в одиночестве. Осталось немного.

Т. вздохнул.

— Что ж, — сказал он. — Допустим, я хочу вам верить. Что мне следует делать?

— Вы уже знаете. Найдите Оптину Пустынь. Только не спрашивайте случайных людей, как туда добраться. Ищите внутри себя.

— Вы полагаете, она там появится?

— Она там была всегда, — улыбнулся Соловьев. — Это как раз в ней появляется все остальное. Просто вы никогда не обращали внимания. Были слишком заняты перестрелками и опрощением...

В коридоре заскрипела отпираемая решетка, и долетели шаги подкованных сапог. Потом послышались голоса.

— Черт, — сказал Соловьев. — Кажется, Ариэль приготовил для вас сюрприз, довольно неприятный. Теперь не теряйте ни минуты. Все можно разрешить очень быстро, и вы почти знаете как...

— Что за сюрприз?

— Шестой элемент, — сказал Соловьев. — Помните, он говорил о реалисте, нанятом несмотря на кризис? Вам попытаются сделать предложение, от которого крайне трудно отказаться. Этот соблазн мало кому удается пройти. Но вы, я уверен, сможете, потому что...

Тут в дверь постучали, и силуэт Соловьева сразу погас — словно отключился скрытый источник света, делавший его видимым.

А потом Т. проснулся.

XXVI

Открыв глаза, Толстой поднял голову.

Прошло несколько секунд прежде чем он понял, что сидит за столом в своем рабочем кабинете. Перед ним на зеленом сукне лежала стопка исписанной бумаги; выпавшее из руки перо оставило на одном из листов длинную полукруглую кляксу, которая, кажется, имела отношение к только что кончившемуся сну. И еще на столе лежала белая лайковая перчатка, тоже имевшая отношение ко сну, даже очень важное отношение.

Толстой поглядел в окно. Там был летний вечер — клумбы с цветами, спускающийся к пруду сад и врытые в землю столбы с веревками для игры в «гигантские шаги». Вокруг одного такого столба, раздувая щеки, беззвучно носился стриженный мальчишка в длинной серой рубахе.

Толстой опустил взгляд. На подоконнике лежали сапожные инструменты. Под окном стоял деревянный ящик с колодками и обрезками кожи. Все вокруг выглядело как обычно.

Минуту он морщил брови и наконец вспомнил.

«Мне снилось, что я писал роман... Да, точно. Какой-то совершенно безумный роман, где героем был покойный Достоевский. И я сам... Однако до чего подробный и странный сон, почти целая жизнь, фантастическая и смешная... Стоп. Вот только я ли писал этот роман? Нет, кажется, я был сам романом, который писали... Или присутствовало и то, и другое...»

В дверь снова постучали.

— Лев Николаевич, — позвал из коридора голос лакея. — Все собрались к обеду. Изволите выйти?

— Да, приду, — откликнулся Толстой. — Попроси извинить, пусть начинают без меня. Буду через десять минут и только выпью чаю.

Когда шаги в коридоре стихли, Толстой опустил голову на руку, приняв ту же позу, в какой его сморил сон — он знал, что так можно вспомнить забытые подробности сновидения. Немного посидев в полной неподвижности, он взял перо, макнул его в чернильницу и записал:

«Кнопф (?). Цыган с куклой. Соловьев и Олсуфьев. Кн. Тараканова. Прозектор Брахман (?). Конфуций. Самое главное, не забыть — Опт. Пустынь».

Затем он поднял руку к груди, взял двумя пальцами висящий на груди брелок и поднес его к глазам.

Это была крохотная золотая книга, наполовину утопленная в вырезанном из белой яшмы цветке — так, что выходило похоже на колокольчик с непропорционально большим языком. Висела она на золотой цепочке. Вещь была очень старой и, хоть казалась прочной на вид, несла на себе многочисленные следы времени — царапины, сколы и пятна. Толстой улыбнулся и недоверчиво покачал головой.

Встав, он прошел в подобие приемной, отделенной от его рабочего стола книжными шкафами. Там, на круглом столе между стеклянной дверью в сад и покрытым зеленой клеенкой диваном, лежало с полдюжины книг на немецком, английском и французском.

Из сада долетел приглушенный крик. Толстой поглядел туда через стеклянную дверь. Мальчишка, крутившийся вокруг столба на веревке, потерял равновесие и свалился в траву. Толстой усмехнулся, подошел к умывальному столу и ополоснул лицо.

Когда он вошел в столовую, разговор за столом стих, и два человека — переводчик из свиты индийского гостя и мастер по настройке фонографов — даже попытались встать, но их удержали. Сам индийский гость, высокий сухой старик в оранжевой хламиде и деревянных бусах-четках, широко улыбнулся. Толстой приветственно буркнул, кивнул всем головой и сел на свое место.

«Вот черт, — подумал он, — опять забыл его имя... Свами ...ананда. А вот что перед этой «анандой», не помню. Кажется, его можно звать просто «свами», по смыслу как «ваше преподобие»... Главное, легко запомнить — «с вами».

— Спасибо, свами, — сказал он, снимая с груди брелок и протягивая его индусу, — но я, наверное, слишком стар для подобных опытов.

Переводчик отчего-то переводил эту простую мысль очень долго — индус успел за это время внимательно осмотреть брелок и надеть его себе на шею, поверх деревянных бус. На его лице выразилась легкая озабоченность.

— Совсем никакого результата? — спросил он.

Толстой погладил бороду, раздумывая, что сказать.

— Нет, — ответил он, — результат, несомненно, был. Такого безумного, долгого и, главное, жизнеподобного сна я не видел, наверное, ни разу. И это трудно объяснить естественными причинами, разве что моей повышенной готовностью к чудесным происшествиям после нашей беседы. Хотя настроен я был скептически. Даже не знаю... Но мне трудно поверить, будто я видел будущее. Была какая-то странная мешанина из того, что мне знакомо, с полным абсурдом.

— А можете сказать точнее? — спросил индус.

Толстой налил в чашку с чаем молока и сделал глоток. Затем поднял глаза на секретаря Черткова.

— Вы, голубчик, не записывайте этого разговора, — сказал он виновато. — Черт знает что такое.

Чертков еле заметно улыбнулся. Толстой повернулся к индусу — так, чтобы видеть одновременно и его самого, и переводчика.

— Хорошо, — сказал он, — я расскажу. Я видел сон, где я был героем книги. Меня придумывало сразу несколько человек, изрядных негодяев. И текст, который они сочиняли, становился моим миром и моей жизнью. Этот мир, однако же, был населен и знакомыми мне лицами. Некоторые даже сидят за этим столом...

Толстой повернулся к специалисту по настройке фонографов:

— Вот вы, например, господин Кнопф, были в этом сне безжалостным убийцей, стрелявшим в меня из револьвера.

Кнопф побледнел, поднял на Толстого бесцветные глаза и поднес руку к груди, словно пытаясь найти там кнопку, нажав на которую, он мог бы выключить себя навсегда.

— Наверное, и про меня увидел какую-нибудь гадость, — весело сказала Софья Андреевна, — не так ли, Лева?

Толстой отрицательно помотал головой.

— Тебя вообще не было, — ответил он. — Была твоя подруга Тараканова. Она угощала меня специально приготовленной щукой. И еще был цыган Младич.

Софья Андреевна кивнула.

— Лойко Младич, — объяснила она остальным, — был капельдинером цыганского хора, которого Лева хорошо знал. Богатырь, и удивительно поет под гитару — Лева почти плачет каждый раз. Приезжал к нам в гости. И однажды выпросил у нас итальянскую куклу, черного паяца из театра марионеток. Чем она его прельстила, не знаю. Просто в нее влюбился. Подари куклу, говорит, отплачу — не на этом свете, так на том. А не подаришь, залезу ночью, украду и красного петуха пущу... Шутил, конечно.

— Шутил, шутил, — сказал Толстой задумчиво. — Кукла была. И еще был... Олсуфьев, но в каком виде! Да успокойтесь вы ради Бога, вы под конец стали совсем хорошим!

Последние слова были обращены к Кнопфу, который так и сидел с вытаращенными в ужасе глазами и прижатой к сердцу ладонью.

За столом установилась тишина, нарушаемая только позвякиванием ножей и вилок. Индус наклонился к переводчику и спросил:

— Скажите, а вы не видели во сне сам этот амулет? Толстой немного подумал.

— Видел. У него внутри, кажется, была какая-то золотая вставка, на которой обнаружился священный текст, почему-то египетский. Его потом, в другой части сна, перевели — и оказалось, что в нем содержится имя какого-то древнего бога. От него, впрочем, никакой практической пользы.

— Как интересно, Лева, — всплеснула руками Софья Андреевна. — Что же ты молчишь? И какое было имя у бога?

— Я не помню точно, — сказал Толстой. — Четыре буквы, по поводу которых ни у кого не было окончательной ясности. Но амулет, — он повернулся к индусу, — у меня пытались во сне отобрать. И даже хотели из-за этого убить. А потом, — Толстой повернулся к Кнопфу, — из-за него убили вас.

Кнопф, так и не оторвавший руку от сердца, закрыл глаза и кивнул, словно принимая случившееся как заслуженную кару.

— Скажите, а кто были эти писатели? — спросил Чертков. — Те несколько человек, которые вас придумывали?

Толстой отхлебнул чаю.

— Какие-то мрачные жулики, — сказал он. — Главного звали Ариэль. У них там один роман сочиняет целая артель.

— Что-то вроде буриме? — спросил Чертков.

— Нет, — ответил Толстой, — гораздо хуже. Там книги пишут, как наши мужики растят свиней на продажу. И вот в таком романе я был героем. Впрочем, одно время я даже писал его сам. Причем придумывал самые дикие и неправдоподобные куски. Для этого я надевал на руку белую перчатку. Перчатка самая настоящая, лежит у меня на столе, и я действительно иногда ее надеваю, когда пишу, потому что у меня на руке мозоль. И еще я слышал массу непонятных новых слов. Были очень смешные.

— Значит, вы все-таки видели будущее, — сказал индус. — Хотя бы и через такую странную призму. Ведь, насколько я понимаю, в вашем видении присутствовали элементы, которые никак нельзя вывести из вашего повседневного опыта.

— О да, присутствовали, и в большом количестве, — подтвердил Толстой. — Особенно когда мне привиделся Достоевский с боевым топором. Вот там уже начался форменный кошмар. Живые мертвецы на улицах Петербурга, аршинные непристойности на стенах... Люди, высасывающие друг у друга душу с целью коммерческой прибыли, причем даже не для себя, а для тех, кто их этому учит.

— Апокалипсис, — вздохнула Софья Андреевна.

— Впрочем, и сейчас происходит то же самое, — продолжал Толстой. — Вопрос для большинства не в том, как жить, чему служить, что проповедовать, а в том, как выиграть приз, обогатиться... Отсюда до Ариэля совсем недалеко.

— Ты про это много думаешь, — сказала Софья Андреевна. — Вот и привиделось.

— Возможно и так, — ответил Толстой. — Кстати, Достоевский постоянно цитировал Конфуция, и как раз те самые места, которые я недавно перечитывал.

— Вы сказали «Ариэль», Лев Николаевич? — негромко спросил Чертков.

— Да.

— Это имя означает, насколько я знаю, «Лев Божий».

— Ах, Лева, — сказала Софья Андреевна. — Ариэлем наверняка был ты. Самый великий Лев из всех.

— Я же объяснил, что был в романе просто героем. А он — моим автором.

— Но ты всегда говорил, Лева, что, когда пишешь, обязательно становишься героем сам, — сказала Софья Андреевна. — И по-другому вообще невозможно писать художественное.

Толстой, опускавший в этот момент чайную ложку в стакан, вдруг замер.

— Лева, что с тобой? Ты поперхнулся?

— Нет, — сказал Толстой и рассмеялся. — Эта мысль очень пригодилась бы мне во сне. Именно так, да... Автор должен притвориться героем, чтобы тот возник... Вот где его можно поймать... Тогда понятно, зачем спасать героя. И где искать Бога. И зачем любить другого человека, когда тот страдает — это ведь безграничная вечность забыла себя, отчаялась и плачет...

— Ты сумбурно говоришь, — сказала Софья Андреевна.

— Неважно, — ответил Толстой, — это пустое, думаю вслух. Интересно устроен человек. Кто из христиан не мечтал о том, как служил бы Христу, если б жил в Палестине при Тиберии. А на самом деле помочь путешествующему Богу очень просто, и такая возможность есть у каждого — надо только оглядеться по сторонам и посмотреть, кому рядом плохо.

— Так еще сумбурней.

Толстой отхлебнул чаю.

— Тебе интересней будет другое — я ведь запомнил фамилию этого Ариэля. Его звали Ариэль Эдмундович Брахман.

— Брахман? — переспросила Софья Андреевна. — Я помню такого. Прозектор, которого мы встретили в Одессе, да?

— Да, именно. Ермолка. Только тот, кого я видел во сне, был совсем на него не похож, — сказал Толстой.

— Что за Брахман? — спросил Чертков.

— Когда мы проезжали через Одессу, — объяснила Софья Андреевна, — у нас был сосед по гостинице, крайне странный господин из Варшавы. Он попытался украсть у Левы ермолку, которую ему подарили местные евреи. Причем он не имел никакого воровского опыта, это сразу было понятно, поскольку его поймала гостиничная прислуга. Уже собирались звать околоточного, но он повалился на колени, расплакался и признался, что хотел просто взять какую-нибудь безделицу на память о великом человеке. У меня, говорит, жена беременная, так я деткам буду на голову эту ермолку надевать, может, из них писатели вырастут.

Когда переводчик закончил эту длинную фразу, индус спросил:

— И чем все кончилось?

— Лева развеселился, — продолжала Софья Андреевна. — Подарил ему эту ермолку и даже выпил с ним водки. Только, сказал, тут не в ермолке дело...

За столом засмеялись.

— Видишь, Лева, исполнилось, — сказала Софья Андреевна, — хотя бы и только во сне. Возможно, это был сын или внук того Брахмана. Или вообще правнук.

— Вас не поймешь, — махнул рукой Толстой, — Чертков говорит, Ариэль это я сам, а ты считаешь, что он потомок прозектора, укравшего ермолку. И потом, во сне у него были сообщники, которых я совершенно точно не встречал в Одессе.

Он повернулся к индусу.

355

— Так что же это все-таки за амулет?

— Он называется «Книгой Жизни», — заговорил индус, делая паузы, чтобы переводчик успевал. — Где и когда он изготовлен, неизвестно, но уже много столетий он передается из поколения в поколение как сокровище. Считается, что если надеть его на шею и заснуть, можно увидеть вещий сон.

— Откуда он у вас?

— Я получил его в дар от своего учителя, а тот от своего. Они верили, что эта золотая книга позволяет заглянуть в будущее. Однако это будущее всегда видится через призму ума, который в него смотрит. Поэтому увиденное будет неизбежно засорено — или, вернее, обусловлено — личным опытом смотрящего. Если, допустим, вы кавалерист, то и увидите вы скорей всего будущее кавалерии. Тогда в вашем сне могут появиться железные лошади, изрыгающие огонь. Такой случай на моей памяти был...

— А если вы Лев, сочиняющий книги, — ответил Толстой, — то вас растерзают потомки сумасшедшего прозектора, который мечтал, чтобы его потомство посвятило себя литературе.

Переводчик долго объяснял игру слов, связанную с именами «Лев» и «Ариэль». Потом Толстой задумчиво сказал:

— Некоторые детали будущего мира... Как бы это сказать, они были вполне понятны и уместны во сне, но совсем лишились смысла сейчас. Я даже не могу их толком вспомнить. Как, знаете, если бы во сне вам объяснили принцип работы фонографа на арабском языке, и вы все поняли, но проснувшись, не смогли бы ничего воспроизвести.

— Это лучшее свидетельство, — сказал индус, — что опыт был подлинным.

Толстой пожал плечами.

За столом установилась тишина. Воспользовавшись моментом, Кнопф прокашлялся и деликатно произнес:

— Лев Николаевич! Я еще раз хочу извиниться за допущенное недоразумение...

За столом засмеялись.

— ...и сообщить, — мужественно продолжал Кнопф, — что фонограф теперь исправен и будет готов к работе, когда вы изволите приказать.

— Это я должен извиниться за недоразумение, — ответил Толстой, — большое вам спасибо, господин Кнопф... Гм. Как-то даже странно видеть вас без револьвера.

— Лева, ты его совсем смутишь, — шепнула Софья Андреевна.

Но Толстой уже повернулся к индусу.

— Если отбросить все безумные детали, — сказал он, — я вынужден признать, что этот сон действительно определенным образом... Так сказать, соприкасается с моими давними мыслями. Со многими из моих мыслей. Но я не верю, разумеется, что таким образом можно заглянуть в будущее.

— Этот амулет позволяет увидеть истину, — ответил индус. — А будущее и прошлое — только часть истины.

— Не могу похвастаться, что видел истину.

— В таком опыте она может быть замаскирована, или смешана с бессмыслицей, — отозвался индус. — Как солнце в небе — иногда оно скрыто облаками, но его присутствие несомненно.

— Верно, у меня во сне много раз возникал вопрос об истине, — согласился Толстой. — Но ответа на него я так и не получил.

— Тогда опыт продолжится, — сказал индус. — Раз начавшись, он обязательно доходит до конца.

Толстой усмехнулся.

— Мы здесь встаем на зыбкую почву. Вы хотите уверить меня в том, что произошло чудо. Но, по моему глубокому убеждению, истина и чудо — две вещи несовместные. Когда заходит речь о разных там воскрешениях, преображениях и прочем, надо сразу проверять, на месте ли ваш кошелек. Обратите внимание, ведь эти религиозные чудеса всегда какие-то убогие, заштатные — или икона плачет маслом, или, к примеру, хромой на обе ноги начинает хромать на одну, или бесы временно переселяются из одного стада свиней в другое...

— Лева, — укоризненно сказала Софья Андреевна.

— Вы материалист? — спросил индус.

— Ни в коем случае, — ответил Толстой. — Я как раз полагаю, что нет заблуждения мрачнее, чем воззрение материалистов. Однако я не могу сказать, что целиком принимаю какую-то из религиозных доктрин.

— Вы верите в Бога?

— Конечно.

— А вы согласны с тем, что человек — это его воплощение?

Толстой засмеялся. Чертков повернулся к переводчику и сказал:

— Он потому смеется, что два дня назад мы говорили как раз об этом. И Лев Николаевич замечательно, по-моему, сформулировал ответ. Он выразился так: человек считает себя Богом, и он прав, потому что Бог в нем есть. Считает себя свиньей — и опять прав, потому что свинья в нем тоже есть. Но человек очень ошибается, когда принимает свою внутреннюю свинью за Бога.

Дослушав перевод, индус очень серьезно кивнул и спросил:

— Вы верите в переселение душ?

— Я полагаю, — ответил Толстой, — что существование отдельной личности — это одна из фаз вечной жизни в постепенно возвышающихся формах. И эти формы так близки между собой, что смутное воспоминание о предыдущем состоянии не исчезает в человеке никогда. Может, поэтому и говорят о переселении. Но смерть в любом случае не страшна, она просто переход. Мир — одно целое. И нет другого чуда, кроме жизни.

— Согласен, — сказал индус, когда переводчик договорил. — Единственным настоящим чудом являемся мы сами. Поэтому я вовсе не уверяю вас в том, что с вами произошло чудо. Напротив, с моей точки зрения в таком опыте нет вообще ничего необычного.

Толстой улыбнулся.

— Ну, если так, хорошо. Значит, вы говорите, что я когда-нибудь досмотрю этот сон?

— Да, — сказал индус, — непременно. И амулет вам будет уже не нужен.

В разговоре возникла пауза, которой воспользовался появившийся в дверях лакей.

— Прибыли новые гости, — сообщил он.

— Кто там? — спросила Софья Андреевна.

— Двое образованных рабочих, — насмешливо сказал вошедший вслед за лакеем сын Толстого Дмитрий Львович, — и еще девушка-курсистка. Кажется, из нигилистов — коротко стриженная, рыжая и курит папиросу. Хорошенькая.

— Ну вот, — усмехнулся Чертков, — будут опять просить денег на револьверы.

— Я опять не дам, — ответил Толстой. — А девушку эту курить отучим. Взять ее на прогулку верст на восемь, сразу свои пахитоски забудет...

— Ах, Лева, — всплеснула руками Софья Андреевна, — отчего же ты презираешь всякое движение женской души к эмансипации?

Толстой засмеялся.

— Когда женщины начинают толковать об эмансипации, — сказал он, глядя на индуса, — я всегда вспоминаю Эпиктета. Он писал, что римлянки не расставались с сочинением Платона «Государство», поскольку в нем Платон проповедовал общность жен. Вот только они не вполне ясно понимали остальные идеи книги. Эмансипация... Для чего? Раздеться до пояса и ехать на бал. Так вы и сейчас это можете.

— Спасибо, Лева, — сказала Софья Андреевна хрустальным голосом, — что сегодня ты хотя бы не требуешь, чтобы я надела сарафан и лапти и шла на реку стирать белье.

— Очень тебе не помешало бы, — ответил Толстой, вставая из-за стола, — только ты ведь не сможешь. Это тебе не прелюдии Шопена.

Заметив, что остальные гости тоже стали подниматься с мест, он добавил:

— Пожалуйста, не беспокойтесь. Я вас покину до ужина — мне надо написать пару писем...

Он повернулся к индусу.

— А завтра с утра, если позволите, я покажу вам свою школу для крестьянских детей.

— Это будет интересно, — вежливо сказал гость.

Вернувшись в кабинет, Толстой запер дверь изнутри и сел за стол. Его немного клонило в сон, но слабость была странно приятной. «Вот интересно, — подумал он, — а если сейчас усну, увижу продолжение?»

Он положил сложенные руки на стол и опустил на них голову, приняв ту же самую позу, в которой пришел в себя перед обедом. Однако, несмотря на сонливость, настоящий сон не шел. Несколько раз Толстой открывал и закрывал глаза, пока не заметил вдруг, что со стены — с того места, где всегда висели портреты Фета и Шопенгауэра, — на него иронически смотрит Наполеон Третий, драпируясь в горностаевую мантию со странным орденом, похожим на пятиконечный мальтийский крест.

«Постой-ка, — подумал он, — да я ведь уже сплю...»

Мало того, оказалось, что он может смотреть не открывая глаз — причем во все стороны: он видел висящую на шкафу одежду, косу без ручки и свою круглую мягкую шляпу. Одновременно ему были каким-то образом видны стоящие в другом углу палки для прогулок. Но, несмотря на эти знакомые по каждодневному быту детали, комната совершенно точно не была его кабинетом, потому что у нее отсутствовали окна.

«Эту комнату я уже видел, — вспомнил Толстой, — только она была немного другая... Я в ней как раз пытался писать себя сам... Не попробовать ли снова? Надо бы взять и кончить это дело, пока Ариэль в Египте...»

Удивляясь, как легко и плавно удается любое действие, Толстой взял со стола белую лайковую перчатку, надел ее на руку, поднял перо, макнул в чернильницу и вывел на бумаге мгновенно возникшую фразу:

«Дверь распахнулась, и в камеру вошли двое жандармов».

XXVII

Дверь распахнулась, и в камеру вошли двое жандармов — майор Кудасов и неизвестный поручик.

Майор выглядел браво — его подусники были густо нафабрены, щеки выбриты, и вообще он имел такой вид, словно хотел ехать на бал, но в последний момент все-таки отправился на службу. Сопровождавший его поручик был совсем молодой человек, безбородый, с пробором посередине головы и влажными внимательными глазами, какие бывают у беременных сук и пишущих о парижской моде журналистов.

Оба жандарма явно были люди хорошего общества, и по некоторой казенной окаменелости их лиц делалось ясно, что им не по душе предстоящая беседа.

«Почему у этих жандармов всегда такой виноватый вид? — подумал Т. — Впрочем, интереснее другое. Вот сейчас — кто их создает? Я сам? Ариэль? Или вообще какой-нибудь Гриша Овнюк? Посмотрим...»

— Вы спали, граф? — спросил Кудасов. — Извините, что пришлось разбудить.

— Давайте сразу к делу, — сказал Т.

— Извольте. Знаете ли вы, какая кара полагается вам за убийство княгини Таракановой и сопровождавших ее лиц?

Т. нахмурился.

— Я не убивал бедняжку, — сказал он, — совсем наоборот. Я пытался ее защитить, но подоспел слишком поздно.

— От кого вы ее защищали?

— От амазонских индейцев, плюющихся ядовитыми стрелами. Это они ее погубили. Хотя какой-нибудь Победоносцев вполне мог бы сказать, что ее погубило безверие.

— Про покойного обер-прокурора мы поговорим позже, — сказал Кудасов. — Что за индейцы?

— Вы полагаете, я был с ними знаком? — спросил Т. с сарказмом. — Мне их не успели представить.

— И где они сейчас?

— Сгорели.

— Хорошо-с... Труп жандармского полковника вы решили доверить воде для контраста с огненным погребением?

— Какого полковника?

— Которого задушили после убийства Таракановой.

— Задушил? — поднял брови Т. — Я? Помилуйте, да я такими делами не занимаюсь. Душить, сказали тоже... Я понимаю, впрочем, откуда у вас такие мысли. Я действительно ходил одно время в жандармском кителе. Но мне его дали цыгане, потому что я вышел из реки совершенно голый...

— А как к вам попал саквояж с империалами, найденный в вашем номере «Hotel d'Europe»? Тоже цыгане дали, когда вы вышли из реки?

— Нет, — ответил Т., — когда я вышел из реки, саквояж был уже на берегу. Думаю, он оказался там потому, что я задел его ногой. А вот цыгане тут ни при чем. Это была совсем другая река, и, кстати, замерзшая.

— Да-да, — согласился Кудасов. — Понимаю, в одну реку нельзя войти дважды...

— Нет, — сказал Т., — это даже географически совсем другая река. Стикс.

Офицеры переглянулись.

— То есть, — вкрадчиво спросил Кудасов, — если я вас правильно понимаю, банкир Каиль, которому принадлежал саквояж, не сумел переправиться через Стикс, а вы сумели?

Т. кивнул.

— В точности как вы говорите. Когда ваши сведения соответствуют действительности, я первый рад это подтвердить.

— Убийство обер-прокурора Победоносцева с группой монахов, я полагаю, тоже связано с легендами и мифами Древней Греции?

— Вы не представляете, до какой степени, — ответил Т. — Только не Древней Греции, а Древнего Египта. И это совсем не убийство, а несчастный случай при... э-э... непротивлении злу.

— Непротивлялись при помощи осколочных бомб два раза, — сказал молодой жандарм, — первый раз возле города Коврова, а потом на квартире обер-прокурора Победоносцева в Петербурге?

— Примерно так, — согласился Т. — Кажется, оба раза все было по совести. Вспоминаю без раскаяния.

Жандармы опять переглянулись, на этот раз почти весело.

— Ну что же, этот разговор нет смысла продолжать до бесконечности, — сказал Кудасов. — Картина ясна.

— Полностью согласен, — подтвердил поручик.

— Мы даже не упоминаем загубленных вами сыщиков, — продолжал Кудасов, — что ж тут вспоминать про такую мелочь в общем балансе. И вы ведь уже много лет идете по этому пути, граф. Еще при покойном министре Долгоруком у вас в Ясной Поляне были устроены тайные ходы и лестницы на случай встречи с законом, знаем-знаем. А по ночам на караул выходило столько народу, сколько вокруг острога не ходит... Останови мы вас тогда, и все могло бы сложиться иначе. Но теперь болезнь слишком запущена, чтобы ее лечить. Хочется верить, вы с самого начала понимали, что вас ожидает за подготовку цареубийства.

— О чем это вы? — с недоумением спросил Т.

Кудасов пристально поглядел Т. в глаза и положил на стол сложенный вдвое лист бумаги.

— Это письмо до вас не дошло, — сказал он. — Но сейчас вы можете его прочесть.

Т. взял бумагу и развернул ее. Лист был исписан аккуратным легким почерком:

Hotel d'Europe, графу Т.

Граф,

Перед собранием вы спросили об «императоре, распускающем думу» (если вы еще помните), однако обстоятельства сложились так, что в тот раз я не успела вам ответить. Попытаюсь рассказать в письме.

Эти слова связаны с давней историей: как-то, разговаривая с Джамбоном, Соловьев сказал, что четыре благородные истины буддизма в переложении для современного человека должны звучать иначе, чем две тысячи лет назад. Поспорив и посмеявшись, они вдвоем записали такую версию:

1) Жизнь есть тревога
2) В основе тревоги лежит дума
3) Думу нельзя додумать, а можно только распустить
4) Чтобы распустить думу, нужен император

Сначала они хотели записать четвертую благородную истину иначе — «чтобы распустить думу, найди того, кто думает». Однако, как заметил Джамбон, современный ум изощрен настолько, что нередко продолжает думать, даже поняв, что его нет.

Вы спрашиваете, кто этот «император»? Очень просто — тот, кто замечает думу, распускает ее и исчезает вместе с ней. Такой прием называется «удар императора», и я думаю, что ему обязательно найдется место в вашем арсенале непротивления. Удар наносится не только по думе, но и по са-

мому императору, который гибнет вместе с думой: в сущности, он уходит, не успев прийти, потому что дело уже сделано.

Можно было бы сказать, что «император» — это проявление активной ипостаси Читателя, если хотите — Автора. Однако разница между Читателем и Автором существует только до тех пор, пока дума не распущена, потому что и «читатель», и «автор» — просто мысли. Когда я спросила Соловьева, что же останется, когда не будет ни думы, ни императора, он ответил просто — «ты и твоя свобода».

Здесь может возникнуть вопрос — что же, собственно, Соловьев называл словом «ты»? Автор, Ты и Читатель — таким было его понимание Троицы. Кажется, что между этими тремя понятиями есть разница. Но в действительности они указывают на одно и то же, и кроме него нет ничего вообще.

Возможно, мое сумбурное письмо наведет вас на какие-то мысли. Теперь вы, во всяком случае, знаете, как с ними поступить... smile...

Ваша Т. С.

P.S. Анечка передает привет «страшному дяде с бородой»

— Я не могу похвастаться, что мы до конца понимаем этот шифр, — сказал Кудасов, — но суть очевидна. Речь идет о злоумышлении на высочайших особ. Когда и где вы собирались нанести удар по императору?

Т. пожал плечами.

— Одновременно с роспуском думы. Это, кажется, видно из письма. Вы ведь уже побеседовали с его отправительницей?

— Она скрылась из Петербурга.

— Надо же, какая досада...

Кудасов усмехнулся.

— Выпытывать у вас что-то бесполезно, это ясно, — сказал он. — Но когда речь идет о безопасности первых лиц империи, мы придерживаемся иной тактики — не выясняем все детали и подробности, а наносим удар сами. По всем, до кого можем дотянуться. Вы не причините вреда ни императору, ни думе.

— Вы собираетесь поступить со мной как с Соловьевым?

— Нет другого выхода, — развел руками Кудасов. — Оставлять вас в живых смертельно опасно. Вы, безусловно, заслуживаете казни по суду. Но высшая власть не хочет огласки, потому что это еще сильнее оттолкнет правящий слой от народа. Для публики вы просто пропадете, граф. Только в этот раз уже не вынырнете в каком-нибудь Коврове в мундире задушенного жандарма.

Т. открыл было рот, но Кудасов сделал легкое движение рукой, как бы призывая его не тратить время на пустые оправдания. Тогда Т. закинул ногу за ногу, задрал бороду и надменно уставился в угол камеры.

— Как именно вы собираетесь меня убить? — спросил он.

— Вас расстреляют во дворе.

— Когда?

— Незамедлительно.

— А я отчего-то ждал, что мне отрубят голову, как Соловьеву... Я смотрю, Ариэль Эдмундович постепенно склоняется к минимализму.

— Простите? — напряженно спросил Кудасов.

— Ничего, — вздохнул Т. — Вы вряд ли поймете, так что не будем останавливаться.

— Скажите, — заговорил поручик, — у вас есть какое-нибудь желание, которое мы могли бы выполнить? Последняя воля? Хотите распорядиться имуществом? Или сделать традиционную памятную надпись? Наши специалисты перенесут ее на стену камеры вашим же почерком. Если, конечно, не возникнет проблем с цензурой.

— Вот это дельная мысль, — ответил Т. — Уважаю заботу государства о культуре. Велите дать мне бумагу и чернила. И новую свечу, здесь темновато.

Кудасов кивнул, и поручик направился к двери.

— И еще, — сказал Т. ему вслед, — принесите, пожалуйста, стакан воды. Я хочу пить.

Пока молодой жандарм отсутствовал, Кудасов не вымолвил ни слова — сначала он изучал надписи на стенах, а потом принялся внимательно осматривать пол у себя под ногами. Т. только теперь заметил, что на нем шпоры.

«Зачем жандарму шпоры? — подумал он. — «Сестру задев случайно шпорой...» Интересно, есть у него сестра? Или хотя бы лошадь? Впрочем, какое мне дело...»

Через пять минут поручик вернулся с медным подносом в руках. На подносе была стопка гербовой бумаги и канцелярская чернильница с пером. Следом в камеру вошел солдат со стаканом воды в одной руке и горящей свечей в другой. Поручик поставил поднос перед Т.; вслед за этим солдат опустил на стол свечу и стакан в идеально симметричных позициях справа и слева от подноса.

— А теперь оставьте меня на время, — попросил Т.

— Невозможно, — сказал поручик, — пишите в нашем присутствии.

— Хотя бы на четверть часа...

Кудасов отрицательно помотал головой.

— Чего, интересно, вы боитесь? — спросил Т. — Что я убью себя этим подносом? Так вам же меньше возни, и совесть будет чиста... Только я не доставлю вам такого облегчения, даже не рассчитывайте. Право, господа, оставьте меня. Я должен собраться с мыслями, а в вашем присутствии это невозможно...

Кудасов с поручиком переглянулись. Поручик пожал плечами.

— Хорошо, у вас четверть часа, — сказал Кудасов и перешел на несколько виноватый тон, — и вот еще что. Имеется просьба от вашей знакомой Аксиньи Толстой-Олсуфьевой, переданная через наше высшее начальство. У нее, похоже, самые серьезные связи... В общем, она выпускает новую книгу — «Немного солнца в холодной вдове». И просила у вас короткий отзыв на последнюю страницу, всего строку или две.

— Пусть напишет сама от моего имени, — сказал Т. — Скажите, я разрешаю.

— Извольте, скажу, — кивнул Кудасов. — Но боюсь, бедняжке трудно будет придумать что-нибудь за вас, граф, поэтому она и просит... Впрочем, не мое дело.

Когда дверь закрылась, Т. поглядел на стену — туда, где была прощальная надпись Федьки Пятака.

«Теперь я знаю, где искать истинного автора, — подумал он. — Его не надо искать. Он прямо здесь. Он должен притвориться мной, чтобы я появился. На самом деле, если разобраться, нет никакого меня, есть только он. Но этот «он» и есть я. И так сквозь всю промежуточную оптику — до самого начала и конца, Соловьев тысячу раз прав... «Eternal mighty I am», как в старом протестантском псалме. Вот только в моем случае строка на время удлинилась до «I am Т.». Но «Т.» здесь не важен. Важно только «I am». Потому что «I am» может быть и без графа Т., а вот графа Т. без этого «I am» быть не может. Пока я думаю «I am Т.», я работаю подсобным рабочим в конторе Ариэля. Но как только я обрезаю эту мысль до «I am», я сразу вижу истинного автора и окончательного читателя. И еще тот единственный смысл, который есть в этом «I», и во всех других словах тоже. Как просто...»

Думать мешал веселый голос поручика, долетающий из коридора — он говорил что-то быстрое и неразборчивое.

«Получается тавтология — «я есть то, что я есть». Впрочем, это, кажется, уже было в какой-то книге... Но почему меня с такой назойливостью пытаются убедить, что авторов много? Потому, что автор один... Зачем меня так настойчиво приглашают притвориться создателем мира, предлагая белую перчатку и огромный письменный стол? Чтобы я не догадался, что я и так его создатель, ха-ха... А вот бедный Ариэль так крепко уверен в своем авторстве, что никогда, никогда не сможет понять, как обстоят дела на самом деле...»

Из коридора донесся бодрый мужской хохот на несколько голосов — поручик, видимо, закончил анекдот.

«Но если все именно так, — думал Т., — то я без труда смогу победить Ариэля... Такая возможность обязательно предусмотрена. У меня должно быть все необходимое — прямо под носом... Так. А что у меня под носом?»

Он оглядел стол — стопку гербовой бумаги, чернильницу с пером, стакан с водой и свечу.

«А может быть...»

Т. зажмурился, словно боясь, что мысль, внезапно пришедшая ему в голову, может так же неожиданно ее покинуть. Некоторое время он барабанил пальцами по столу, и эта дробь делалась все быстрее. Потом он засмеялся.

«То есть не может быть, а совершенно точно...»

Дверь приоткрылась, и в камеру заглянул Кудасов. В его глазах светилось любопытство.

— Я забыл сказать, граф, если желаете, у нас есть настойка опия.

— Благодарю, — сказал Т., приходя в себя. — Извините мою несдержанность. Просто я понял... В общем, мне нужна еще пара минут.

На лице жандарма изобразилось озабоченное понимание.

— Ждем-с, — кивнул он и исчез за дверью.

«Ну что же, — подумал Т., чувствуя жутковатый и веселый азарт. — Есть только один способ все проверить. Прямо сейчас и ни минутой позже...»

Подвинув к себе лист бумаги, он обмакнул перо в чернильницу и крупно написал в его центре:

Ариэль Эдмундович Брахман

Подумав, он обвел имя пунктирной окружностью и стал наносить вдоль нее на бумагу мелкие буквы. Все, какие мог вспомнить: русские, греческие, латинские, несколько древнееврейских и даже пару скандинавских рун. Он писал безо всякой системы и логики — просто ставил те знаки, которые сами выскакивали в памяти, и вскоре имя демиурга оказалось окружено расходящимися спиралями шифра, загадочного даже для автора.

«Нет сомнений, что последовательность знаков и их смысл в магии совершенно не важны, — думал Т. — Считать иначе значит оскорблять небеса, полагая, что они так же поражены бюрократической немощью, как земные власти. Любое заклинание или ритуал есть просто попытка обратить на себя внимание какой-то невидимой инстанции — но если твердо знаешь, что эта инстанция в тебе самом, можно не переживать по поводу мелких несоответствий...»

Поставив в конце последовательности букв греческую «омегу», Т. положил перо.

«Ну вот, — подумал он, — сейчас узнаем, тварь ли я дрожащая или луч света в темном царстве...»

Подняв исписанный лист, он поднес его было к свече, но передумал и положил назад на стол.

— И все-таки, — прошептал он, — формальности лучше соблюдать, ибо сказано... Что-то наверняка сказано на этот счет. А я забыл самое главное.

Взяв перо, он дописал справа от расходящегося вихря букв слово «БХГВ», а слева — такое же непонятное слово «АГНЦ», которое зачем-то заключил в неровный пятиугольник. Затем нарисовал внизу мешок и написал на нем греческое слово «γάτες».

«Кажется, пишется так, — подумал он. — Можно было бы и по-русски, но так каббалистичнее... Теперь точно все».

Подняв лист, он свернул его трубкой и коснулся им огонька свечи. Бумага занялась. Переворачивая лист в воздухе, чтобы он горел не слишком быстро, Т. аккуратно скормил его огню, затем нежно перехватил рыхлый раструб пепла и дал последнему клочку бумаги полностью догореть. У него в руке остался сморщенный свиток серо-черного цвета, похожий на переваренную землей берестяную грамоту.

Опустив пепел в стакан с водой, Т. размешал его пальцем. В стакане образовалась ровная мутная взвесь.

Дверь раскрылась.

— Граф, — сказал майор Кудасов, — время... Позвольте, да что вы делаете? Не сметь!

Он кинулся к Т. — но, прежде, чем он смог помешать, Т. поднял стакан ко рту и, глядя жандарму прямо в глаза, в два глотка выпил всю воду.

XXVIII

Был вечер. Ариэль Эдмундович Брахман только что зажег лампу под потолком и как раз шел к письменному столу, на котором жужжала машина Тьюринга и дымился кофе, когда перед ним что-то сверкнуло раздался громкий электрический треск.

Ариэль Эдмундович открыл рот от изумления.

Над столом, прямо над пачкой свежераспечатанных страниц, висела сфера, похожая на большой воздушный шар с прозрачными стенками. Внутри находился граф Т., в том самом виде, в каком его обычно изображают: с двумя револьверами по бокам и соломенной шляпой за плечами. Только он был совсем маленький — размером с игрушечного медвежонка, и держал в руке мешок с непонятным греческим словом.

— Отлично выглядите, Ариэль Эдмундович, — сказал Т. — Видно, что отдохнули.

Наступила тишина, которую нарушал только молодческий речитатив, несущийся из серых коробок по бокам машины Тьюринга:

«Оппа, оппа, скурвилась Европа, зато Жанна Фриске показала сиськи!»

На самом деле Ариэль выглядел не особо хорошо. Он был сильно испуган, и даже сквозь загар стало заметно, как он побледнел — почти рассосавшийся синяк под глазом сделался из синего голубым.

— Кто это поет? — спросил Т.

— «Серая Растаможка», — ответил Ариэль, — это такая молодежная... Вот черт... Да что происходит? Почему вы здесь?

— Вы, кажется, никогда не спрашивали позволения, чтобы появиться в моем мире.

— Как вы сюда попали?

— Очень просто, — ответил Т. — Оказывается, вас можно вызвать для общения по вашему собственному ритуалу. Это гораздо проще, чем я думал.

Ариэль отошел к стене и сел на узенький диван, обтянутый чем-то вроде синего кошачьего меха.

— Как вам сцена в Ясной Поляне? — спросил он, стараясь вернуть себе самообладание. — Удалась, да? Особенно этот индус хорошо вышел — как живой. Надо ему только имя придумать...

Т. указал на пачку оттисков, лежащую на столе.

— Наводите марафет?

Ариэль кивнул.

— Промежуточная правка, — сказал он. — Пантелеймон велел выкинуть всю Митину любовь, а вместо этого радикально усилить старца Федора Кузьмича. Книга будет духовная, на аудиторию от пятнадцати лет, поэтому эротические сцены заменяем фигурой умолчания в виде девяти звездочек. Только что внес. А сейчас буду ламу Джамбона убирать.

— Почему?

— Пантелеймон распорядился. Я, говорит, такого не заказывал. А наш метафизик ему договор показывает, где русским языком написано: «создание образа прозревшего ламы». Пантелеймон говорит, он у вас куда-то не туда прозрел. А метафизик отвечает — зато по-настоящему. Пусть, говорит, хоть в книге такой будет. В общем, буддийскую линию велели упростить. В том духе, что весь так называемый тибетский буддизм — это совместный проект ЦРУ и английской разведки. Пантелеймон, конечно, дурак, не умеет договор составлять. Но ламу этого по-любому не жалко. А вот за эротическую линию обидно — сорок страниц убрал, и каких! Всю упругую плоть, мля. Теперь ничего и не вспомните на том свете у камина. Получается, зря грешили, хе-хе.

— Я бы на вашем месте не особо веселился, — сухо сказал Т.

В глазах Ариэля опять мелькнул испуг. Он сделал серьезное лицо.

— У вас очередной припадок богоборчества?

— Да какой вы бог. Вы даже на черта не тянете.

— Давайте только без ярлыков, — сказал Ариэль. — Какой бы я ни был, а я ваш автор, и вы это знаете.

— Вы не мой автор. Вы герой, полагающий себя моим автором. Но у книги есть настоящий автор, который придумывает вас самого.

— Что же, — сказал Ариэль, — может, в каком-то высшем смысле так оно и обстоит. Только мне такой автор неизвестен.

— А мне известен, — сказал Т.

— И кто же это?

Т. улыбнулся.

— Я.

Ариэль засмеялся.

— Вам, видимо, понравилась глава про белую перчатку, — сказал он. — А с моей точки зрения, это самое нудное место во всей книге. Я его вообще собираюсь выкинуть при окончательной правке. Вместе с матюками.

— Вряд ли вы успеете что-то еще выкинуть или вкинуть.

Шар, в котором висел Т., стал опускаться вниз, одновременно увеличиваясь в размерах, пока Т. не достиг нормального человеческого роста. Его подошвы коснулись пола, и он оказался стоящим напротив Ариэля.

Теперь комнату разделяла изогнутая прозрачная стена — словно между Т. и Ариэлем повисла огромная линза.

— Как вы это делаете? — спросил Ариэль.

— Так же, как и вы раньше. Я создаю ваш мир, как вы создавали мой.

Т. вытянул перед собой руки, и прозрачная линзоподобная поверхность между ним и Ариэлем выпрямилась, разделив комнату точно надвое.

— Кто дал вам силу?

Т. усмехнулся.

— Каббалисты вроде вас, — сказал он, — верят, что есть двадцать два луча творения — или пятнадцать, я не помню. Но на самом деле есть только один луч, проходящий сквозь все существующее, и все существующее и есть он. Тот, кто пишет Книгу Жизни, и тот, кто читает ее, и тот, о ком эта Книга рассказывает. И этот луч — я сам, потому что я не могу быть ничем иным. Я был им всегда и вечно им буду. Вы считаете, мне нужна какая-то еще сила?

— Вот так, — сказал Ариэль с сарказмом. — Вечно им будете. Вечность, выходит, это вы и есть?

— Я, — ответил Т., — или любой другой, кто хочет ею быть. Только в вашем мире это мало кому нужно. Вот вы, например. Вы ведь не хотите быть вечностью. Вы хотите временно стать богом, чтобы быстрее отбить кредит.

Пока Т. говорил, прозрачная стена между ним и Ариэлем стала снова изгибаться — но уже в сторону Ариэля, и в какой-то момент охватила его прозрачной полусферой. Странным образом внутри этой полусферы оказалась и комната, и вся ее обстановка — письменный стол, машина Тьюринга со своими звуковыми коробками, книжные полки и кошачий диван, на котором сидел демиург.

Т. теперь окружала тьма, и вокруг него ничего нельзя было разобрать — виден был только мешок в его правой руке.

— Я ваш создатель, граф, — сказал Ариэль угрожающе. — Разве вы сомневаетесь?

— Вспомните, как вы появились в моей жизни, — ответил Т. — Я обнаружил вас в темном чулане на барже княгини Таракановой.

— И что?

— Это вы появились в моей жизни, а не я в вашей. Какой вы к черту создатель, если я был уже тогда, когда вас еще не было? Сверьтесь со своей каббалой...

От этих слов вселенная Ариэля стала еще меньше, окончательно сомкнувшись в шар вроде того, в котором перед этим появился сам Т. Комната демиурга сделалась совсем крохотной, но в ее игрушечных окнах благодаря странному оптическому эффекту были по-прежнему видны звездные россыпи далеких электрических огней.

Т. не знал, что именно видит Ариэль со своего дивана, но тот проявлял все больше беспокойства.

— Что вы хотите сделать? — спросил он.

— Мне кажется, — сказал Т., — будет справедливо поступить с вами так, как вы хотели поступить со мной, добрый человек. Вы планировали поставить точку в моей судьбе. Вместо этого я поставлю точку в вашей.

— Вы собираетесь меня убить?

— Нет, — ответил Т. — Я просто закончу эту книгу сам.

— Не говорите чушь. Реальность не так проста, как вам кажется. Любая вселенная живет по тем законам, по которым создана, хочет этого создатель или нет. Книгу невозможно закончить, не соединив сюжетных концов.

— Согласен, — кивнул Т., — но вы сами дали мне возможность завершить эту историю.

— О чем вы говорите?

— Вы не особо аккуратны. Вы оставили за спиной одну сюжетную линию, не получившую продолжения. Сейчас мне достаточно просто довести ее до конца.

— Не понимаю, — сказал бледный Ариэль.

— В вашем опусе есть мотив, связанный с именами. Помните, Сулейман велел вам разобраться с церковным преданием, и вы придумали легенду про гермафродита с кошачьей головой? По этой легенде, дверь в Оптину Пустынь откроется, когда в жертву гермафродиту будет принесен Великий Лев.

— Великолепная память, — сказал Ариэль. — Действительно, жертву мы так и не принесли... И что?

— Все просто. Имя «Ариэль» состоит из двух слов, «Ари» и «Эль», что означает «Лев Господень». Великий Лев — это не я, а вы.

— Я? — спросил Ариэль изумленно.

Т. кивнул.

— Спасибо вашему дедушке-каббалисту... Я мог бы привести это как окончательное доказательство, что автор не вы, а я, но разве мне нужно что-то вам доказывать, Ариэль Эдмундович?

К этому времени сомкнувшаяся вокруг Ариэля сфера уменьшилась до размеров велосипедного колеса, и сидящий на диване демиург стал походить на обитателя игрушечного домика в витрине детского магазина. Но сонмы далеких огоньков в крошечных окнах его комнаты доказывали, что его мир все-таки устроен сложнее.

Где-то там, среди этих огней, остались силовая и либеральная башни, Григорий Овнюк и Армен Вагитович Макраудов, старуха Изергиль и кафе «Vogue», печальный хор гарлемских евреев, Петербург Достоевского на огромной льдине, окно в Европу на украинской границе, мировой финансовый кризис и первые робкие ростки надежды, менеджер Сулейман со своей службой охраны, архимандрит Пантелеймон со своим невидимым богом и, конечно же, маркетологи, ежеминутно пекущиеся о том, как им ловче продать все это этому же всему...

С Ариэлем происходило что-то странное — он ужался вместе со своей комнатой, но неравномерно, так, что его голова сделалась слишком велика для съежившегося тела. Ореол волос над ней стал совсем огромным, превратившись в подобие гривы, и Ариэль действительно стал похож на льва, только совсем маленького.

Однако голос его звучал по-прежнему отчетливо.

— Да, — сказал он, — интересное наблюдение. Мне не пришло в голову... Вот только где вы возьмете гермафродита с кошачьей головой?

— Всегда с собой, — ответил Т. — Хотите посмотреть? И он поднял руку с мешком.

— Гатес, — прочел Ариэль. — Гатес? Это, кажется, ад?

— Нет. «Гадес» по-гречески пишется иначе. А слово «гатес» означает «коты». Но я знал, что вы оцените каламбур. Вы сами породили этот символический ряд, Ариэль Эдмундович. Так не жалуйтесь теперь, что он пришел к вам в гости...

С этими словами Т. сунул руку в мешок и вынул оттуда рыжего сонного кота, спрессованного лежанием в однородную массу — понадобилось некоторое время, пока в ней выделились лапы, хвост и тело. Последними раскрылись равнодушные зеленые глаза, и кот мяукнул.

Ариэль усмехнулся.

— Это же кот Олсуфьева. Вы через него пытались вызвать мой дух, и довольно успешно. Какой это к черту гермафродит?

— Только приближение, — согласился Т. — Кот не вполне гермафродит, а просто кастрирован бессердечным хозяином. Но ведь и вы, Ариэль Эдмундович, не совсем Великий Лев. Так пусть ваши несовершенства уравновесят друг друга...

И Т. отпустил кота.

Ариэль не сказал ничего, но Т. показалось, что его волосы встали дыбом. Вскочив с дивана, он кинулся к столу с машиной Тьюринга.

Выглядело это так, словно Т. смотрел представление в крошечном кукольном театре. Светящийся раструб машины зажегся, в нем появились тонкие строчки текста, и Ариэль принялся яростно молотить по клавишам, время от времени поворачиваясь, чтобы выкрикнуть набиваемые слова в лицо нависшему над ним огромному Т.:

— «Но когда Т. попытался просунуть кота сквозь границу, — орал он, — выяснилось, что это невозможно... Совсем невозможно! Лапы кота разъезжались по непроницаемой поверхности шара, как по бронированному стеклу, и кот обиженно мяукал, не понимая, что творится...»

Однако в действительности происходило совсем другое.

Упав в темноту, кот сначала исчез из виду, а потом появился возле границы, отделявшей мир Т. от круглой вселенной Ариэля. У него определенно вызвало интерес маленькое лохматое существо в ее центре. Кот мяукнул и легко, как если бы никакой прозрачной преграды не существовало, запрыгнул внутрь.

Ариэль к этому времени уже не сидел за своей машиной — он прятался под столом. Т. увидел, как кот лапой опрокинул машину Тьюринга, и все происходящее заслонила его рыжая спина.

Затем случилось что-то роковое.

Раздался хлопок, похожий на звук лопнувшей шины, и сфера погасла.

Стало темно и тихо.

Тишина тянулась несколько долгих мгновений. Таких долгих, что Т. начало казаться — вслед за этим уже ничего никогда не произойдет. А потом раздался громкий скрежет — будто кто-то открывал тяжелую каменную дверь, к которой не прикасались много столетий.

Сама дверь не была видна, но чем шире она открывалась, тем светлее становилось вокруг.

Было раннее утро. Т. различил степь, тянущуюся во все стороны до горизонта, над которым виднелись смутные синеватые силуэты — то ли гор, то ли облаков, то ли небывалых крыш.

Прямо перед ним стояла телега с лошадью.

Это была обычная крестьянская телега, где лежало как раз столько сена, сколько нужно, чтобы удобно на нем устроиться. Лошадь тоже была самой обыкновенной, но все же Т. почудилось что-то знакомое в сумасшедшем пурпурном огне, которым отливал повернутый к нему глаз.

Т. забрался в телегу, и лошадь неторопливо пошла в поле. Сначала он держал вожжи в руках, но потом, поняв, что лошадь идет сама, отпустил их и лег в сено.

Постепенно становилось все светлее, и наконец вдали появился край солнца. Стали видны висящие над головой облака — они были так высоко, что казались неподвижными, каменными, вечными.

Т. вытащил из сена колосок и сунул его в рот.

«Дети думают, в облаках живет Бог. И это чистая правда. А вот интересно, думают ли облака? Наверно, если у них есть мысли, то совсем короткие. И уж про Бога в себе они точно не думают, потому что для этого нужно знать слишком много слов...»

Т. вдруг показалось, что ржаной колосок какой-то странный на вкус. Он вынул его изо рта и тщательно осмотрел. Но никаких следов спорыньи на нем не было — колосок был совершенно чистым. Т. усмехнулся. Словно в ответ, лошадь весело заржала, хлестнула сама себя хвостом и побежала шибче.

«Все возвращается за последнюю заставу. Облака, дети, взрослые, и я тоже. Так кто же сейчас туда едет? На редкость глупый вопрос, хотя его и любят задавать всякие духовные учителя. «Кто» — это местоимение, а тут ни имения, ни места. Все, что можно увидеть — это, как сказал бы моряк, пенный след за кормой. Время и пространство, которое маркетологи из Троице-Сергиевой лавры породили по заказу либеральных чекистов, чтобы не затихло благодатное бурление рынка под угасающим взглядом Ариэля Эдмундовича Брахмана. Ведь должен же свет что-то освещать. Но теперь пора домой...»

— Только сперва следовало бы подобрать этому дому название, — сказала вдруг лошадь, оглядываясь.

— Это невозможно, — ответил Т. — В чем все и дело.

— Отчего же, — сказала лошадь. — Описать, может быть, и нельзя. Но название дать можно вполне.

— Например?

— Термин, мне кажется, должен быть русско-латинским. Чтобы показать преемственность цивилизации третьего Рима по отношению к Риму первому. Таким образом мы убьем сразу двух Ариэлей Эдмундовичей — отлижем силовой башне и рукопожмем либеральной... Как вам словосочетание «Оптина Пустынь», граф?

— А где в нем латынь?

— Ну как же. Слово «Оптина» происходит от латинского глагола «optare» — «выбирать, желать». Здесь важны коннотации, указывающие на бесконечный ряд возможностей. Ну а «Пустынь» — это пустота, куда же без нее. Сколько здесь открывается смыслов...

— Что-то не очень, — сказал Т.

— То есть как не очень, — обиделась лошадь. — Да будь я на вашем месте... Я бы сейчас так вскочила в телеге на ноги и закричала: да, Оптина Пустынь! Окно, раскрытое во все стороны сразу! Так не может быть, но так есть...

Лошадь шла, повернув голову к Т., и телега стала описывать широкий плавный круг.

— Это окно и есть я, — продолжала она, сверкая пурпурным глазом. — Я и есть то место, в котором существует вселенная, жизнь, смерть, пространство и время, мое нынешнее тело и тела всех остальных участников представления — хотя, если разобраться, в нем нет ничего вообще...

— А палец будем рубить?

Лошадь заржала.

— Было бы здорово на прощанье, — сказала она искательно. — Можно будет назвать актом предельно-го неделания у последней заставы. Если хотите знать, что я действительно думаю...

— С этим к Чапаеву.

Лошадь даже остановилась.

— Почему к Чапаеву?

— Он кавалерист. Ему интересно, что думает ло-шадь.

— Да где же я его теперь найду?

— Найдешь, — сказал Т. — Я определенно чувст-вую, в одном Ариэль Эдмундович был прав — то, что он назвал «реальностью», обязательно пустит где-нибудь ростки. Вот пусть Чапаев с ними и разбирает-ся. Может, его уговоришь насчет пальца. А сейчас иди...

Лошадь пошла вперед, и Т. закрыл глаза.

Перед ним возникла знакомая тьма, полная неви-димого света, который давал о себе знать множеством неуловимых отблесков. Ни на одном нельзя было за-держать внимание — он сразу исчезал, но вместе они превращали черноту в нечто другое, не похожее ни на тьму, ни на свет. Т. подумал, что это и есть единствен-ный образ Божий, действительно данный свыше, по-тому что каждый человек с младенчества носит его с собой. И там, если смотреть внимательно, есть все от-веты на все вопросы...

Он почувствовал какое-то движение, открыл глаза и увидел рыжего кота — тот, оказалось, уже догнал те-легу и теперь сидел в сене рядом.

— Хотите, граф, я прочту стихотворение? — спро-сила лошадь. — Мне кажется, оно будет созвучно мо-менту.

— А чье стихотворение?

— Мое.

— Прочти, — сказал Т. — Любопытно.

Лошадь сделала несколько шагов молча — видимо, собираясь с дыханием, — а потом нараспев заговорила:

— Как на закате времени Господь выходят Втроем
Спеть о судьбе творения, совершившего полный круг.
Кладбище музейного кладбища тянется за пустырем
И после долгой практики превращается просто в луг.

Древний враг человечества выходит качать права,
И вдруг с тоской понимает, что можно не начинать.
Луг превращается в землю, из которой растет трава,
Затем исчезает всякий, кто может их так назвать.

Правое позабудется, а левое пропадет.
Здесь по техническим причинам в песне возможен сбой.
Но спето уже достаточно, и то, что за этим ждет,
Не влазит в стих и рифмуется только с самим собой...

Поняв, что стихотворение закончено, Т. сказал:

— Неплохо. Особенно для лошади — совсем даже неплохо.

— Спасибо, — ответила лошадь. — Я, собственно, к тому, что застава уже рядом. Приближается граница, после которой... В общем, раз автор теперь вы, надо решить, где будет последняя обзорная точка.

— Да, — согласился Т., — это правда.

Он заметил, что перчатка все еще на его руке — уже не совсем белая, а измазанная в травяном соке. Он снял ее и бросил в сторону.

Перчатка упала в траву, задев стебель, по которому ползла букашка с длинным зеленым брюшком под прозрачными крыльями. Она замерла на месте. Потом, поняв, что опасности нет, поползла дальше. Скоро она выбралась в полосу солнца, и на ее крыльях появилась радужная сетка расщепленного света.

Тогда она занялась чем-то странным — прижалась к стеблю брюшком, подняла голову и стала тереть друг о друга передние лапки. Выглядело это так, словно крохотный зеленый человечек молится солнцу сразу двумя парами рук.

Скорей всего, никакого смысла в этих движениях не было. А может быть, букашка хотела сказать, что она совсем ничтожная по сравнению с малиновым шаром солнца и, конечно, не может быть никакого сравнения между ними. Но странно вот что — это огромное солнце вместе со всем остальным в мире каким-то удивительным образом возникает и исчезает в крохотном существе, сидящем в потоке солнечного света. А значит, невозможно сказать, что такое на самом деле эта букашка, это солнце, и этот бородатый человек в телеге, которая уже почти скрылась вдали — потому что любые слова будут глупостью, сном и ошибкой. И все это было ясно из движений четырех лапок, из тихого шелеста ветра в траве, и даже из тишины, наступившей, когда ветер стих.

Литературно-художественное издание

Пелевин Виктор Олегович

Т

Литературный редактор А. Э. Брахман
Художественный редактор Н. С. Никонова
Компьютерная верстка А. В. Колпаков
Корректор Н. А. Сикачева

В оформлении книги использована экуменистическая икона
работы В. Соловьева «trinity»

ООО «Издательство «Эксмо»
127299, Москва, ул. Клары Цеткин, д. 18/5. Тел. 411-68-86, 956-39-21.
Home page: **www.eksmo.ru** E-mail: **info@eksmo.ru**

Оптовая торговля книгами «Эксмо»:
ООО «ТД «Эксмо». 142700, Московская обл., Ленинский р-н, г. Видное,
Белокаменное ш., д. 1, многоканальный тел. 411-50-74.
E-mail: **reception@eksmo-sale.ru**

По вопросам приобретения книг «Эксмо» зарубежными оптовыми
покупателями обращаться в отдел зарубежных продаж ТД «Эксмо»
E-mail: **international@eksmo-sale.ru**

International Sales: International wholesale customers should contact
Foreign Sales Department of Trading House «Eksmo» for their orders.
international@eksmo-sale.ru

По вопросам заказа книг корпоративным клиентам, в том числе в специальном оформле-
нии, обращаться по тел. 411-68-59 доб. 2115, 2117, 2118. E-mail: **vipzakaz@eksmo.ru**

Оптовая торговля бумажно-беловыми
и канцелярскими товарами для школы и офиса «Канц-Эксмо»:
Компания «Канц-Эксмо»: 142702, Московская обл., Ленинский р-н, г. Видное-2,
Белокаменное ш., д. 1, а/я 5. Тел./факс +7 (495) 745-28-87 (многоканальный).
e-mail: **kanc@eksmo-sale.ru**, сайт: **www.kanc-eksmo.ru**

Полный ассортимент книг издательства «Эксмо» для оптовых покупателей:
В Санкт-Петербурге: ООО СЗКО, пр-т Обуховской Обороны, д. 84Е. Тел. (812) 365-46-03/04.
В Нижнем Новгороде: ООО ТД «Эксмо НН», ул. Маршала Воронова, д. 3. Тел. (8312) 72-36-70.
В Казани: Филиал ООО «РДЦ-Самара», ул. Фрезерная, д. 5. Тел. (843) 570-40-45/46.
В Ростове-на-Дону: ООО «РДЦ-Ростов», пр. Стачки, 243А. Тел. (863) 220-19-34.
В Самаре: ООО «РДЦ-Самара», пр-т Кирова, д. 75/1, литера «Е». Тел. (846) 269-66-70.
В Екатеринбурге: ООО «РДЦ-Екатеринбург», ул. Прибалтийская, д. 24а. Тел. (343) 378-49-45.
В Киеве: ООО «РДЦ Эксмо-Украина», Московский пр-т, д. 9. Тел./факс (044) 495-79-80/81.
Во Львове: ТП ООО «Эксмо-Запад», ул. Бузкова, д. 2. Тел./факс (032) 245-00-19.
В Симферополе: ООО «Эксмо-Крым», ул. Киевская, д. 153. Тел./факс (0652) 22-90-03, 54-32-99.
В Казахстане: ТОО «РДЦ-Алматы», ул. Домбровского, д. 3а. Тел./факс (727) 251-59-90/91.
rdc-almaty@mail.ru

Полный ассортимент продукции издательства «Эксмо»:
В Москве в сети магазинов «Новый книжный»:
Центральный магазин — Москва, Сухаревская пл., 12. Тел. 937-85-81.
Волгоградский пр-т, д. 78, тел. 177-22-11; ул. Братиславская, д. 12. Тел. 346-99-95.
Информация о магазинах «Новый книжный» по тел. 780-58-81.

Подписано в печать 16.09.2009.
Формат 84×108 $^1/_{32}$. Гарнитура «Таймс». Печать офсетная.
Бумага офсетная. Усл. печ. л. 20,16.
Тираж 150 100 экз. Заказ № 7704.

Отпечатано в полном соответствии
с качеством предоставленных диапозитивов
в ОАО «Можайский полиграфический комбинат».
143200, г. Можайск, ул. Мира, 93.